CYN
(DON)
Awg 06

10332768

WELSP

?.8 ELT

RHYWFAI

D0539595

RHYWFAINT O ANFARWOLDEB

BYWGRAFFIAD ISLWYN FFOWC ELIS

T. Robin Chapman

Argraffiad cyntaf – 2003

ISBN 1 84323 224 3

Dymuna'r cyhoeddwyr gydnabod cymorth Cyngor Llyfrau Cymru.

Argraffwyd yng Nghymru gan
Wasg Gomer, Llandysul, Ceredigion

Ac felly yr awn drwy fywyd, yn gadael darnau ohonom yma a thraw – mewn bedd, mewn cartref, mewn oriau diddychwel – a phrofi cyfnodau o hiraeth o'u herwydd. A phwy a ŵyr na chawn ni ryw ddiwrnod hel y darnau at ei gilydd, ac ail-brofi'r melystra a gollwyd. Oni bai i rywbeth dynghedu bod un hiraeth i aros na wyddom am beth y mae, ac yr erys darn ohonom rywle yn nyfnder y cread na allwn fynd ato byth.

Islwyn Ffowc Elis, yn 22 oed

Cydnabyddiaeth

Carwn ddiolch i'r canlynol am eu cefnogaeth a'u cymorth gyda'r gwaith hwn: Rhona Bates, Roger a Dilys Bates, Bill Chapman, Ifan a Siân Dalis-Davies, Bryan Martin Davies, Idris Davies, Mair Davies, Dr D. Islwyn Edwards, Jane Edwards, y Parch Bryn a Mrs Eirlys Ellis, Hedd ap Emlyn, y Parch Huw Ethall, Dr Gwynfor Evans, Dr Meredydd Evans, Glanfor Griffiths, Elen Hughes, Cyril Jones, Gwerfyl Pierce Jones, y Parch Huw Jones, J. Brynmor Jones, Nia Mair Jones, Bryn Lloyd-Jones, Dr Robyn Léwis, Dr Elin Meek, yr Athro Derec Llwyd Morgan, Tecwyn Owen, Eigra Lewis Roberts, Elwyn Roberts, Mair Eluned Roberts, yr Athro John Rowlands, Einion Wyn Thomas, Roland Thomas, Dr Urien Wiliam, Allen ac Alwena Williams, yr Athro Gruffydd Aled Williams a'r Parch Robin Williams.

Rwy'n ddyledus hefyd i Mairwen Prys Jones a Bethan Mair, Gwasg Gomer, am ymgymryd â chyhoeddi'r gyfrol ac am bob anogaeth ar hyd y ffordd.

Nodyn ar y Ffynonellau

Gellir adnabod y rhan fwyaf o'r ffynonellau a ddyfynnir wrth gyfeiriadau yng nghorff y testun. Ceir yr holl lythyrau at Islwyn Ffowc Elis ymhlith ei bapurau, a gyflwynwyd i Lyfrgell Genedlaethol Cymru yn haf 2002, ac eithrio ei ohebiaeth â staff, awduron a chyfieithwyr y Cyngor Llyfrau, a gedwir yng nghasgliad preifat y Cyngor ei hun. O gasgliad Islwyn Ffowc Elis y codwyd copïau o'i ohebiaeth â William Kellock, Robyn Léwis, E. G. Millward, Dafydd Wigley a Phil Williams.

Bûm yn ddigon ffodus i weld llythyrau oddi wrth Islwyn Ffowc Elis yng nghasgliadau preifat Trefor Edwards, Huw Ethall, Gwynfor Evans, Meredydd Evans, Elin Meek, John Rowlands a Robin Williams. Cedwir y gweddill yng nghasgliadau'r mudiadau a'r unigolion a enwir, yn y Llyfrgell Genedlaethol.

Casglwyd detholiad helaeth o erthyglau, darllediadau a beirniadaethau eisteddfodol Islwyn Ffowc Elis yn *Naddion* (Dinbych, 1998). Lle cyfeirir at ddeunydd a geir yn y gyfrol honno, nodir y ffynhonnell wreiddiol yng nghorff y testun a'r tudalennau priodol yn y gyfrol honno yn y troednodyn.

Cyfeirir at y cyfweliad dienw, 'Holi Islwyn Ffowc Elis, *Mabon* 1.6 (Gwanwyn-Haf 1973), 11-25, fel *Mabon*.

Cynnwys

Rhagair

Pan oeddwn ar fin ysgrifennu ymdriniaeth lawer llai uchelgeisiol ag Islwyn Ffowc Elis nag a geir yma, aeth yn ddadl foneddigaidd, anochel rhyngddo ef a minnau ynglŷn â hawl beirniad i fod yn feirniad heb dramgwyddo ei wrthrych. Torrodd Islwyn y ddadl honno gyda gair o gyngor nodweddiadol o garedig ond cwbl anymarferol. 'Y peth gorau,' meddai mewn llythyr ataf yn Awst 1997, 'yw esgus fy mod wedi marw, ac nad yw'n bosibl i mi felly ystumio'ch barn mewn ffordd yn y byd!'.

Gobeithio na adewais i Islwyn lywio fy marn bryd hynny, chwarae teg iddo, ac nid wyf yn ymwybodol i ddim o'r fath ddigwydd yn y gyfrol hon chwaith. Rwyf yn ddyledus iawn i Islwyn Ffowc Elis y tro hwn eto am bob cydweithrediad ac anogaeth, ond peidied neb â meddwl bod stamp ei gymeradwyaeth ar y gwaith hwn. Go brin y cafodd cofiannydd erioed wrthrych mor ymarferol gefnogol i'r fenter ond eto mor anniddig gyda'r egwyddor o fod yn destun bywgraffiad o gwbl. Mae sawl un wedi fy llongyfarch ar y 'gamp' o berswadio Islwyn Ffowc Elis i gyd-fynd â'r prosiect. Dim o'r fath beth. Ef biau'r gamp, drwy ganiatáu i'w gymwynasgarwch naturiol drechu ei wyleidd-dra greddfol. Carwn gydnabod fy niolch llwyraf iddo.

'Mae rhywfaint o anfarwoldeb, cofiwch, mewn bod yn nodyn ar waelod traethawd PhD,' ysgrifennodd Islwyn Ffowc Elis yn nechrau 1963. Bydd dilyn ei hanes yma yn fodd i ddangos bod Islwyn Ffowc Elis yn llawer, llawer mwy na hynny. Yn wir, bu'n destun doethuriaeth gan Norwyad o dras Pwylaidd yn Oslo; mae ei nofelau yn rhan o faes llafur cyrsiau gradd yn Uppsala a Brest. Gellir ei ddarllen mewn cyfieithiadau Saesneg, Almaeneg, Eidaleg a Gwyddeleg, mewn cyfaddasiadau i ddysgwyr ac ar dâp sain drwy Gymdeithas y Deillion. Er mawr embaras iddo, dewiswyd *Cysgod y Cryman* yn 'Llyfr Cymraeg y Ganrif' gan Gyngor Celfyddydau Cymru yn 1999 ac mae ei gwerthiant o bron i 50,000 o gopïau yn record i nofel Gymraeg. Wrth i mi ysgrifennu'r geiriau yma, gwn am o leiaf ddau draethawd ymchwil ar ei waith sydd eto i weld golau dydd; mae S4C yn ailddarlledu *Lleifior*, ac mae cwmni cynhyrchu wrthi'n ffilmio addasiad o'i stori fer 'Y Polyn'. Y noson o'r blaen, ar raglen radio ddychanol, soniodd rhyw wâg am ganwr gwlad o Gymro Americanaidd o'r enw 'Whistlin' Ffowc Elis', ac roedd ei gynulleidfa yn ei ddeall. Aeth y bathiad 'Lleifior' yntau yn dalisman o Gymreictod a welir ar dai ledled Cymru, yn dysteb i ryw atyniad na all hyd yn oed eu perchnogion, efallai, ei ddiffinio. Prin fod mis wedi mynd heibio yn ystod yr hanner can mlynedd diwethaf heb i ohebydd papur newydd neu gynhyrchydd teledu neu gyw ymchwilydd ei holi am ei waith. Mewn anerchiad yng Ngholeg Bryn Mawr, Pennsylvania, ym Mehefin 2000, dywedodd Geraint H. Jenkins wrth ei gynulleidfa o Americanwyr am ei gyd-Gymry a'u perthynas ag Islwyn, *'Those who have neglected to read his books should hang their heads in shame.'* Eto i gyd, ni ellir dilyn hanes ei fywyd heb ystyried priodoldeb yr ensyniad y gall anfarwoldeb fod yn beth amodol, yn rhywbeth y gellir ei fesur ac ychwanegu ato neu dynnu oddi wrtho.

Mewn darn o hunangofiant Saesneg yn 1971, dywedodd Islwyn Ffowc Elis nad ysgrifennai o angenrheidrwydd yr hyn y dymunai ei ysgrifennu, *'but what is expected of some writers, at least, in this particular hour of the nation's history'*. Ni ddylai ei yrfa igam-ogam ein dallu i'r penderfynoldeb (temtir rhywun i ddefnyddio'r gair anffasiynol 'unplygrwydd') yn ei gyfansoddiad. Er gwell neu er gwaeth (a'r cyntaf yn sicr yn amlach na'r ail) mae wedi mynnu byw ei fywyd yn yr un modd, yn ddarostyngedig i ddelfryd o wasanaeth, yn ymglywed â rhyw argyfwng parhaus.

Ni bu'n siwrnai hawdd. Mae ysgrifennu yn ei hanes wedi ymdebygu'n fwy i gyflwr nag i weithred. Mae wedi sôn amdano ar wahanol adegau fel dyletswydd a dihangfa, rheidrwydd, niwrosis a 'chynneddf iachusol'. Galwodd am i eraill ei ddilyn, a'u rhybuddio rhag gwneud os gallent beidio. Ei hanes yw hanes ymroddiad i ymroddiad, argyhoeddiad a'i cymhellodd – ddwywaith – i geisio byw ar ei fara ei hun fel llenor, y cyntaf i wneud hynny, gellid dadlau, ers dyddiau Beirdd yr Uchelwyr. Y tro cyntaf iddo wneud, roedd yn weithred o ffydd ddiwylliannol. Yng Nghymru 1956, heb Swyddfa Gymreig nac Ysgrifennydd Gwladol, heb Gyngor Llyfrau nac Academi na Chyngor Celfyddydau na Mudiad Ysgolion Meithrin na rhwydwaith o ysgolion uwchradd cyfrwng Cymraeg, mewn gwlad lle'r oedd nifer siaradwyr yr iaith wedi gostwng o ryw 200,000 ers iddo gael ei eni, ei obaith oedd gwneud y nofel nid yn unig yn fodd o achub y Gymraeg ond yn sefydliad. Pan fentrodd yr eildro, roedd arlliw o antur esthetig yn y penderfyniad, mewn Cymru a oedd wedi ei chyflyru i feddwl nid yn unig fod hunanliwtio'n groes i bob synnwyr economaidd ond a arddelai hefyd yr uniongrededd diogel mai mynegiant i'r enaid ac nid rhywbeth i ddiddanu oedd diben llenydda.

Yn fyr, mae ei fywyd, fel ei nofelau a'i ysgrifau a'i sgriptiau a'i ganeuon dirifedi, wedi bod yn her dawel, daer i genhedlaeth a fynnai godi gwahanfur rhwng llenyddiaeth fel 'beirniadaeth ar fywyd', chwedl T. Gwynn Jones, a bywyd ei hun. Ei ddyhead, twyllodrus o syml, oedd cyfuno'r ddau beth. Dymunai fod yn llenor a *ddigwyddai fod* hefyd – dros dro – yn weinidog neu'n ddarlithydd, neu'n olygydd neu'n ymgeisydd seneddol. Ac yn sialens ychwanegol, ceisiodd ddringo'r wal ddiadlam rhwng y poblogaidd a'r canonaidd. Hawdd deall pam y cyhuddwyd ef o buteinio'i ddawn.

O'i ran yntau, mae Islwyn Ffowc Elis yn ddigon trwm ei lach ar feirniaid a beirniadaeth. Prin y ceir sôn ganddo am feirniadaeth lenyddol nad yw hefyd yn feirniadaeth ar y ddisgyblaeth ei hun. Mae'r cyfuniad o ofn ac amheuaeth yn ei agwedd tuag ati yn tarddu i raddau, gellir tybio, o'i annhuedd gynhenid ei hun. Ysgrifennodd at John Rowlands yn Hydref 1981 nad oedd ganddo mo'r amynedd i ymgymryd ag unrhyw orchwyl a fynnai 'chwilota, hynny yw, ymchwil'. Treuliodd gŵr a gynhyrchodd naw nofel sylweddol o fewn degawd, bedair blynedd yn ceisio dod i ben ag ysgrif 25,000 o eiriau ar Daniel Owen – a methu. '. . . rydw innau'n casáu *sgrifennu* beirniadaeth lenyddol . . .,' addefodd wrth Huw Ethall flwyddyn yn ddiweddarach. 'Rwy'n cael y peth yn anodd. Does wiw defnyddio dychymyg – fel y gwna rhai o'n beirniaid yn ormodol – ac rwy'n cael ysgrifennu ffeithiol, dadansoddol neu "sylweddol" y peth mwyaf anodd yn y byd. Dyna pam rwy'n dod i gredu fwyfwy bod un bardd neu lenor go-iawn yn werth deg o grach-feirniaid.' Ceir agwedd arall hefyd: ei gred ddiysgog, ar sail ei brofiad ei hun, y gall beirniadaeth lyffetheirio llenyddiaeth. Credai fod Kate Roberts wedi britho *Tywyll Heno* â chyffelybiaethau – ei 'feliau' enwog, gan wneud cam â hi ei hun yn y fargen, 'mewn ymateb i'w beirniaid'; tybiodd yn 1994 na chafodd Robin Llywelyn gystal hwyl ar *O'r Harbwr Gwag i'r Cefnfor Gwyn* nag ar *Seren Wen ar Gefndir Gwyn*, am ei fod 'wedi dod yn ymwybodol, yn rhy ymwybodol, o feirniadaeth lenyddol'; ac, fel y ceir gweld, yn y Ddarlith Lenyddol ar lwyfan y Genedlaethol yn Wrecsam yn 1977, cyhuddodd genhedlaeth o feirniaid o danseilio hunanhyder a lladd asbri ei arwr llenyddol, Tegla.

Mae Islwyn wedi dioddef yn yr un modd. Ei anffawd gyntaf oedd iddo greu'r fath sbloet yn ei waith cyhoeddedig cynnar. Pennodd ceinder *Cyn Oeri'r Gwaed* a hygyrchedd *Cysgod y Cryman* – a gyfansoddwyd, ill dau, ymhell cyn iddo gyrraedd ei ddeg ar hugain oed, cofier – y canllawiau y byddai ei ddarllenwyr yn barnu ei waith wrthynt. Ei gaethgyfle o hynny allan oedd cael ei weld yn llenor bythol ifanc, bythol addawol. Fe'i cafodd ei hun yn methu ehangu ei orwelion rhag siomi ei gynulleidfa, ac yn methu aros yn ei unfan rhag wynebu'r cyhuddiad na allai ysgrifennu'n amgen. Mae ei waith yn gofnod o'i ymchwil barhaus am gyfrwng a gyfunai ei reddf (yn wir, ei genadwri) boblogaidd â'i awydd i ysgrifennu, chwedl yntau, 'yn arwyddocaol'.

Fe'i camddehonglwyd hefyd am fod y pethau sy'n argyhoeddiadau angerddol (a chostus yn aml) ganddo – gwladgarwch, brogarwch, yr ymdeimlad o berthyn, gwerth bywyd cefn gwlad, gwerth stori, ysgrifennu fel crefft a dawn, heddychiaeth, hybu'r farchnad llyfrau Cymraeg – yn ddaliadau meddal, hamddenol a diog ddigon gan y rhelyw ohonom. Nid y rheswm lleiaf am y camddehongli arno, chwaith, yw ei fod, ar sawl cyfrif pwysig, yn anghymreig, yn ôl uniongrededd ei gyfnod: fawr o oddefgarwch tuag at amaturiaeth; anghysur gyda diwylliant torfol côr, cymanfa a chwrdd; heb unrhyw ymlyniad llwythol tuag at ei enwad. Er gwaethaf ei wasanaeth iddi, prin y cafodd yr Eisteddfod na'r Orsedd aelod llai cysurus. Ymgadwai, ar yr un pryd, rhag traethu'n gyhoeddus ar y pynciau ymddangosiadol ddadleuol hynny a fyddai wedi ei ddilysu fel llenor o ddifrif. Fawr o sôn, er enghraifft, am hanes y tu allan i hanes ei deulu, ychydig iawn am ei ffydd bersonol, ymrafael gwleidyddol, beirniadaeth lenyddol a chelfyddyd yn ei hystyr ehangach. Camgymerwyd y tafod yn y foch am ddiffyg tân yn y bol, ac oherwydd amrywiaeth arbrofol ei gynnyrch, daethpwyd i synio amdano, yng ngeiriau un beirniad, fel 'llenor at iws gwlad'.

Bydd yn werth dilyn y syniad hwn o Islwyn Ffowc Elis fel llenor 'defnyddiol'. Ym Mehefin 1955, pan oedd ei ddadrithiad â'r weinidogaeth ar ei lymaf a'i awydd i fod yn llenor ar ei danbeitiaf, dywedodd hyn am y ddwy alwedigaeth:

> . . . mae geiriau llenor yn cerdded y cyfandiroedd o'i flaen i greu rhagfarn o'i blaid neu i'w erbyn, ac yn byw ar ei ôl i'w gyhuddo. Nid geiriau i'w clywed ydynt mewn cyfarfod a'i awyrgylch yn gynnes gan weddi ac yn sanctaidd gan gryndod organ, ond geiriau i'w gweld gan lygaid oerion dyn yn ei bwyll yn barnu. Dyna pam y mae'r llwybyr [*sic*] yn arwach i'r diwygiwr llyfr nag i'r diwygiwr llwyfan. Nid yw ei gyfeillion o'i gwmpas i'w ganu i fuddugoliaeth. Rhaid iddo ef wynebu'r gŵr y mynn ei argyhoeddi yng nghastell ei gadair freichiau, heb na neb na dim o'i du ond ei eiriau . . .

Ceir rhybudd amserol i'r bywgraffydd yn y geiriau hyn. Bydd sôn yn y penodau a ganlyn, wrth reswm, am y dylanwadau arno; bydd yn rhaid ei ystyried hefyd yng nghyd-destun y Gymru a adwaenai ac y ceisiai ei dehongli; ond esgeulustod beirniadol fyddai cyfyngu ein sylw i Islwyn Ffowc Elis fel cynnyrch ei aelwyd a'i oes. Craidd y bywgraffiad hwn fydd ceisio rhoi cyfrif am y cymhelliad creadigol a'i cynhaliai. *Dewisodd* ysgrifennu. Nid yn unig hynny, dewisodd ffuglen yn gyfrwng a Chymru gyfoes yn destun.

Bydd dilyn goblygiadau'r dewis hwnnw yn fodd i ddangos pa mor bell y mae llenyddiaeth Gymraeg wedi cerdded. Hyd yn ddiweddar, bu'n ffasiynol sôn am lenorion Cymraeg fel 'cymwynaswyr', fel petai dewis ysgrifennu yn Gymraeg mewn gwlad ddwyieithog yn rhywbeth dros yr iaith, yn gyfraniad at yr achos, yn weithred o haelioni. Dyma yn sicr oedd yr hinsawdd a fodolai pan wnaeth Islwyn Ffowc Elis ei ddewis. Dyma hefyd sy'n ei wahaniaethu fwyaf oddi wrth y llenorion a'i dilynai. Mae newid yn statws cymdeithasol a chyfreithiol yr iaith, ynghyd â dyfodiad cenhedlaeth o awduron i'r cyfryngau, wedi dod â newid agwedd yn eu sgil. Mae'r dewis cyfatebol a wneir gan ugeiniau o lenorion Cymraeg i wneud ysgrifennu'n ffon fara erbyn heddiw wedi colli ei fin.

A da o beth hynny. Mae blas perthynoldeb artistig ar y syniad o lenor yn talu 'cymwynas'. Mae perygl dryswch swyddogaeth hefyd. Ac os mai'r peth gorau y gellir ei ddwedud am yrfa Islwyn Ffowc Elis yw iddo wneud ei ran dros yr iaith – fel y dywedwyd droeon gan adolygwyr didwyll a diolchgar – ni fyddai angen bywgraffiad iddo o gwbl. Erbyn hyn, gellir gofyn cwestiwn mwy ystyrlon am etifeddiaeth Islwyn Ffowc Elis. Yn syml iawn, a yw'r nofel ar ei hennill o'i herwydd?

I wneud hynny, rhaid gosod camp Islwyn Ffowc Elis yn ei chyd-destun hanesyddol. Yn 1891, bedair blynedd cyn iddo farw, edrychai Daniel Owen ymlaen yn ei ragymadrodd i *Enoc Huws* at wawr newydd yn llenyddiaeth Cymru. Byddai'r dyfodol hwnnw'n fwy dyledus i George Eliot nag i Ann Griffiths; cyfrwng y llenyddiaeth newydd fyddai'r nofel, y 'ffugchwedl'; ei llwyfan fyddai cymdeithas rhagor dirgel leoedd yr enaid; ei deunydd crai fyddai ymwneud dynion â'i gilydd yn hytrach na pherthynas dyn a Duw; byddai mwy o ddychan nac o dduwioldeb yn ei chywair; a'r Mab Afradlon – 'y chwedl fwyaf effeithiol, poblogaidd ac anfarwol yng Nghymru' – ac nid Pererin Bunyan fyddai ei harwr. Meddai Owen:

> Mae hanes ac arferion Cymru, yn wir, y bywyd Cymreig, hyd yn hyn, yn *virgin soil*, ac yn y man, mi hyderaf, y gwelir blaenolion ein cenedl yn corphori yn y gangen hon o lenyddiaeth ein neillduon a'n defodau.

Er ei graffed fel sylwedydd ar y natur ddynol, methai Owen yn enbyd. Am ddwy genhedlaeth wedi ei farw, anwybyddwyd y nofel i bob pwrpas. Yn eironig ddigon, dynododd diwydiannu a datblygiad bywyd trefol, ffyniant math o fân fwrdeisiaeth a dirywiad cyfatebol diwylliant y capel – yr union bethau a gâi Daniel Owen yn faes mor ffrwythlon yn *Enoc Huws* – derfyn ar nofela yn Gymraeg. Ni feddai

Cymru ar yr hunanhyder i greu ffuglen estynedig; nid oedd ganddi'r argyhoeddiad i gredu bod ganddi storïau i'w hadrodd amdani ei hun wrthi ei hun na'r parodrwydd i gydnabod bod posibiliadau llenyddol mewn iaith a oedd ar farw. Yr oedd fel petai llenorion hanner cyntaf yr ugeinfed ganrif wedi dod i gasgliad anymwybodol na allai'r iaith fforddio'r fenter artistig, gymdeithasol a moesol o'i gwneud ei hun yn gyfrwng i archwilio'r newidiadau a oedd wedi digwydd iddi. Yn lle hynny, ymfodlonai llenyddiaeth boblogaidd ar benillion rhad yn ailadrodd hyd syrffed fyth rinweddau bywyd cefn gwlad, dwylo geirwon mamau ac aelwyd y bwthyn bach gwyngalchog; ac ymroddai dwy genhedlaeth o'r dosbarth newydd o awduron academaidd i gerddi ac ysgrifau arbrofol ond mewnblyg. Nid oedd fawr ryfedd, felly, mai dyrnaid o ryw ddwsin o gyfrolau o storïau byrion a ddeilliodd o ddadeni llenyddol ugain mlynedd cyntaf y ganrif. Hyd yn oedd lle'r oedd awydd i gynhyrchu ffuglen estynedig, gosodwyd hualau arni: diffyg dawn, diffyg cyfle, diffyg diddordeb tybiedig o du'r cyhoedd, neu amharodrwydd llenorion cydnabyddedig i'w labelu eu hunain yn nofelwyr. Ysgrifennodd T. Gwynn Jones ddwy nofel ar droad y ganrif, cyn troi at farddoniaeth; arbrawf dynwaredol oedd *Monica* Saunders Lewis (1930) gan lenor a ymddiddorai fwy mewn drama; ysgrifennodd Kate Roberts hithau ddwy nofel yn y dauddegau a *Traed Mewn Cyffion* yn 1936, ond ei phriod faes oedd y stori fer. Hanes lled-hunangofiannol am ei brofiadau fel gwrthwynebydd cydwybodol oedd *Plasau'r Brenin* Gwenallt (1933), ac er i T. Rowland Hughes ennill statws iddo'i hun fel nofelydd yn bennaf, rhyw therapi oedd ysgrifennu iddo yn wyneb salwch.

Camp fwyaf Islwyn Ffowc Elis, felly, oedd synio amdano'i hun fel nofelydd o gwbl. Ysgrifennodd *Cysgod y Cryman* ddeng mlynedd cyn bod sôn am rannu grantiau i awduron gan y Cyngor Llyfrau a phymtheng mlynedd cyn i Gyngor y Celfyddydau gynnig ysgoloriaethau i awduron i dreulio cyfnod yn ysgrifennu'n amser llawn. Ei ail gamp oedd darganfod deunydd llenyddiaeth – ni waeth pa mor boblogaidd ei naws – yng Nghymru canol yr ugeinfed ganrif. Ei drydedd gamp oedd darganfod idiom a dilysu'r nofel fel ffurf Gymraeg yn erbyn uniongrededd yn Adrannau Cymraeg y Brifysgol na chydnabyddai fod y nofel yn ffurf deilwng o fod yn destun sylw academaidd, a gwamalrwydd beirniadol eisteddfodol a welsai farnu *Traed Mewn Cyffion* yn gydradd â thruth sentimental *Creigiau Milgwyn* Grace Wynne Griffith lai nag ugain mlynedd ynghynt. Yn olaf, creodd gynulleidfa i'w waith – ansoffistigedig ar y cychwyn, a rhy barod i ganmol, efallai – gan gyd-dyfu â hi, a'i hannog a'i swcro i ddisgwyl ac i dderbyn mwy. Nid gormodiaith fyddai dweud i Islwyn Ffowc Elis ddysgu to o ddarllenwyr i ddarllen ffuglen estynedig yn y Gymraeg ac, yn bwysicach fyth, i feddwl am yr iaith fel cyfrwng naturiol ac addas i'r fenter.

Neilltuir rhan helaeth o'r bywgraffiad hwn, er hynny, i'r 'blynyddoedd mud', chwedl yntau, pan beidiodd y ffrwd nofelyddol. Cywirach fyddai eu dynodi'n flynyddoedd cudd. Ar lawer ystyr, dyma'r cyfnod prysuraf, mwyaf cyffrous yn ei hanes. Rhoddodd y gorau i gyhoeddi ffuglen yn gyson reolaidd, efallai, ond yn sicr ni pheidiodd ag ysgrifennu – a hynny'n helaeth. O ail hanner y chwedegau ymlaen, ffeiriodd lenydda am 'bleidydda', gan lunio delw newydd i Blaid Cymru a rhannu cyfrinachau dyfnaf Gwynfor Evans a phleidwyr eraill. Law yn llaw â hyn, gweithiodd yn ddiymarbed i'r Cyngor Llyfrau, yn gwireddu yn ddirprwyol ei freuddwyd am weld ffrwd gyson o lenyddiaeth boblogaidd yn Gymraeg. A rhwng y golygu a'r adolygu a'r llythyru, daliodd i weithio ar fenter lenyddol fwyaf ei fywyd – nofel hanes.

Mae'r Gymru y dewisa ysgrifennu amdani, naill ai'n uniongyrchol neu ar stori, yn wlad llawn swyn ac arswyd iddo. Efallai mai'r cariad maddeugar, ceryddol hwn yw ei gyfraniad mwyaf. Mewn gwlad sydd hyd yn oed heddiw yn boenus o hunanymwybodol, dofodd yr anesmwythyd trwy ei wneud yn iswasanaethgar i grefft. Mae'n amhosibl dychmygu ffurfafen lenyddol (na gwleidyddol na diwylliannol ehangach) Cymru ail hanner yr ugeinfed ganrif hebddo.

Dyma olwg – rannol, gan na all yr un bywgraffydd fwy na hynny – ar ei hanes.

T. Robin Chapman
Aberangell
Mawrth 2003

1

'Y ffin yn fy ngwaed'
1924-42

Beth sydd mewn enw? Ceir dewis o dri ar y fferm lle magwyd Islwyn Ffowc Elis: 'Aber-chwil' ar y gweithredoedd gwreiddiol sy'n dyddio'n ôl i ganol y ddeunawfed ganrif; 'Aberwheel' ar y mapiau ordnans a'r cofrestrau swyddogol; ac 'Aberwiel' wedi ei baentio'n goch talog ar bostyn y llidiart ac wedi ei naddu ar lechen lân, newydd wrth y drws ffrynt. Fel Lleifior ar ei ôl, bathiad yw'r enw olaf hwn – cyfaddawd di-dras ond soniarus y tro hwn rhwng ensyniadau alcoholaidd, anffodus o Anfethodistaidd y cyntaf a Seisnigrwydd yr ail – o waith Islwyn Ffoulkes Ellis, a newidiodd ei enw yntau tua'r un pryd ag y dechreuodd y tŷ beidio â bod yn gartref iddo. Mae'n dal yn fferm hyd heddiw, mewn cwpan o dir ar lethr uwchben Glynceiriog, ond bod y beudy to sinc bellach yn garej. Dros y blynyddoedd i ddilyn byddai'n ailfedyddio dau dŷ arall a ddaeth yn gartrefi iddo. Mae enwau – labeli – yn bwysig iddo erioed.

Wrth i rywun ddringo i'r lôn a throi i lawr yr allt serth am y pentref ei hun, mae'r dyffryn yn ymagor islaw: gwastadeddau'r ffin â Sir Amwythig ddwy filltir i'r dwyrain, a llawr y dyffryn yn rhigol gul islaw lle mae'r afon – y gyflymaf yng Nghymru, yn ôl traddodiad lleol – yn rhedeg. Ar fore o hydref, pan fydd niwl wedi cronni yno, mae'n hawdd dychmygu'r cyfan dan ddŵr. Yn wir, bu bron i'r dyffryn gael ei foddi cyn i Islwyn Ffowc Elis gael ei eni.

Cyhoeddwyd yng nghanol Mai 1923 fod Mesur Dŵr Corfforaeth Warrington wedi cael ei ddiddymu a bod Dyffryn Ceiriog yn ddiogel rhag cael ei foddi. Bu cynlluniau ar droed oddi ar ddiwedd y Rhyfel Mawr i greu dwy gronfa ddŵr, ddwy filltir o hyd a 45 llath ar draws ar lawr y dyffryn gan foddi 13,000 erw o dir, yn cwmpasu tri phentref, eglwys, pum capel, dwy ysgol, dwy dafarn, chwe siop a phedwar ugain o gartrefi. Yng nghwrs y brotest yn erbyn y cynllun cyflwynwyd un ar bymtheg ar hugain o ddeisebau. Daeth yn *cause célèbre* o fath am gyfnod, ac yn destun 'Baled Boddi Dyffryn Ceiriog' gan Cynan, y dysgodd Islwyn dalpiau ohoni ar ei gof yn blentyn:

> Gymro, os ydwyt eto'n rhydd,
>   Ymorol. Neu, fe gadd y gŵr
> Nad yw Clawdd Offa iddo'n lludd,
>   Holl Gymru fu o dan y dŵr.

Yn y pen draw, methodd y mesur am fod cost y fenter – a olygai osod trigain milltir o bibellau i ddisychedu pobl Warrington – yn ormod o draul i un gorfforaeth. Osgôdd Dyffryn Ceiriog dynged Tryweryn. Ychydig dros flwyddyn yn ddiweddarach, ar 17 Tachwedd 1924, am hanner awr wedi deg y nos, ganed mab newydd i'r fro. I lenor a fynnai dadogi arwyddocâd ar bob cam yn ei hanes, roedd man ei fagu lawn cyn bwysiced â'i wehelyth:

> Nid ar lechweddau Arfon y magwyd fi, lle ni chlywid Saesneg ond ar antur chwarter canrif yn ôl, ond dwy filltir a hanner â ffin Lloegr, lle'r oedd pob cyfathrach â'r tu allan i'r dyffryn cul, Cymraeg yn golygu Saesneg. Dyna, rwy'n meddwl, pam yr aeth 'brwydr yr iaith' i graidd fy mod ac felly'n amod i'm hysgrifennu. Y mae'n rhywbeth na all llenorion a beirniaid a fagwyd yng nghanol Gwynedd neu Seisyllwg – neu o'r tu allan i Gymru – mo'i ddeall yn hawdd. Nid yw o un diben ymresymu â mi fod pryder am y Gymru Gymraeg yn difetha fy ngwaith. Fe ffurfiwyd pob llenor yn ystod deng mlynedd cynta'i oes, ac ni allaf newid fy neng mlynedd cyntaf. Y mae'r ffin yn fy ngwaed.[1]

Yr oedd y dyffryn yn 1924 ar fin colli ei brif gynhaliaeth. Pan wahoddwyd Islwyn i ysgrifennu rhagair i raglen Eisteddfod Talaith Powys, Dyffryn Ceiriog, yn 1957, soniai'n hiraethus am y gwahaniaeth rhagor y bwrlwm a welai'n blentyn: ' . . . er ei dlysed, diau y teimlwch ynddo ryw dristwch. Mae'n dal i dyfu, tai ac adeiladau newydd ynddo o hyd. Ond lle heb ddiwydiant ydyw mwyach: ei dair ffatri wlân wedi sefyll, a'i ddwy chwarel lechi wedi cau.' Gallai fod wedi sôn hefyd am y tri thram a redai ar hyd llawr y dyffryn am 62 o flynyddoedd tan 1935 – *Sir Theodore, Dennis* a'r *Glyn* – a gludai hanner can mil o deithwyr y flwyddyn (ynghyd â thros bedwar ugain mil o dunelli o lechi a cherrig) y chwe milltir o Lynceiriog i'r Waun am ddeg ceiniog y pen (chwe cheiniog i blant) ar daith a gymerai 40 munud. Cyflymder uchaf y trên oedd wyth milltir yr awr, ac mae gan Islwyn gof plentyn am hel mwyar duon oddi ar y gwrychoedd trwy'r ffenestri di-wydr wrth basio.

Nid yn y dyffryn ei hun, chwaith, ond yn nhŷ ei ewyrth Humphrey a'i fodryb Mary – chwaer i'w fam – yn Wrecsam y'i ganed, yn 12 The Beeches, Acton Park, ar stad o dai cyngor a godwyd dair blynedd ynghynt. Adeiladwyd y stad yn unol â gweledigaeth y pensaer Syr Patrick Abercrombie o fynnu tai yn rhesi a hanner cylchoedd o amgylch lleiniau o dir glas i greu *garden village* i'r dosbarth gweithiol diwyd a haeddiannol. Ganed mab cefn gwlad, felly, ar aelwyd drefol a geisiai ymdebygu i gefn gwlad – ond heb anghyfleustra lampau oel a chanhwyllau, baddon enamel i ymolchi ynddo ar nos Sadwrn a thoiled ym mhen draw'r ardd a'i disgwyliai gartref. Cadwai cyfleusterau modern a moethusrwydd tŷ Anti Mary eu swyn iddo drwy gydol ei blentyndod.

Nid oedd yn enedigaeth rwydd, ac fe alwyd y meddyg yn ogystal â'r fydwraig i ddwyn y bychan i'r byd. '. . . roeddwn i'n ffodus ei fod yno,' ysgrifennodd yn 2001, 'oherwydd un o'r pethau cyntaf a wnaeth oedd gafael yn fy nghoesau a'm dal â'm pen i lawr i wacáu'r mwcws o'm hysgyfaint, rhag iddo fy nhagu, neu fy mygu, wn i ddim prun. *Catarrh* oedd yr enw arno; mae'n ddiau fod enw technegol manylach arno erbyn hyn. Mae wedi fy mlino . . . ar hyd y blynyddoedd.'[2]

'Labelwyd y baban' yn Islwyn, yn ôl traddodiad y teulu, am fod y teitl *Gweithiau Islwyn* ar feingefn cyfrol ar silff lyfrau Yncl Wmffre yn apelio at y fam. Cyrhaeddodd y tad rai dyddiau'n ddiweddarach, ar ôl teithio'r ddwy filltir ar bymtheg o Lynceiriog ar drên, mewn bws ac ar droed, a chyhoeddi fod golwg bardd ar y newydd-anedig. Etifeddodd ei enw canol gan ei ewyrth ar ochr ei dad, John Foulkes Ellis, a oedd yn weinidog adnabyddus gyda'r Methodistiaid.

Yn ôl safonau ieithyddol caeth y rhan honno o Sir Ddinbych yn y cyfnod, daeth o dras gymysg. Un o Riwabon oedd ei fam. Ganed Catherine Kenrick yn 1892, y nawfed plentyn mewn teulu o un ar ddeg a'i magu ar aelwyd Saesneg ei hiaith (er mai Cymry Cymraeg oedd ei rhieni, a'i mam yn enedigol o Rosllanerchrugog, a'i nain yn uniaith Gymraeg) yn fferm Dinhinlle ar stad Wynnstay ger Rhiwabon. Roedd ei thad, Samuel, yn denant i Syr Watkin Williams Wynn. Chwalwyd y fferm yn y 1960au i godi Coleg Lindisfarne ar y tir. Hanai ei dad, Edward Ivor, a oedd bum mlynedd yn hŷn na'i wraig, o'r dyffryn ei hun, yntau'n un o naw o blant. Roedd y ddau wedi cwrdd, yn ôl dyfaliad Islwyn ei hun, wrth i Catherine deithio o ardal i ardal gyda'i thad, yn gwerthu caws i siopau'r gororau. Pan oedd yn bymtheg, enillodd Islwyn glod gan Iorwerth Peate am ysgrif ar ddirgelion y fuddai gorddi a'r fuddai dro. Mae'r gwaith yn dal yn archif Sain Ffagan hyd heddiw.

Yn ôl traddodiad y teulu, ceisiodd Edward law Catherine sawl gwaith cyn i'w thad ei hildio gyda'r geiriau swta, 'Oh, *take* her.' Ymgartrefodd y pâr priod yn Rhos-y-Coed, tŷ pen mewn rhes o dri ar gyrion y pentref. Atgof cyntaf Islwyn Ffowc Elis oedd teithio mewn storm un fin nos yn flwydd a hanner oed, i gael ei ddangos i gymdogion. Treuliai ei blentyndod yn destun balchder ei dad ac yn destun pryder i'w fam. Ymfalchïai ei dad yng nghampau'r plentyn, ac roedd wedi ei hyfforddi i adrodd ar goedd 'yn frawychus o gynnar'. 'Carlo a'r Plentyn' oedd y *tour de force* cyn iddo gyrraedd ei ddwyflwydd oed:

> . . . dyma ymwelwyr yn galw. Yn gofyn, yn bur debyg, am gael gweld y babi. Fe allai Mam fod wedi mynd â nhw i fyny'r grisiau cul, troellog yng ngolau cannwyll i gael cipolwg arnaf yn fy nghòt – er y byddai hynny'n dipyn o fenter, gan fy mod yn gysgwr mor ysgafn, ac ambell ris yn gwichian, a hyd yn oed golau cannwyll yn ddigon i'm deffro. Ond nid oedd hynny'n ddigon i 'Nhad, Roedd yn *rhaid* i'r 'bobl ddiarth' gael fy nghlywed yn adrodd, a rhyfeddu at y 'prodiji' newydd oedd yn Rhos-y-Coed.
>
> Felly, er gwaethaf ymliw fy mam a oedd wedi cael cymaint o drafferth i'm rhoi i gysgu, fe fynnai 'Nhad fynd i'r llofft i'm

casglu, a dod â fi i lawr i'r gegin. Rhaid oedd fy neffro'n iawn
wedyn, a'm cael yn barod i berfformio. Ac felly y clywid 'Carlo
a'r Plentyn'. Mae'n rhaid fy mod yn cael peth anhawster gydag
aml gytseiniaid y darn. Yn enwedig gyda'r ebychiad ingol, *Pa le
fy mae fy ci?'*. Pawb yn chwerthin yn anghymedrol – ac eithrio
Mam – a'r perfformans yn llwyddiant, mae'n siŵr.[1]

Tra dysgai'r mab gampau cyhoeddus gan ei dad, dwy wraig oedd
y dylanwadau mwyaf ar ei fywyd cynnar. Nain Aberwiel, Jane Ellis,
oedd y gyntaf; yr unig un o'r tylwyth i gael sylw gan Islwyn Ffowc
Elis ddwywaith mewn print. Hon a'i dysgodd i ddarllen cyn
cyrraedd y tair oed trwy ddilyn y llythrennau ar ymyl plât. Fe'i
disgrifiwyd gan yr ŵyr fel 'tipyn o ledi'[4] a gredai hyd ddiwedd ei
hoes yng ngwirionedd llythrennol y Beibl, er iddi goleddu ambell
syniad go unigolyddol am union fanylion y gwirionedd hwnnw.
Ysgrifennodd erthygl i'r *Gymraes* (yn ei sêl dros ddirwest, yn ddiau)
tua diwedd ei hoes yn dadlau mai gwinwydden ac nid coeden afalau
oedd y pren gwaharddedig yng Ngardd Eden. Ysgrifennai yn ogystal
gerddi ac ysgrifau bach i *Drysorfa'r Plant*. Gwraig oedd hi a
gyffyrddwyd yn ifanc gan farwolaeth tri o frodyr a chwiorydd, ac yn
ddeugain oed gan Ddiwygiad Evan Roberts yn 1904. Aeth drwy
weddill ei bywyd dan ddylanwad ysbryd a nodweddid gan gyfuniad
o ymarferoldeb darbodus (priododd yn bedair ar bymtheg a magu
naw o blant ar bymtheg swllt yr wythnos), y math hwnnw o
grefyddolder cyhoeddus a roddai bwys mawr ar barchusrwydd
cymdeithasol, ac arlliw o gyfriniaeth a wnâi iddi gilio i'w gwely am
ddyddiau bwygilydd ar brydiau am fod yr Ysbryd Glân wedi dweud
wrthi am wneud. Bu farw yn 1943, yn 88 oed:

Rwy'n cofio ei dyddiau olaf yn dda, ac rwy'n cofio'n sefyll yn
un o dwr bychan o gwmpas ei gwely hi, a hithau'n marw.
Roedd hi'n marw ers dyddiau. Yn anymwybodol, meddai'r
meddyg. Ond rwy'n siŵr y byddai 'uwch-ymwybodol' yn
ddisgrifiad gwell. Doedd hi ddim yn ein byd ni, ond 'roedd hi
fel petai'n ceisio torri trwodd atom ni weithiau, i roi rhyw neges
inni. Ac fe fyddai'n dweud bob hyn a hyn, 'Dowch i'r Tŵr,
'mhlant i. Dowch i mewn i'r Tŵr Cadarn. Mae digon eto o le.'[5]

Gwrthbwynt lled seciwlar i gartref Nain a Thaid oedd cartref ei rieni. Yno y darllenai *Ynys y Trysor, Ynys Coed y Gell, Helynt Ynys Gain*, 'yn wir, bron bob nofel Gymraeg i fechgyn a gyhoeddwyd yn y cyfnod hwnnw'. Er mai Cymraeg oedd iaith yr aelwyd, ei fam a enynnodd ei ddiddordeb mewn llenyddiaeth ysgafn Saesneg. Ganddi hi y cyflwynwyd y mab i *Huckleberry Finn, The Swiss Family Robinson, Little Women* a'r llyfrau eraill a garai hi'n blentyn:

> . . . home around her was very close to heaven. When my father had his 'moods' – as I do, and when I as an adolescent was trying hard to be a problem – she radiated a tranquility which kept us assured that no mood or problem or any human failing could disrupt a home whose pivot was a loving and selfless mother. This explains, perhaps, why the 'mothers' in my books tend to be idealized.[6]

Yr oedd apêl yng nghyffredinedd dieithr y storïau hyn gyda'u sôn am deuluoedd ar aelwydydd pell, ac yr oedd y byd gartref yn ymagor hefyd. Peth amheuthun bob amser oedd ymweld ag Isfryn, cartref 'Nain Isfryn' a'i merch Maggie, neu 'Agi' fel y'i hadwaenid, lle roedd danteithion i'w bwyta a llun mawr o frawd i Maggie, a laddwyd yn y Rhyfel Mawr, mewn ffrâm ddu ar bared y gegin. Roedd Mrs Ifans Drws Nesa' yn fwy o ddirgelwch. Câi olwg arni bob amser drwy'r llenni wrth chwarae yn yr ardd, ond ni welwyd mohoni byth y tu allan i'w thŷ. Cymdoges arall oedd Katie Watkin, a oedd â'i thŷ hithau ar ewin o dir lle byddai'r lôn yn fforchi i gyfeiriad Cwm Nantyr. Hen ferch oedd hon, a safai ar ben ei drws yn disgwyl i rywun gerdded heibio fel y gallai dorri sgwrs am newyddion y dydd.

Ganed ail fab, Bryn, yn Chwefror 1928. 'Ni fedraf gofio dim am y berthynas rhwng fy mrawd bach a finnau yn y cyfnod hwnnw,' ysgrifennodd Islwyn Ffowc Elis:

> Gellid disgwyl y byddwn i'n genfigennus tuag ato fo, un a fyddai'n cael mwy o sylw na fi ac un a fyddai wedi cymryd fy lle yn ganolbwynt yr aelwyd. Pe bawn i'n ei bryfocio neu yn ei blagio'n gas, byddwn yn cael cerydd am hynny, rwy'n sicr. Ond does gen i ddim atgof am gerydd o unrhyw fath.

Efallai fy mod mor hunanol a hunanganolog fel na fyddwn i'n meddwl llawer am frawd bach, a bod gen i fwy o ddiddordeb ynof fy hunan nag mewn plentyn arall, er mor agos ydoedd. Po fwyaf y meddyliaf am y peth, sicraf yn y byd ydwyf o hynny.[7]

Mae Bryn yn ei dro yn cofio am ei frawd mawr yn fachgen braidd yn bell, wedi ymneilltuo i raddau o'r byd yr oedd yn byw yn ei ganol:

Gan mai un â hoffter at fferm a'i gorchwylion ydoedd yr ieuengaf, treuliem ran helaeth o'n hamser, yn enwedig ar benwythnosau a gwyliau, ar wahân. Cefais gerydd ganddo fwy nag unwaith am sgwrsio efo buwch neu geffyl: 'Waeth i ti heb, dydan nhw ddim yn dy ddallt di'; ni lwyddodd i fennu dim ar fy nghyfeillgarwch i â'r stoc. Nhw oedd fy nghwmni i, ac ni fynnwn i neb eu dilorni.

Papur, pensel, llyfr a llonydd: dyna fyddai Islwyn yn eu gwerthfawrogi. Er yn fychan, eisteddai am oriau yn tynnu llun, neu lunio stori, ac ni byddai raid i Mam boeni lle byddai.[8]

Yn 1929, symudodd y teulu o Ros-y-Coed, gan gyfnewid lle gyda nain a thaid a'u merch ieuengaf, Anti Olwen ('Nol'), i Aberwiel. Roedd taid Islwyn ar ochr ei dad, John Ellis, a fu'n denant yno am flynyddoedd, wedi prynu'r fferm yn 1919, a phan fu farw yn 1939, etifeddwyd y lle gan y tad, a'r ddyled oedd ynghlwm ag ef. Mae atgof pŵl Islwyn Ffowc Elis am 'stŵr a styrbans' y diwrnod wedi ei ddal yn narlun du-a-gwyn J. G. Williams ar ddechrau'r ysgrif 'Mudo' yn ei lyfr cyhoeddedig cyntaf, *Cyn Oeri'r Gwaed*: ceffyl a throl lafurus dan ei llwyth, gwreiddiau coed yn torri'n rhydd, rhesi diddiwedd o lyfrau, llygaid syn y cymdogion i bob cyfeiriad a bachgen yn llaw ei fam yn cychwyn i fyny'r allt am dŷ yr oedd yn gyfarwydd â phob modfedd ohono, ond a oedd eto'n newydd iddo fel cartref. Roedd Taid erbyn hynny yn ddall, ac un o orchwylion y bachgen wrth ymweld â Rhos-y-Coed wedi hynny fyddai darllen iddo naill ai o'r *Faner*, a gyrhaeddai'r cartref bob dydd Mercher, neu o'r llyfrgell helaeth o esboniadau Beiblaidd, pregethau, cofiannau a barddoniaeth a lanwai un wal gyfan i'r cartref. Gwthid y perfformiwr ifanc unwaith eto i du blaen y llwyfan:

Pan fyddwn i'n darllen cofiant rhyw hen bregethwr, ac yn dod at angladd y 'gwrthrych', mi fyddwn i'n darllen yr hanes trymaidd mor siriol ag y medrwn i, i ysgafnhau'r hanes i mi fy hun, a rhag i Taid grio – er na fyddai byth yn gwneud. 'Aros!' meddai Taid, â'i law i fyny. 'Darllen hwnna eto. A darllen o'n iawn.' Ac mi fyddwn i'n gorfod ailddarllen y darn mewn tôn angladdol briodol.[9]

Dechreuodd Islwyn ei addysg gynradd yn Ysgol Glynceiriog yn Hydref yr un flwyddyn, ond diwrnod yn unig a dreuliodd yno. Yn sgil ymosodiad, neu fygythiad gan un o'r bechgyn mawr, daeth adref yn ei ddagrau. Wedi cyrraedd y pump oed, cychwynnodd eto, y tro hwn yn Ysgol Nantyr, milltir a hanner o daith o Aberwiel.

Ceir traddodiad hir ac anrhydeddus o lenorion yn drwm eu llach ar eu hysgolion, o Daniel Owen ac O. M. Edwards i W. J. Gruffydd, Kate Roberts a Thomas Parry, a'r demtasiwn barod yw amau bod mwy nag awgrym o dynnu het i draddodiad yn sylwadau Islwyn Ffowc Elis am yr 'ysgol fach, fach, a'i hwyneb yn wydr i gyd' gyferbyn â chapel, a ddisgrifir yn *Cyn Oeri'r Gwaed*: 'Doedd gen i fawr o gariad at ddysgu. Fawr o gariad at ysgol. Rhyw garchar oedd ysgol i mi.'[10] Mae Bryn yn lled-ategu ei gŵyn:

Yn ôl ei dystiolaeth ei hun, ni allodd ddygymod â dyddiau ysgol. Efallai'i fod yn protestio yn erbyn unrhyw fath ar ddisgyblaeth oherwydd fod hynny'n rhoi llyffethair ar ei ryddid i roi rhwydd hynt i'w ddoniau . . .[11]

Rhaid dal dau beth mewn cof, fodd bynnag: yn gyntaf, y gwahaniaeth oedran arwyddocaol rhwng y ddau, ynghyd ag amod hollbwysig y brawd iau mai tystiolaeth Islwyn Ffowc Elis ei hun yw ei ffynhonnell. Yn ail – ac yn bwysicach – cofier mai rhyddiaith *greadigol* yw union gyfrwng y cŵyn yn erbyn y llyffethair ar greadigedd y bachgen ifanc, a hynny gan ŵr pump ar hugain oed yn ymhyfrydu yn yr union ddoniau hynny. Efallai mai'r gair mwyaf priodol i ddiffinio profiad Islwyn Ffowc Elis o'i ysgol gynradd fel y'i ceir yn ei waith cyhoeddedig yw ymagweddu. Wrth hynny, nid awgrymir anonestrwydd, na hunandosturi na hyd yn oed hunan-dwyll ond yn hytrach rywbeth mwy cynnil, sef y cyfnewidiad a ddaw dros unrhyw brofiad wrth i lenor sydd â'i ofal am arddull lawn cymaint ag am eirwiredd geisio ei grisialu mewn geiriau. Nid ffrwyth cof pŵl sydd yma ond cynnyrch atgof dethol mewn cyfrol lle mae'r awdur, gyda'i sôn am benderfyniadau pwysfawr a marwolaeth a throeon trwstan, am ymddangos yn hen cyn pryd. Diau nad oedd Ysgol Nantyr yn brofiad pleserus i fachgen swil, sensitif a oedd wedi dysgu byw ynddo'i hun ac iddo'i hun, ac mae'n rhesymol derbyn hefyd elfen o brotest reddfol mewn bachgen pump oed yn erbyn addysg a oedd mor anghydnaws, o ran iaith a chynnwys, â'r hyn a ddysgid ar y ddwy aelwyd. Mae'n arwyddocaol, efallai, fod y bachgen ifanc a fynnai ddianc o'r ysgol wedi cael cefn ei fam yn y bore, yn ddieithriad yn dewis troi'n ôl am ei gartref. Ond llenor yw llenor. Yn wir, mae ysgrif agoriadol y gyfrol, 'Adfyw', y dyfynnwyd ohoni uchod yn faniffesto drwyddi i hawl sofran y dychymyg disgybledig i wastrodi profiad. Bendith a bwgan y cofiannydd yw gwrthrych sy'n methu ymgadw rhag dweud stori.

Mae'n debyg y deuir yn nes at flasu natur y blynyddoedd hynny yn argraffiadau plith draphlith yr ysgrif olaf yn *Cyn Oeri'r Gwaed*, 'Cyn Mynd':

> Mae gwres y sedd o flaen y ffenestr dan fy nghluniau, a'r coed yn crynu uwch y nant yn nhes Mehefin. Mae'r gwair yn uchel a minnau'n tuthio drwyddo ar fy mhedwar wrth gwt rhes o blant geirwon. Rwy'n bwyta 'nghinio yn yr iard a dim stumog gennyf, ac rwy'n ymladd â rhywun wrth y wal, ac mae colyn danadl poethion ar fy nghoesau pinc. Mae'n bwrw glaw, ac yr ydym yn actio drama ynfyd yn y clôc rwm, pob un â'i ben yn ei jersi fe[l] actio masc. Yr wyf yn dweud Gweddi'r Arglwydd yn feiddgar yn yr haul ac mae'r merched yn dweud ust. Mae'r gloch yn tincian . . .[12]

Nodwedd amlycaf ei waith hunangofiannol yw'r elfen ddelweddol, wibiog yma. Fe'i ceir ar ei mwyaf eithafol yn ysgrifau *Cyn Oeri'r Gwaed*, ond mae'n codi'n gyson hefyd yn ei waith aeddfetach wrth ddarlunio unrhyw brofiad ysgytwol, trawsffurfiol.

Yn ei ymdrechion i ddeall rhediad ei fywyd ei hun, mae'r meddwl fel petai'n cloffi ar ôl yr argraff, y synnwyr wedi ei atal gan rym nid yn unig y profiad ei hun ond gan rym y weithred o ddweud.

Yr ysgol gynradd – yn un o bymtheg o blant yn yr un ystafell ddosbarth gyda'r un athrawes, Miss Sarah Elisabeth Owen, am gyfnod o chwe blynedd – oedd profiad cyntaf Islwyn Ffowc Elis o gyfundrefn y gallai ddirnad ei dibenion a'i deddfau ar lefel ddeallusol, ond na allai mo'u hamgyffred trwy ymuniaethu ac ymgolli. Fe brofai rywbeth tebyg wedi hynny yn yr Ysgol Sir, yn y weinidogaeth, o fewn rhengoedd y Blaid, yng Ngholeg y Drindod, gyda'r BBC a'r Cyngor Llyfrau. Prin y gellir darllen ei sylwadau heb synhwyro fel y nodweddir ei fywyd proffesiynol ym mhob agwedd arno bron, ac eithrio yn y cyfnod gwynfydedig hwnnw pan oedd yn llenor amser llawn, gan ryw anniddigrwydd â threfn pethau fel y maent.

Yr ysgol gynradd oedd ei brofiad cyntaf hefyd o duedd allweddol arall yn ei ddehongliad ar ei fywyd ei hun: ei anallu i wrthryfela. Fel y ceir gweld, mynn ddarlunio ei hanes ei hun fel cyfaddawd ag ewyllys ac uchelgais pobl eraill ar ei ran, fel ffrwyth: '. . . meddwl trofaus sy wedi peri cymaint o drafferth i mi erioed . . . Gwrthod a digio. Ynteu ufuddhau, costied a gostio, a phlesio.'[13]

Mae'n deg gofyn pam y mynn Islwyn Ffowc Elis briodoli'r fath arwyddocâd i'r trobwyntiau argyfyngus a goddefol, bron na ddywedid dirfodol, hyn. Wedi'r cyfan, gallasai'r un mor hawdd gymryd yr un elfennau i daenu llen arwrol, unigolyddol dros ei hanes drwy bwysleisio ei yrfa academaidd bur llwyddiannus, ei ddawn gydnabyddedig fel llenor a cherddor ac arlunydd, y swyddi amrywiol a ddaliai, ei lu o gyfeillion teyrngar, yr anrhydeddau a ddaeth i'w ran, ynghyd â'r ewyllys da parhaus tuag ato yng Nghymru ers iddo ddod yn ffigur cenedlaethol. Mae digon yn ei fywyd i ddyn llai gwylaidd nag ef ymffrostio ynddo; hen ddigon, yn bendant, i unrhyw un rhesymol ymfalchïo'n dawel ynddo. Pam y fath bwyslais ar ildio, felly? Neu'n hytrach ar gyfuniad rhyfedd o ildio'r cymhellion tra'n mynnu bod yn atebol am y canlyniadau?

Ni ellir ond cynnig ateb rhannol a phetrus, sef bod hunanbortread sy'n seiliedig ar siom a rhwystredigaeth yn gwneud mwy o synnwyr yn yr ystyr o fod *yn stori well* a mwy cydlynol. Er mai annheg (ac ofer) fyddai deunydd creadigol unrhyw lenor yn gloddfa tystiolaeth fywgraffyddol eilaidd, mae'n eglur o'r storïau byrion y gwelodd yn dda eu hailgyhoeddi yn *Marwydos* yn 1974, fod ganddo ddiddordeb artistig yn ymylu ar obsesiwn mewn cymeriadau dolefus, toredig, y mae eu hanallu i ddianc o'u sefyllfa gymaint â hynny'n waeth oherwydd eu hymwybyddiaeth ohoni. Dyna Arthur yr athro difeddwl-drwg yn 'Ar Fôr Tymhestlog', Ieuan, yr awdur gwinglyd yn 'Hunandosturi', ac Owain Box Humphreys, arwr eiddil yr epig grafog, gryno'r stori deitl, gyda'i rhybudd ymhlyg i'r cofiannydd goreiddgar. Nid oes neb yn darlunio cymeriadau aneffeithiol yn fwy effeithiol nag Islwyn Ffowc Elis. Mynn yr un dehongliad ar ei fywyd ei hun, a mynn hynny yn ei dro ddarlun rhannol gan fywgraffydd. Ceir cyfoeth o dystiolaeth yn ei lythyrau o'i ofal am gyfeillion ac eraill nad oeddynt yn fawr mwy nag enwau iddo, ei gof rhyfeddol am fanion eu bywydau, ei bryder am eu hiechyd, ei haelioni tuag atynt. Mae'r ohebiaeth faith â Selyf Roberts dros ddeng mlynedd ar hugain, er enghraifft,[14] yn batrwm o feirniadaeth garedig, fanwl ar bopeth bron a gyhoeddodd hwnnw. Gellid britho'r bywgraffiad hwn â storïau am ei anogaeth i lenorion ifanc a'i eirioli ar eu rhan i gyhoeddwyr a noddwyr. Ond ni ddywed yr hanesion hyn fawr am y dyn fel y dymuna synio amdano'i hun; ni ddatgelant y chwedl a weodd amdano'i hun.

Un a fu â'i ben ynghudd dan ei jersi yn y ddrama ynfyd honno yn nechrau'r tridegau oedd Idris Davies, cyd-ddisgybl a chydweithiwr i Islwyn ymhen blynyddoedd wedyn. Mae hwnnw'n cofio Miss Owen yn athrawes ddidostur, ddirprwyol-uchelgeisiol, byr ei thymer ond hanfodol deg:

> O ddadansoddi'r rheswm dros gasineb [IFfE] at yr ysgol, efallai mai gwraidd y broblem oedd yr athrawes. Ym mhob ysgol fe geir rhai disgyblion yn fwy sensitif i ddisgyblaeth nag eraill ac yn teimlo i'r byw pan fyddai llaw athrawes yn dod i wrthdrawiad â phen neu foch y gwrthrych pan na cheid ateb boddhaol i gwestiwn . . . Er ei hofnadwyaeth arnom fel plant, barn y mwyafrif ohonom ar ôl gadael yr ysgol elfennol oedd i ni

gael athrawes ymroddedig a chydwybodol ac mai er ein lles yr oedd y ddisgyblaeth lem.

Er hynny, mae'n cynnig cipolwg hefyd ar fachgen llai goddefol:

Cofiaf yn glir un achlysur pan alwyd Islwyn i sefyll o flaen y dosbarth i wneud ychydig o syms ar y bwrdd du (pwnc nad oedd yn or-hoff ohono). Oherwydd iddo fethu â rhoi'r ateb cywir cafodd glusten o'r siort waethaf a chollodd yntau ei reolaeth. Safodd yn syth o'i blaen a dangos ei ddyrnau arni. Ni chysylltodd y dyrnau â'i chorff ond fe syfrdanwyd y dosbarth a hithau.[15]

Rhwng galwadau ysgol a chapel Soar deirgwaith ar y Sul, dibynnai Islwyn Ffowc Elis gryn dipyn ar ei ddychymyg wrth dyfu i oed yn Aberwiel: gwrando ar gemau pêl-droed ar y radio fatri hylif, dramâu cogio yn y cwt sinc ym mhen draw'r buarth gyda'i ddwy gyfnither o Lundain yn yr haf (a Bryn yn 'ecstra' defnyddiol ar dro) a darllen diddiwedd. Pan enillodd ei wobr eisteddfodol gyntaf yn naw oed am ysgrif ar 'Y Breuddwyd Rhyfeddaf a Gefais Erioed', testun ei freuddwyd oedd cymeriadau *Taith y Pererin*.

Safodd arholiadau'r ysgoloriaeth i Ysgol y Sir Llangollen yn haf 1935 ac er iddo lwyddo, penderfynodd y teulu ohirio mynediad oherwydd ei wendidau tybiedig mewn mathemateg. Roedd gwersi ychwanegol ar ddiwedd y diwrnod a gwaith cartref ychwanegol wedi cychwyn pan oedd Islwyn yn ddeg oed, pan welodd Miss Owen ddeunydd ysgolor ynddo. Erbyn iddo gyrraedd ei un ar ddeg, roedd y pwysau arno yn Nantyr yn annioddefol. 'Cofiaf ambell nos Sadwrn,' ysgrifennodd Bryn yn y llythyr y dyfynnwyd ohono eisoes, 'pan oedd raid cwblhau'r gwaith cartref oedd i'w gyflwyno ar y Llun. Doedd fiw sôn am wneud gwaith cartref ddydd Sul, ac felly âi'n hwyr y nos arno'n ei wneud, a'i hwyliau'n ddrwg.' Mae cof Islwyn, wrth reswm, yn fwy byw:

Fe aeth y baich gwaith mor drwm, fe ddechreuodd amharu ar fy nerfau i: hunllefau yn y nos, methu cysgu, ambell obsesiwn poenus. Fwy nag unwaith fe anfonodd Mam nodyn at Miss

Owen yn crefu arni i leihau'r gwaith cartre. Y baich yn lleihau am noson neu ddwy, ond yn aildyfu wedyn i'r un faint ag o'r blaen.

Canlyniad y cramio didostur hwn oedd imi ddod ar ben y rhestr yn y sgolarship, allan o ddeunaw o ysgolion. Boddhad aruthrol i Miss Owen, wrth gwrs, ac i 'nheulu i. Ond i mi, trychineb. Achos roedd 'na ddisgwyl awchus amdana i yn Ysgol Sir Llangollen, yr athrawon yn edrych ymlaen at gael *Oxford material* ar eu dwylo. Siom gawson nhw, a dial arna i am y siom.[16]

Mewn llythyr yn sôn am y profiad, ychwanegodd Islwyn y sylw hwn:

A minnau wedi casáu mathemateg ar hyd fy oes â chas perffaith, mae canlyniad yr ysgoloriaeth yn bur ddigri i mi. Allan o 125 o farciau yn yr adran fathemateg mi gefais 120, mwy nag unrhyw ddisgybl yn yr ysgolion eraill i gyd. Yr unig eiriau priodol am beth fel hyn yw'r geiriau Saesneg *grotesque* a *bizarre* – wn i ddim p'run sydd orau! Ond roedd athro math'g y dosbarthiadau ieuengaf yn Llangollen yn gorfoleddu. Druan ohono.[17]

Byddai disgwylgarwch tebyg yn ei ddilyn o hynny allan: yn Llanfair Caereinion ac yn Niwbwrch, yng Nghaerfyrddin a Llambed, yng ngholofnau'r wasg ac ar y silffoedd llyfrau. Roedd eisoes yn enw. Cychwynnodd yn Llangollen yn hydref 1936, yn yr un mis â'r gwrandawiadau cyntaf a ddilynodd losgi'r Ysgol Fomio ym Mhenyberth. Mae ganddo gof plentyn deuddeg oed am ei daid yn gorfoleddu wrth glywed y newydd am ddedfrydu Saunders Lewis, D.J. Williams a Lewis Valentine i naw mis yr un gan reithgor yr Old Bailey am losgi'r Ysgol Fomio ym Mhenyberth. Disgwyliai'r henwr waeth tynged iddynt. 'Dim ond naw mis!' gwaeddai, a'i lygaid dall yn serennu. Roedd yn wers i'r ŵyr nad oedd torcyfraith o reidrwydd yn drosedd. Roedd yn fachgen main, bron hanner blwyddyn yn iau na'r cyfartaledd, trwm ei glyw (nes cael triniaeth ar ei adenoidau ddwy flynedd yn ddiweddarach), yn gwisgo sbectol. Roedd ei Saesneg llafar yn anystwyth. Y drefn am y chwe blynedd nesaf oedd lletya yn Rhos-y-Coed yn ystod misoedd y gaeaf, gan ddal bws Bryn Melyn o'r Groes yng Nglynceiriog am wyth bob bore. Mae Elwyn Roberts, a ddaliai'r un bws yn Nhregeiriog, yn cofio amdano'n difyrru ei gyd-deithwyr gyda storïau a dynwarediadau.[18] Yn ei hen gartref yn Rhos-y-Coed, darperid bwrdd ar ei gyfer yng nghefn y parlwr i wneud ei waith cartref, lle byddai Taid a Nain ac Anti Nol yn bresenoldebau distaw, balch a gwarcheidiol. 'Oherwydd i mi dreulio cymaint o amser yn Rhos-y-Coed mi gefais lawer o gwmni Taid a Nain a gwrando ar eu hatgofion,' ysgrifennodd ymhen blynyddoedd wedyn. 'Yr wyf wedi teimlo'n amal fy mod i fy hun wedi byw yn y 19eg ganrif gan fod bywyd yn rhan ola'r ganrif honno wedi dod mor fyw i mi.'[19]

Un o'r ychydig bethau, gellir bwrw, y gallai Islwyn gydsynio ag ef yn Llangollen oedd arwyddair yr ysgol: 'Deuparth Bonedd Dysg'. Am y gweddill, cyfnod o amddifadiad academaidd a diwylliannol oedd ei flynyddoedd yn y ddau adeilad o frics coch Rhiwabon. Bu'n rhaid dewis rhwng Cymraeg a Ffrangeg ar ddiwedd y flwyddyn gyntaf; nid oedd ei hoff bynciau – arlunio, cerddoriaeth ac ysgrythur – yn bynciau arholiad, ac fe gollodd y cyfle i wneud arlunio o gwbl ar ôl blwyddyn, yn sgil ymadawiad yr athrawes.

Ei brifathro cyntaf oedd Huw Jones, a fuasai'n swyddog yn y fyddin. Bu farw ar ddiwedd blwyddyn gyntaf Islwyn yn yr ysgol. Mae un a fu yn yr un dosbarth ag Islwyn drwy ei gyfnod yn Llangollen ac yn gydfyfyriwr iddo ym Mangor wedi hynny, Bryn Lloyd-Jones, yn cofio fel y byddai'r ddau'n ystrywio i ofyn cwestiwn iddo yn ystod ei ymweliadau â'r dosbarth i'w swcro i adrodd ei hanes yn India, er mwyn torri ychydig ar undonedd y gwersi.[20]

Olynwyd Huw Jones yn hydref 1937 gan Gareth Crwys Williams, gŵr gradd o Gaergrawnt – mab yr Archdderwydd Crwys. Yn yr un flwyddyn, teithiodd Islwyn Ffowc Elis i Lundain am y tro cyntaf:

> Ymweliad parchus â Llundain oedd hwnnw. Taith agor-lygad i fachgen ysgol o'r wlad. A'r pethau'r wy'n eu cofio yw beddfeini marmor distaw yng nghrypt St Paul, y clais o waed yn y stafell honno yn Nhŵr Llundain na ellid ei olchi i ffwrdd – ac nad oes neb yn ceisio ei olchi i ffwrdd, mae'n debyg, bellach – clywed

Ffrangeg am y tro cyntaf yn y Sŵ, a chlywed Cymraeg unarddeg y nos yn Piccadilly. O, ac un peth arall. Cael fy atal rhag mynd i'r Chamber of Horrors yn Madame Tussauds. Gwaharddiad digon doeth am a wn i.[21]

Yn ôl yn yr ysgol, cofia Bryn Lloyd-Jones 'athrawon hynaws a hoffus iawn': Hugh Hughes-Roberts o Fôn, 'Slash' fel y'i llysenwid, a oedd wedi dysgu wrth draed John Morris-Jones, yn athro Cymraeg ac a ymddeolodd o'r ysgol yn y chwedegau yn 72 oed, Miss Parker (Saesneg), Miss Powell (Hanes), Jack Hughes-Roberts (Ffiseg), yr oedd ei ffordd od, yddfol o ynganu *vacuum flask* yn destun cystadlaethau dynwared ymhlith y bechgyn. Ceir amlinelliad o hanes Islwyn o'r drydedd flwyddyn ymlaen mewn llyfryn glas tywyll – yn adlewyrchu lliw glas tywyll y wisg ysgol – yn cynnwys ei adroddiadau ysgol. Roedd ei berfformiad academaidd yn frithwaith o ragoriaeth a siom: ar ben y dosbarth o 31 mewn Cymraeg, yn ail mewn llenyddiaeth a chyfansoddi Saesneg, yn ail mewn hanes, a thua'r gwaelod mewn gramadeg Saesneg, daearyddiaeth a mathemateg. Roedd wedi colli 54 o sesiynau mewn tymor trwy salwch a thriniaeth, gan gynnwys bron y cyfan o arholiadau diwedd y flwyddyn. 'Absence has certainly handicapped Islwyn,' nododd ei athro dosbarth a'i athro mathemateg, Harold Potter, 'but he tries hard.' Roedd Crwys Williams yn fwy calonogol: 'Will do well,' ysgrifennodd hwnnw, 'and need not take seriously his present position.' Erbyn gwanwyn 1938, roedd ei bresenoldeb rywfaint yn well a'i waith yn adlewyrchu hynny; brithir yr adroddiad ag 'excellent' ac 'improving'. 'He is bound to do well in time,' hyderodd Crwys Williams. Rhyw ddringfa araf yw ei hanes o hynny allan, o ganol y dosbarth i safle ychydig yn well o dymor i dymor – 13, 10, 5 – nes cyrraedd y pumed dosbarth yn hydref 1939. 'Seem to detect some falling away. Dangerous,' rhybuddiodd ei athro hanes. Cydsyniodd ei athro daearyddiaeth: 'Fails to maintain early promise'. Roedd ei athro dosbarth yn ddiflewyn ar dafod: 'I believe Islwyn needs to "pull himself together" a little. He is capable of *better* work than he is doing.'

Safodd Islwyn ei arholiadau Tystysgrif Hŷn yn haf 1940, gan lwyddo mewn popeth ond mathemateg. Roedd yr ysgol a ddisgwyliai gymaint ganddo yn y cyfeiriad hwnnw wedi hen anghofio'r addewid gynnar. Roedd y chweched – o'r hir ddiwedd, gellir synhwyro – yn galw: 'VI Arts'. Golygai symud o'r naill adeilad at y llall, a rhyw arlliw o fywyd annibynnol. Ei bynciau oedd Cymraeg, gyda Huw Hughes-Roberts, a Saesneg a Hanes dan ofal George Henry Northing, brodor o ddwyrain Lloegr, a ddaeth yn 1947 yn un o sylfaenwyr Eisteddfod Gydwladol Llangollen. Cofia Islwyn amdano'n mynnu un tro, 'Wales has no history'. Yr oedd yr ymdeimlad o fod wedi'i amddifadu o ddysgu am hanes ei wlad yn dân ar ei groen. Mewn darllediad radio, yn 1960, cofiodd yr embaras a barodd hynny iddo dros ugain mlynedd ynghynt:

> Un diwrnod, pan oeddwn i yn y chweched dosbarth, fe ddaeth dyn go bwysig i'r ysgol – gohebydd y *New York Times* yn Llundain, dyn o'r enw Mr Solon. A dyma'r Prifathro'n dewis rhyw hanner dwsin ohono ni i ddringo gyda Mr Solon i gopa Dinas Brân. Ar y ffordd i fyny, dyma Mr Solon yn fy holi am hanes y castell. Wel, doeddwn i ddim am ddangos fy anwybodaeth, a dyma fi'n dechrau dweud 'mod i'n credu mai castell Cymreig oedd o, wedi'i godi gan yr hen Gymry, ac yn y blaen. Ond wedi cyrraedd y copa, dyma'r Americanwr yn edrych ar adfeilion y castell ac yn dweud, 'These arches look very Norman to me.' Mi allwn i ddiflannu i'r ddaear. Fe roddodd yr Americanwr hwn, nad oedd o 'rioed wedi gweld Dinas Brân cyn hynny, ddarlith felys iawn i mi am saernïaeth y castell Normanaidd.[22]

Yn ôl Bryn Lloyd-Jones, roedd Hugh Hughes-Roberts yn llai effeithiol na'r disgwyl yn ei ffordd ei hun hefyd:

> . . . dysgodd y ddau ohonom ddibynnu llawer ar hunanddisgyblaeth a hunanddysgu. Ac arholiadau'r 'Ail Chweched' yn agosáu, daeth yr athro atom i ofyn i Islwyn beth oedd y 'llyfrau gosod' eleni![23]

Er hynny, rhoddai'r chweched gyfle iddo ddatblygu'n feddyliol ac yn emosiynol. Soniodd Northing ar ddiwedd tymor cyntaf blwyddyn olaf Islwyn yn yr ysgol yn Rhagfyr 1941 am 'character . . . developing side by side with his work. Is getting more confidence in himself.' Mae Bryn Lloyd-Jones, a ddaeth yn brif fachgen yn yr un flwyddyn, yn cofio am ei gyfaill yn is-swyddog iddo:

> Yr oedd gennym awdurdod i osod Llinellau (Lines) i ddisgyblion a fyddai'n cambyhafio, a byddem yn gorfod goruchwylio'r 'rhengoedd' pan fyddai'r ysgol yn paredio cyn mynd i'r dosbarthiadau yn y pnawn. Gallai Islwyn fod yn dipyn o 'Gauleiter' ar adegau fel hyn![24]

Nid yw hanes arwynebol yr adroddiadau yn dweud y cyfan, wrth gwrs, am y bersonoliaeth a oedd yn ymffurfio. Syniai amdano'i hun eisoes fel cenedlaetholwr. Hyd ganol y pumdegau, byddai Cymry ifanc yn yr ysgol yn dangos i newydd-ddyfodiaid y gwrych celyn lle y taflwyd Islwyn ar gyfrif ei ddaliadau gwleidyddol. I'r graddau y gellir dod i gasgliadau hawdd ar unrhyw bwnc cymhleth, gellir priodoli ei ymwybyddiaeth genedlatholgar i gyfuniad o ddau beth. Un dylanwad oedd colofn 'Cwrs y Byd' Saunders Lewis yn *Y Faner* o ddiwedd y tridegau ymlaen a thwf cyfochrog y newyddiadurwr a'r disgybl ysgol darllengar. '. . . wele'r newyddiaduraeth ddisgleiriaf erioed yn Gymraeg,' ysgrifennodd Islwyn flynyddoedd yn ddiweddarach, 'yn beryglus niwtral, yn beryglus wâr, yn beryglus ddiwylliedig ac yn beryglus ddarllenadwy.'[25] Gorwedda'r ail ddylanwad yn ddyfnach, yn yr ymdeimlad amlweddog o ddeuoliaeth y tyfodd Islwyn Ffowc Elis yn ei chanol: ei eni mewn rhan o Gymru na wyddai'r Cymru Gymraeg fawr ddim amdani a'i fagu o fewn tafliad carreg i'r ffin â Lloegr:

> We in our mountain valley spoke Welsh. They on the plain spoke English. We could sing spontaneously in harmony. They could not. We talked of preachers and poets, they of footballers and racehorses. As a boy, I was fascinated by the difference. As an adolescent, I was disturbed by it.[26]

Ychwaneger at hyn dras gymysg yr aelwyd a'i addysg mewn ysgol uwchradd a ddenai gyfran o'i disgyblion o ardaloedd mor wahanol i'w gilydd yn gymdeithasol ac yn ieithyddol â Llansilin, Uwchaled a'r Waun. Cofir gan rai hyd heddiw fel y byddai Harold Potter, wrth ddysgu chwaraeon, yn rhannu'r bechgyn Cymraeg a di-Gymraeg yn ddau dîm i chwarae gemau rhyngwladol 'Wales versus England'.

Datblygai ei hunanymwybyddiaeth lenyddol ochr yn ochr â'i hunaniaeth wleidyddol. Cawsai brawf o'i allu yng nghystadleuaeth llythyr Gŵyl Dewi ym Mawrth 1939, pan gyhoeddwyd ei lythyr at ymwelydd dychmygol â Chymru ymhlith y goreuon o'r ddau gant a ddaeth i law. Fe'i cyhoeddwyd yn y papur ar 2 Mawrth, ynghyd â darlun ohono yn ei wisg ysgol, yn gwenu'n swil ond yn hunanfeddiannol i lygad y camera drwy sbectol gron. O edrych ar oedran y cystadleuwyr eraill, ac ar ddisgyblion yr un oed ag yntau – pedair ar ddeg – yn y gystadleuaeth gyfatebol i ysgolion elfennol, mae'n rhaid mai ef oedd un o'r rhai ieuengaf i gymryd rhan. Yn ei lythyr, mae'n gwahodd ei gyfaill dienw i dreulio gwyliau'r haf yng Nghymru. Dyfynna eiriau Ieuan Fardd am afonydd y wlad 'Mal pelydr mewn gwydr yn gwau'; cân glodydd Lloyd George, 'un o wladweinwyr enwocaf y byd' a 'beirdd anfarwol fel awdur "Melin Trefîn", sef Crwys yr Archdderwydd'; ac estynna groeso i'r ymwelydd aros ar aelwyd Aberwiel:

> Fel y gwelwch, rwyf fi'n byw mewn ffarm yng Nglynceiriog, gwlad Ceiriog a Huw Morus, ac amheuthun i chwi fydd treulio dyddiau mewn ffermdy Cymreig, a chael llaeth enwyn, uwd a chaws cartre, a gwrando ar ystraeon bwganod wrth olau canhwyllau brwyn a lampau.

Y tro cyntaf i enw Islwyn ymddangos mewn print, ond efallai nid y tro cyntaf i'w waith gael cynulleidfa ehangach. Cywaith oedd y llythyr buddugol, fel y datgelodd Islwyn Ffowc Elis dros drigain mlynedd yn ddiweddarach:

> Tipyn o ffârs yw hanes f'ymgais yn y gystadleuaeth honno.
> Fe dynnodd fy athro Cymraeg yn Ysgol Llangollen . . . fy sylw at y gystadleuaeth, a pheri imi sgrifennu llythyr yn ôl y galw. Mi wnes innau hynny. Ond mae'n rhaid nad oedd fy ymdrech wrth fodd yr athro, oherwydd fe ailysgrifennodd y llythyr ei hun.

Mae'n bosib fod ei fersiwn ef yn rhagorach – wn i ddim – ond beth bynnag, hwnnw a ymddangosodd uwch fy enw i yn y papur.

Sut bynnag am hynny, mi gefais bunt o wobr. Bu cryn hŵ–ha yn yr ysgol. Ond wedyn fe geisiodd yr athro fy narbwyllo i roi'r bunt yn rhodd i'r ysgol. Roedd anfodlonrwydd mawr yn fy nheulu am hynny. Os oedd yr hogyn bach wedi ennill gwobr, roedd yn iawn iddo ei chael a'i chadw. Ond rhaid bod yr athro wedi cael cyngor gan rywun callach, oherwydd fe newidiodd ei stori:

'Anghofiwch be ddudis i ddoe, Islwyn. Cadwch chi'r buntan 'na. Chi pia hi.'

Rhyddhad mawr, wrth gwrs. A dyna ddiwedd y ffârs.[27]

Ceir yr allwedd i'w wir ddatblygiad llenyddol – yn y wedd gyhoeddus a phreifat arno – mewn dwy ddogfen. Y naill yw cofnodion cyfarfodydd wythnosol Cymdeithas Dafydd ap Gwilym yr ysgol, yr oedd Islwyn eisoes yn aelod gweithredol ohoni yn nechrau blwyddyn academaidd 1939-40. Ceir y sôn cyntaf amdano ar 27 Medi 1939, yn traethu ar 'Anifeiliaid', ymhlith nifer o 'areithiau diddorol iawn gan rai aelodau ar bynciau diddorol iawn', yn cynnwys y cynhaeaf, gwneud menyn, cadw moch a gwneud jam.[28] Daw'r cyfeiriad nesaf bedair wythnos wedi hynny, ar 25 Hydref, pan restrir ef yn aelod o'r tîm buddugol mewn 'gormes sillebu'. Ar 1 Tachwedd, yn ôl y disgwyl, pleidiodd yr ochr nacaol mewn dadl ar y pwnc 'A ellir bod yn Grefyddwr ac yn Filwr'. Nid am y tro olaf, methodd ei safiad egwyddorol ag argyhoeddi: 'Y canlyniad oedd i bron bawb ochr i'r ochr gadarnhaol'. Y rhyfel oedd dan sylw eto ar 27 Chwefror 1940, pan wynebodd Dribiwnlys Gwrthwynebwyr Cydwybodol gerbron prif fachgen yr ysgol, Ieuan Davies. Noda cofnod 23 Ebrill:

Treuliwyd cyfarfod cyntaf y tymor drwy ddefnyddio'r amser i drafod gwelliannau ym 'mhrogram' y cyfarfodydd hyn. Awgrymwyd amryw welliannau, yn bennaf gan Islwyn . . .

Ei brif awgrymiadau oedd rhagor o ddadleuon – a ffug eisteddfod.

Daeth ei gyfle i wireddu ei amcanion i'r Gymdeithas gyda thymor yr hydref 1940, a dyfod 'Islwyn Ff. Ellis' yn ysgrifennydd y

Gymdeithas, dan lywyddiaeth Bryn Lloyd-Jones. Yn y cofnodion yn llaw Islwyn,[29] â 'cyfarfodydd' yn 'gyrddau' a 'chystadlaethau' yn 'ymrysonfeydd'. Gwelir yr hanner colon ar waith, y gorberffaith cryno, a sôn am 'ysbryd cydymffurfiol eithaf' wrth ddisgrifio cyfarfod 1 Hydref – a barodd i Hugh Hughes-Roberts danlinellu'r geiriau a gosod gofynnod wrth eu hymyl. Noson fawr y tymor hwnnw oedd y Noson Lawen ar 16 Rhagfyr, pryd y daeth 'yn agos i drigain o Gymry twymgalon' at ei gilydd yn neuadd yr ysgol ac y rhoddodd Islwyn 16 oed rwydd hynt i'w ddawn ddisgrifiadol:

> Yr oeddym o dan un anfantais eleni gyda'i chyflwyno, sef ein bod yn llafurio dan gysgodion tywyll RHYFEL. Dug hyn ambell i lyfethair [sic] i'n dal ni'n ôl mewn mwy nag un cyfeiriad. Y cyntaf oedd nad oeddym i ddangos yr un llygedyn o oleuni o'r ffenestr, rhag i'r gelyn weld gwrthrych i ollwng un o'i folltau tân erchyll arno, ac arweiniai hyn i broblem y dueiddio. Yr ail lyffethair oedd y 'rations', chwedl y Sais, ar fwyd; ond da gennyf ddweud na bu i un o'r gelynion lleiaf hyn ein concro, ond yn hytrach fe'i [sic] concweriwyd hwy.

Fe'i 'synnwyd' gan y bwyd a oedd ar gadw at yr achlysur yng nghegin yr ysgol: 'Yn wir, bu bron imi ag anghofio am ennyd fod y fath beth â rhyfel yn bod, a gwleddais fy llygaid ar y tomennydd o deisennau a bara ymenyn ar y byrddau.'

Mae'r portread o'r noson ei hun yn gweiddi am gynulleidfa ehangach. Cychwyn drwy sôn am ganu alawon gwerin, 'a Mr Hughes-Roberts, yr athro Cymraeg, yn ymuno yn y gân gydag asbri nodweddiadol ohono ef', cyn troi at y wledd ei hun:

> Er inni gredu ar y dechrau fod gennym ormod o fwyd, fe gliriwyd pob briwsionyn, ac ni adawd dim ar ôl i na Sais nag [sic] i un estron arall.

Wedi canu a phartïon adrodd a drama fer, cafwyd perfformiad gan Gerddorfa Dafydd ap Gwilym, 'yn cynnwys y berdoneg, tair organ geg, a rhywbeth a feddylid i gynrychioli tabwrdd', yn chwarae

Rhyfelgyrch Gwŷr Harlech ac Ar Hyd y Nos 'yn eithaf llwyddiannus ar y cyfan'. Yna anerchwyd yr aelodau gan y cadeirydd Mr Crwys Williams dan dri phen, 'yr un rhai ag sydd gan bob prifathro': Ymddygiad, Prydlondeb a Gweithgarwch. 'Prif eitem y noson yn ddiau,' barnai Islwyn (er iddo ychwanegu 'heblaw araith y Cadeirydd' rhwng cromfachau at y testun wedi hynny) oedd sgets 'Gwilym Gwair', o waith bechgyn y chweched eu hunain. Chwaraewyd rhan yr athro gan Bryn Lloyd-Jones, gydag Islwyn ac eraill yn ddisgyblion iddo:

Cymysg oedd y gymeradwyaeth a gafodd y 'sketch' hon – llawer o wahanol farnau arni – ond nid oedd hyn yn mennu dim ar yr actorion.

Nid oedd dim yn mennu ar frwdfrydedd yr ysgrifennydd chwaith yn ei 'Fyfyrdod Diwedd Tymor' y Nadolig hwnnw. Fe'i llongyfarchodd ei hun ar dymor cymodlon a chyfeillgar:

Fe welais lawer tymor 'poethach' mewn mwy nag un ystyr yn y Gymdeithas, ond ni welais un 'cynhesach'. Do, gwelwyd amser pryd y rhennid y Gymdeithas yn ddwy o'r bron gan gwerylon yr aelodau, a chyhuddiadau a ddygid yn erbyn pennau'r Pwyllgor am gyrddau 'tenau', heb ddigon o fynd ynddynt. Ond y tymor hwn, teimlai pawb yn gynnes iawn tuag at ei gilydd.

Gwell na hynny oedd ymdeimlad arall a synhwyrai:

Gwelais ymysg y plant arwyddion o genedlaetholdeb! Nid ydym ar hyn o bryd yn meddwl cael cangen o'r Blaid yma, ond boed i'r Cymry fagu'r ysbryd gwladgarol hwn, a gwneud yr Ysgol yn Ysgol Gymreig!

Porthi'r ysbryd hwnnw oedd bwriad Islwyn ar 11 Chwefror 1941, pan draddododd sgwrs ar 'Sefyllfa'r Gymraeg Heddiw', gan wneud 'apêl ar i holl aelodau'r Gymdeithas siarad Cymraeg a gwneud eu gorau i'w chadw'n fyw'. Bythefnos yn ddiweddarach, trefnodd ddadl ar 'A Ddylai Cymru Gael Hunan-Lywodraeth?'. Ar 4 Mawrth, ymwelwyd â'r ysgol gan yr Henadur Cyril O. Jones, Wrecsam, gan ddiddanu'r gynulleidfa gyda rhai o gywyddau Dafydd ap Gwilym ei hun:

> Dywedodd wrthym am fod yn falch o'n llenyddiaeth a'n hiaith, ac wedi darllen rhagor o farddoniaeth, gyda blas a gwres, eisteddodd i lawer ymysg cymeradwyaeth fyddarol. Cynigiwyd y diolchiadau gan Islwyn Ffowc Elis . . .

Ym myfyrdod y Pasg y flwyddyn honno, yr unig fai a welai ar y Gymdeithas oedd 'prinder aelodau sy'n barod i wneud gwaith cyhoeddus . . . Er hyn, credaf y gallem dynnu rhai o'r aelodau allan gydag ychydig o drafferth, a bod yma ddefnydd gweithwyr da yn ein plith.' Ni ellir llai nag ymglywed â mymryn o ddiffyg amynedd â'r brodyr gwannach ar dro. Hyn ar 22 Ebrill 1941, er enghraifft, pan lywiodd Islwyn 'gyfarfod agored' gyda'r aelodau iau:

> Cafwyd trafodaeth am hyn a'r llall, ac yna cafwyd dadl ar y pryd, neu drafodaeth, ar y testun 'A yw'n angenrheidiol mynd i gapel neu eglwys i fod yn grefyddwr da?' Fe ddrifftiodd y drafodaeth i wahanol bynciau eraill, fel 'A oes gan ddyn hawl gwirioneddol i gysgu mewn oedfa?' Siaradodd nifer o fechgyn Safon II yn y drafodaeth hon, a meddyliaf fod hyn yn argoeli'n dda at y dyfodol.

Uchafbwynt tymor yr haf oedd yr eisteddfod hirddisgwyliedig. Islwyn oedd beirniad y braslun pensel o Hitler; enillodd ar y traethawd dan 300 o eiriau ar destun 'Cinio'r Ygol' a'r soned i Afon Dyfrdwy. Cafodd y fraint hefyd o gyrchu'r bardd buddugol, Idris Jones, i'w gadair:

> Ni chafwyd cleddyf ar gyfer y seremoni, ac felly fe ddaliodd Bryn [Lloyd-Jones] ei fraich uwchben y bardd buddugol tra'n gweiddi dair gwaith – 'A Oes Heddwch?' – a buasid yn meddwl nad oedd rhyfel wrth glywed 'Heddwch!' yn adseinio drwy'r adeilad.

Cadwyd soned Islwyn ar glawr. Am y wedd breifat, fewnol ar ymwybod llenyddol Islwyn Ffowc Elis, mae'n debyg nad oes symbol mwy trawiadol o'i gefnu ar ei ddawn fathemategol gynnar na'r llyfr ysgol a gadwodd Islwyn wrth gyrraedd y chweched. Dileodd y gair 'Trigonometry' ar y clawr, ac ysgrifennu 'Barddoniaeth (Poetry)' yn ei le. Y tu mewn ceir y teitl 'Gweithiau Barddonol Glanteirw'. Mae'n cynnwys dwy ar hugain o gerddi, pob un â dyddiad ei chyfansoddi wrth ei theitl, yn mapio dros gyfnod o ryw flwyddyn yrfa bardd ifanc uchelgeisiol a chwbl o ddifrif ynglŷn â'i fwriad a'i fater.

Mae'r rhan fwyaf o'r cerddi yn bopeth a ddisgwylid gan fachgen un ar bymtheg oed: cerddi serch, canu gwlatgar a myfyrdodau ar ei le yn y byd. Mae ambell ddarn pigog o ddigrif, megis y penillion agoriadol, 'Dyfodol Cymru', yn Awst 1940, 'i'w chanu ar y dôn "There'll always be an England".'

Bydd Cymru fyw byth bythoedd,
  Ei hiaith a gwyd yn ôl,
Ei dewrion fil a godant oll
  I ymladd yn ei chôl;
Er gwaethaf y tymhestloedd
  A gurodd ar ei mur,
Heb ofn fe gwyd ein gwlad ei phen
  Yn santaidd ac yn bur.

Cerdd fwy pigog fyth yw'r unig gyfansoddiad Saesneg, 'The Little Wanderer (Composed after the Nazi raids on Cardiff and Swansea, April 1941)':

When bomb falls [sic] down on Swansea town
  And flare on Cardiff city,
And English guns defy the Huns
  With deafening roar and mighty,
The little child of Welsh blood wild
  Through ruined streets doth wander,
While Welsh MPs (in garden teas)
  Think nought about the matter.

Difyr, yn enwedig o gofio heddychiaeth Islwyn Ffowc Elis, yw 'Cân Ryfel yr Aberwheeliaid (Aberwheelians' War Song)' a gyfansoddwyd ym Medi 1940, sy'n agor fel hyn:

> Chwi ddewr ryfelwyr Aberwheel
>   Nac ofnwch bla na rhyfel,
> Â chalon ddewr a chleddyf noeth
>   Wynebwch wres ac oerfel.
> Byth Hitler ni chaiff roi ei droed
>   Ar annwyl dir ein tadau,
> Oherwydd gynnau yma sydd
>   I herio'r dychryniadau.

Stwff telynegol, digychwyn yw canu haf 1941. 'Llatai'r Nos' a 'Cân y Fwyalchen' (y ddwy ym mis Mehefin), a 'Merch a Adwaen' ym mis Gorffennaf:

> Mwyn eneth, mun i'w 'nabod – ydyw hon,
>   Gwisg goron cydwybod,
> Main ei thwf, mwyn ei thafod,
> Hir ddydd idd, yr hardda'n bod.

Y gerdd fwyaf dadlennol yw 'Fy Ngwasanaeth', yr unig un mewn gwers rydd, yn dwyn y dyddiad Mai 1941. Mae'n aneglur a chrwydrol, ei hatalnodi'n arwydd o ddiffyg cyfeiriad; ond dengys fel yr oedd eisoes yn llunio chwedl ei fywyd ei hun, a drychfeddyliau gwrthbwysol dyletswydd a thynged yn ganolbwynt iddi:

> Er nad wyf i ond bachgen llwyd o'r byd
> A'm bryd heb fod yn uchel iawn ar ddim,
> A'm barn heb fod yn aeddfed nac yn llym
> Nac ysgafn chwaith, ond fel sigledig wynt
> A chwyth i bob cyfeiriad, ond heb ddrwg
> Na da ychwaith; mewn clorian hongia'n hir,
> A'i bwyso gaiff gan amgylchiadau'r oes,
> Yn ddi-ddylanwad ond mewn peryg mawr.
> Er nad wyf i ond glaslanc gwyllt fel hyn
> Mae gennyf dueddiadau i un tu,

Sef holl-wasanaeth oes i Gymru fad
A'm Duw fel cennad yn ei Eglwys wiw,
Sydd heddiw'n llyfu llwch ei lloriau llaith . . .
Dyna'm gwasanaeth cyntaf – gwas i Dduw,
Y Duw reola ffawd fy mywyd i,
Ac eto i Gymru y cynigiaf f'hun –
Os yw mewn angen mawr am weithwyr gwael.

Safodd arholiadau'r Dystysgrif Uwch yn 1942, ynghyd ag arholiadau mynediad i'r weinidogaeth. Roedd y llanc dwy ar bymtheg oed a gamodd o'r trên yng ngorsaf Bangor yn hydref y flwyddyn honno wedi ei argyhoeddi fod ei fywyd eisoes yn eiddo i eraill:

Yn y capel bach gartre fe fyddai deg neu ddeuddeg ohonon ni blant yn dweud adnod ar nos Sul. Roedd fy mrawd a finnau'n cael ein dysgu i ddweud ein hadnod nid yn unig yn gywir ond yn glir ac yn uchel, fel y byddai pawb yn ein clywed ni yn 'sêt y pechaduriaid' yn y cefn. Ac ar eu ffordd allan fe fyddai'r oedolion yn dweud, yn ddigon uchel i mi glywed, gan edrych i lawr arna i, 'Pregethwr fydd hwn w'chi.'

Ac fel yna rywsut, er pan oeddwn i'n ifanc iawn, y ces i 'nghyflyru i gredu mai pregethwr oeddwn i i fod, nad oedd dim dyfodol arall yn bosibl imi. Roedd popeth fel petai'n fy ngwthio'n anochel tua'r Weinidogaeth. Roedd gen i ewyrth yn weinidog. Roedd cefnder imi'n weinidog. Ac yn ddiweddarach fe aeth cefnder arall imi i'r India'n genhadwr. A gweinidog oeddwn innau i fod. Roedd hynny wedi'i benderfynu gan y tylwyth; mi fedrwn synhwyro'r peth. Ddwedodd 'nhad erioed wrtha i'n agored, ond roedd o wedi trefnu dyfodol fy mrawd a finnau. Roeddwn i i fod yn weinidog; roedd Bryn i aros gartre i ffarmio.[30]

FFYNONELLAU

[1] Yn R. Gerallt Jones (gol.), *Fy Nghymru I* (Dinbych, 1961), t. 43.

[2] Gohebiaeth bersonol, 4 Mai 2001.

[3] Gohebiaeth bersonol, 17 Tachwedd 2001.

[4] 'Nain', darllediad radio yn y gyfres 'Rhwng Gŵyl a Gwaith, *Naddion* (Dinbych, 1998), t. 244.

[5] Ibid, t. 245.

[6] Yn Meic Stephens (gol.), *Artists in Wales* (Llandysul, 1971), t. 145.

[7] Gohebiaeth bersonol, 17 Tachwedd 2001.

[8] Bryn Ellis, gohebiaeth bersonol, 30 Awst 2001.

[9] Yn Eleri Hopcyn (gol.), *Dylanwadau* (Llandysul, 1995), t. 21.

[10] *Cyn Oeri'r Gwaed* (Aberystwyth, 1952), t. 92.

[11] Bryn Ellis, ibid.

[12] *Cyn Oeri'r Gwaed*, t. 88.

[13] 'Ymgeisydd er ei Waethaf', ynghlwm wrth ohebiaeth bersonol, 9 Chwefror 2002.

[14] LLGC, papurau Self Roberts (dim rhifau)

[15] Idris Davies, gohebiaeth bersonol, 12 Mawrth 2002.

[16] *Dylanwadau*, op. cit. tt. 23-4.

[17] Gohebiaeth bersonol, 9 Chwefror 2002.

[18] Gohebiaeth bersonol, 20 Gorffennaf, 2002.

[19] Gohebiaeth bersonol, 21 Mehefin 2002.

[20] Bryn Lloyd Jones, gohebiaeth bersonol, 6 Ebrill 2002.

[21] 'Prifddinasoedd', darllediad rạdio 29 Ionawr 1960, ym mhapurau Islwyn Ffowc Elis.

[22] 'Cantref, Cwmwd a Chastell, darllediad radio 10 Gorffennaf, 1962 ym mhapurau Islwyn Ffowc Elis.

[23] Bryn Lloyd Jones, op. cit.

[24] Ibid.

[25] 'Baneri Ddoe', *Y Faner*, 23 Chwefror 1979, t. 7.

[26] *Artists in Wales*, op. cit. t. 136.

[27] Gohebiaeth bersonol, 6 Ebrill 2002.

[28] LlGC ex 1593.

[29] LlGC ex 1594.

[30] *Dylanwadau*, op. cit. tt. 25-6.

2

'Nid oes ieuenctid
fel ieuenctid rhydd'
1942-9

Cyrhaeddodd Islwyn Ffowc Elis Fangor yn Hydref 1942. Mae Huw Jones ('Huw Bach') yn ei gofio'n 'llanc 18 oed, glandeg yr olwg, ond yn bur swil a dihunanhyder. Bachgen gwâr, bonheddig, diymhongar ac anymwthgar.'[1] Ar ôl tymor ar aelwyd A.O.H. Jarman a'i deulu yn rhif 12 Ffordd y Coleg, cafodd lety yn rhif 1 Trem y Fenai – neu Menai View Terrace, fel y'i hadwaenid – un o'r rhes o dai tal, gwyngalchog, pob un â'i risiau a'i ardd o'i flaen, yn y rhan honno o Fangor Uchaf lle'r oedd (a lle mae) darlithwyr a myfyrwyr yn byw am y pared â'i gilydd. Ei gydletywyr oedd Robin Williams a J. R. Owen, ill dau o Eifionydd. Byddai'r tri'n ffrindiau mynwesol am weddill eu hoes, er gwaethaf ymadawiad yr olaf am Ohio a'i farw cynnar. Roedd y tri hefyd â'u bryd ar y weinidogaeth Bresbyteraidd.

Roedd Bangor yn 1942 yng nghanol berw rhyfel: 10,000 o fagiau tywod yn Neuadd Pritchard-Jones, myfyrwyr adrannau gwyddoniaeth, hanes a Ffrangeg Prifysgol Llundain yn dilyn byw bywyd academaidd alltud ochr yn ochr â'r Bangoriaid ac Islwyn yn un o ddim ond 47 o ddynion yng Nghyfadran y Celfyddydau.

Yn fuan wedi iddo gychwyn, cyn Nadolig y flwyddyn honno, daeth galwad i'r lluoedd arfog, a gorchymyn gan y Coleg i ymuno â chatrawd y Coleg o'r STC – y Corfflu Hyfforddi Hŷn. Gwrthododd Islwyn Ffowc Elis a J. R., ac fe'u gwysiwyd o flaen y Prifathro, Emrys Evans. Yn gynnar yn 1943, daeth gorchymyn arall i ymddangos gerbron tribiwnlys yng Nghaernarfon, lle croesholwyd ef gan Syr Evan Jones o Flaenau Ffestiniog:

Caniatawyd i'r holi a'r ateb fod yn Gymraeg. Wedi i mi roi braslun o'm hachos, fy mod yn gwrthwynebu mynd i ymladd ar dir heddychiaeth Gristnogol, dyma Syr Evan Jones yn holi'r cwestiynau ystrydebol megis:

'Pe tasa *German* yn ymosod ar ych mam, be' wnaech chi?'

Dim ond *German* a allai wneud peth mor ffiaidd y pryd hwnnw, wrth gwrs. Doedd gen i ddim ond dweud y byddwn yn fy ngosod fy hun rhwng fy mam a'r Almaenwr, ac yn ceisio ymresymu ag ef. Dirmyg a thosturi yn y llys.[2]

Dyfarniad y tribiwnlys oedd i Islwyn Ffowc Elis adael y coleg a gweithio ar y tir hyd ddiwedd y rhyfel. Bu trafod ar yr aelwyd y Nadolig hwnnw. Un posibilrwydd oedd Aberwiel ei hun, ond roedd gan dad Islwyn ddau was yno'n barod, a Bryn ar fin dod i oedran gweithio; posibilrwydd arall a grybwyllwyd oedd mynd i weithio i gartref chwaer iau ei dad, Blodwen, Glanyrafon, yng nghwm Maengwynedd. Yn y diwedd, drwy ei ewythr John Foulkes Ellis, trefnwyd apêl. Cafwyd ail wrandawiad yn haf 1943 ym Mae Colwyn, dan gadeiryddiaeth Syr Thomas Artemus Jones. Clerc y llys – yn ddiddorol iawn, o gofio cysylltiad diweddarach Islwyn ag ef – oedd T. J. Morgan, a weithiai yng Nghofrestrfa'r Brifysgol ar y pryd. Canlyniad yr apêl oedd caniatáu i'r myfyriwr ifanc ddychwelyd i'r coleg i barhau â'i addysg.

Am ei fod wedi cael 'Matric' – sef wedi llwyddo yn yr arholiadau gofynnol yn yr ysgol – caniatawyd i Islwyn Ffowc Elis hepgor y flwyddyn gyntaf yn y Coleg, yr *Inter*, a mynd yn syth at F1, sef blwyddyn gyntaf cwrs gradd BA gyffredin, gyda rhagolygon am drosglwyddo i'r cwrs H1 – y cwrs anrhydedd – ymhen amser. Er hynny, gan mai'r Eglwys Bresbyteraidd a dalai am ei addysg, rhaid oedd dilyn cyfarwyddyd y Parch John Roberts, Carneddi, y gweinidog a benodwyd i'w gynghori ynglŷn â'i addysg uwch. Cyngor John Roberts oedd y dylai Islwyn, barhau â Saesneg a Chymraeg. Fe'i cynghorwyd ymhellach i wneud Athroniaeth. Er cryn syndod iddo, er hynny, fe'i cynghorwyd ef a'r tri darpar weinidog arall a gyrhaeddodd Fangor y flwyddyn honno, i wneud *Inter* mewn Groeg ar ben y cyrsiau F1; nid yn unig hynny, ond i ddilyn y cwrs am ddwy flynedd. 'Alaeth,' ysgrifennodd Islwyn Ffowc Elis ddeugain mlynedd wedi hynny; 'Groeg a ddifethodd fy nghwrs . . . Gormod o boenedigaeth!'[3]

Wrth edrych yn ôl, rhoddodd Islwyn Ffowc Elis y bai arno'i hun am ei fethiant i ddygymod â'r pwnc: roedd mynd i'r sinema – y *Plaza* neu'r *City* o ddewis, gan osgoi'r 'lle chwain', y *County*, yn ormod o atyniad. Atyniad arall oedd chwarae biliards, gan dorri darlithoedd. Yn arholiadau haf 1943, methodd yr Inter 1 Groeg, gan basio'r tri chwrs F1.

Byddai'r cofiant Victoriadd neu Edwardaidd yn ymholi'n rhethregol yma, efallai, am 'gyflwr enaid' y gwrthrych. Nid yw'n gwestiwn amherthnasol yn y fan hyn chwaith. Nid oes sôn yn ysgrifau hunangofiannol Islwyn Ffowc Elis am unrhyw gynhyrfiad ysbrydol, unrhyw dröedigaeth, unrhyw ymdeimlad o alwedigaeth. 'Chefais i erioed rywbeth dramatig,' meddai yn ei gyfweliad fideo gyda Derec Llwyd Morgan, 'rhywbeth y buaswn i yn ei alw'n alwad.' Roedd ei Gristnogaeth, ei ffydd, yn estyniad naturiol o gredo'i blentyndod: yn gymysgedd o wirioneddau hunaneglurhaol a dirgelion anhydraidd. Er gwaethaf ei phwyslais diwinyddol ar achubiaeth unigol, meddai Calfiniaeth y cyfnod yn ei hallanolion ar ddefodaeth yr un mor haearnaidd â dim a geid yng Nghatholigiaeth y genhedlaeth cyn Ail Gynhadledd y Vatican. Golygai ffordd o fyw ben-i-waered lle'r oedd y weithred nid yn gymaint yn arwydd o'r cymhelliad a'i hysgogai ag yn rhywbeth a'i rhagflaenai. Neges ymhlyg y capela a'r dysgu adnodau a'r byw yn barchus oedd y deuai'r cyflwr meddwl priodol yn eu sgil. Rhywbeth i'w chwennych, rhywbeth i fod yn eiddigeddus ohono hyd yn oed (yn dawel fach), oedd yr ymchwydd o sicrwydd, tŵr cadarn y ffydd oedd ffydd ei nain, ond nid oedd yn anhepgor. Roedd marw cyfryngol ac atgyfodiad buddugoliaethus Crist yn ffeithiau mor ddiymwad â machlud a chodiad yr haul. Crefydd oedd hi, yn y wedd ymarferol, gymdeithasol a chymdeithasegol arni, o leiaf, a weithiai o'r tu allan tuag i mewn. Ac un o'r gweithredoedd allanol, atgyfnerthol, rhagflaenorol hynny yn achos Islwyn Ffowc Elis oedd ildio i ewyllys dybiedig y tylwyth, bron fel petai'r ildio ynddo'i hun yn gwarantu cywirdeb y diben. Nid oes ryfedd, felly, ei fod, wrth ddilyn y camau yn ei hanes, yn dehongli'r tyndra rhwng ffydd ac amheuaeth yn nhermau cyflyraeth a siomi pobl eraill:

Roeddwn i wedi cael fy mwriadu ar gyfer y weinidogaeth gan fy nheulu, fy ngweinidog, a phawb oedd yn fy nabod. Roedd pawb yn sicr mai gweinidog fyddwn i, a chyflyrwyd fi, er pan oeddwn yn ifanc iawn, i gredu mai dyna oeddwn i fod . . . Ym mlwyddyn gynta'r chweched dosbarth yn Ysgol Llangollen euthum yn amheuwr, os nad yn anffyddiwr, yn dyheu am fynd yn unrhyw beth ond mynd yn weinidog, yn newyddiadurwr neu'n ddarlledwr, neu, yn enwedig, cael mynd i goleg celfyddyd i ddysgu bod yn arlunydd masnachol . . . Ond pe bawn i'n mynd i unrhyw alwedigaeth ond y weinidogaeth, mi wyddwn y byddwn yn siomi fy nheulu'n enbyd, a doeddwn i ddim yn ddigon gwrol, nac yn ddigon sicr fy meddwl chwaith, i fynnu torri fy nghwys fy hun – y pryd hwnnw, o leiaf.[4]

Enw J. G. Frazer ar y ffenomen yn *The Golden Bough* yw 'sympathetic magic'. Ymhlith llwythau cyntefig, sylwai Frazer, ceid cred y gellid peri iddi fwrw glaw drwy boeri ar y llawr; yn achos darpar weinidogion megis Islwyn Ffowc Elis, ceid cred ddealledig debyg y gellid ewyllysio galwedigaeth trwy ddilyn y trywydd a arweiniai'n anochel i'r cyfeiriad hwnnw. Trwy gydol ei bum mlynedd ym Mangor, ei ddwy flynedd yn Aberystwyth a'i flwyddyn yn y Bala wedi hynny, profai gyffro dedfryd ohiriedig. Bu'n byw – a defnyddio gair Saunders Lewis am Theomemphus Pantycelyn – bywyd tyngedfenedig.

Edrychai, er hynny, ar Fangor fel y man lle daeth i 'wybod beth oedd rhyddid a hapusrwydd am y tro cyntaf' ac am ei gydfyfyrwyr fel 'yr unig gymdeithas y bûm i'n wirioneddol ddedwydd ynddi'.[5] Roedd y llanc gwelw, yr oedd ei iechyd bregus a'i ddysg wedi ei neilltuo oddi wrth ei wreiddiau, wedi cyrraedd hafan. '. . . mi es i Goleg Bangor nid i ddysgu mwyach ond i fwynhau tipyn ar fywyd a gwneud cyfeillion. Yn academaidd, mi wastreffais f'amser yno'n llwyr, ond ei fwynhau'n ddiwylliannol ac yn gymdeithasol i'r ymylon.'[6] Daeth y lletу'n gynfas i'w greadigedd. Bathodd y tri enwau newydd ar ei gilydd: aeth J.R. yn James Hogge, Islwyn yn Peter Gay, a Robin Williams yn Filipo Delano. Iaith y tŷ oedd Menfaeg, ac iddi ei ffurfiau ieithyddol pendant ei hun: 'deffthyr' am 'diptheria'; 'epstoff' am swyddfa bost; 'ffleuchdur' am daniwr sigarennau. Crewyd ôlffurfiau ar lun y Wyndodeg. Am fod pobl Gwynedd yn ynganu 'arfau' yn 'arfa', mynnai trigolion Menai View arfer 'Patagoniau' ac 'ysgafalau'.

Caed yr un bwrlwm yn y Coleg ei hun:

> A'r dadeni a welodd Bangor y blynyddoedd hynny. Beirdd cenedlaethol, athronwyr, gwleidyddion a digrifwyr, arloeswyr adloniant a llên, yno y magwyd hwy. Bob gaeaf byddai dyrnaid yn ffroeni'u ffordd i un o stafelloedd bleraf y coleg, ac wedi eistedd ym mhob anghysur artistig ar y meinciau pren, dechrau meddwl. Ac yn y seiadau hynny, creu ffolinebau rhyfeddol. Y caneuon a grëwyd, y miwsig a dywalltwyd, y ffantasïau a'r sgitio, yn ymfoldio'n ddramâu-canu a fedyddiwyd 'Nirfana Rowndabowt', 'Breuddwyd Huw Huws', 'Y Carped Hud', Glyndwreitis'. A'u perfformio'n ddigylwilydd a ffoli arnynt, ein hepil digymar ni.[7]

Ar 2 Gorffennaf 1987, wrth groesawu proflenni *Caneuon Islwyn Ffowc Elis* o wasg Y Lolfa, rhyfeddodd Robin Williams at frwdfrydedd y cyfansoddwr ifanc '. . . rwy'n dal i ddotio ar yr egni cynhyrchiol a thra *splendide* oedd ynot yn y blynyddoedd hynny. Canys y mae'n anodd credu iddynt erioed fod. Tebyg ydynt i ddefnydd breuddwydion neu nofelau rhamant.' Yn Adran y Gymraeg o dan ddylanwad Ifor Williams, R. Williams Parry a Thomas Parry, ymagorodd byd newydd arall o bosibiliadau. Roedd yr estheteg ymneilltuol dan warchae:

> . . . roedd yna adwaith ffyrnig yn erbyn llenyddiaeth y bedwaredd ganrif ar bymtheg. Er bod hanner canrif eisoes wedi mynd er diwedd y ganrif honno roedd yr adwaith yn parhau, ac yn cryfhau, os rhywbeth . . . Ac nid mympwy gennym ni fyfyrwyr oedd hyn. Dyna a ddysgid i ni gan Syr Thomas Parry. Ef oedd ein Gamaliel ni.

Roedd y bachgen nad oedd cyn hynny wedi teithio fawr ymhellach na Chaer a Chroesoswallt, bellach yn pregethu ledled Môn ac Arfon, yn cwrdd â ffrindiau newydd, yn ymhyfrydu yn ei ryddid amodol – a hyd yn oed yn rhoi cynnig ar ddysgu Rwsieg, er difyrrwch ei gydletywyr. Yn Ionawr 1945, profodd yr ias o weld ei enw ar dudalen blaen *Y Ddraig Goch*, pan draethodd yn gynhwysfawr ac yn hyderus ar sefyllfa 'Y Gymraeg ar y Gororau'. Nid rhyfedd, felly, i Bryn yn Aberwiel, sylwi ar y cyfnewidiad a ddaethai dros ei frawd mawr:

> Bu dyddiau'i fynediad i'r Coleg yn gyfrwng newid i'n teulu ni: dros nos aeth teulu o bedwar i dri. Wrth edrych yn ôl, cymharol ychydig o amser a dreuliodd gartref, ac erbyn hyn rwy'n deall pam. Yr oeddym yn byw megis ar gwr y Berwyn, ac yn rhan o Gwm Nantyr. Nid oedd gennym drydan; fe gafwyd tap dŵr oer i'r tŷ yn 1943; dim trafnidiaeth ond y trap a'r ferlen; dichon fod y lle'n drymaidd, yntau'n colli cwmni cyfoedion mwy diwylliedig, diddan a diddorol.
>
> Derbyniem lythyr tua diwedd tymor Coleg; yno soniai am ei ddyhead i ddod adre ac ymlacio. Ymhen ychydig ddyddiau wedi cyrraedd, byddai raid ailgychwyn. Cyfarfod ffrind yma neu gydnabod acw, a byddai'r gwyliau drosodd heb inni weld llawer iawn arno. Ambell fin nos pan fyddai mewn hwyl eithriadol o dda, caem hanesion am ambell brofiad trwstan, cymeriadau diddorol a doniol – annifyr weithiau – a chan ei fod yn ddynwaredwr, âi'r sesiynau hynny yn ddifyrrwch llwyr.[8]

Poenai Catherine amdano: a oedd yn bwyta'n iawn, a oedd yr ystafelloedd yn ddigon cynnes; a oedd y gwelyau lle cysgai'r noson cyn cyhoeddiad yn llaith. Trefnid iddo anfon ei ddillad adref mewn pecyn bob wythnos, i gyrraedd fore Mercher fel y gallai ei fam eu golchi a'u dychwelyd cyn y Sul. 'Mynych y gwyliais hi'n gosod pentwr fy mrawd ar y bwrdd,' cofia Bryn, 'ac yna – yn ddefosiynol bron – yn gosod y cyfan mewn trefn, a gwneud rhwymyn medrus amdano.'

Nid oedd bywyd yr aelwyd yn ddiogel bob amser chwaith:

> Roedd fy nhad yn berchen dryll, un yr oedd ganddo gryn feddwl ohono. Gan fod saethu'n un o ragoriaethau eraill y teulu, penderfynodd Islwyn berffeithio'r grefft. Yn ystod un gwyliau fe'i gwelem yn cychwyn yn dalog i gyfeiriad Erw Fain, cae oedd yn boblogaidd eithriadol gyda'r hil gynffonnog – cwningod oedd yn bla ym mhedwar degau'r ganrif.

Dychwelodd adre un pnawn gyda'r dryll yn un llaw a chwningen hanner maint yn y llall. Archwiliodd fy nhad y gwningen yn fanwl; un ddi-raen oedd hi, ac fe ddaeth ef i'r casgliad iddi farw o sioc wrth glywed ergyd, oherwydd ni welwyd ôl siots ar ei chorff yn unman. Er hynny, cafodd y saethwr flas ar y grefft.

Perswadiodd fi un min nos i fynd allan efo fo, rhoddodd ddwy getrisen ym marilau'r dryll, tynnodd y morthwylion yn ôl a darparu ar gyfer helfa. 'A'r nos honno ni ddaliasant ddim'. Ni welwyd yr un gwningen ac ni chafodd darged i anelu ato. Dyna benderfynu mynd adre; ond dyna sylweddoli fod dwy getrisen yn y barilau, y morthwylion wedi'u tynnu'n ôl, a'r un ohonom yn deall pa fodd i ostwng y rheini heb beri i'r dryll danio.

Dyna gerdded adre'n ofalus iawn, minnau dan siars i ddilyn wrth sodlau fy mrawd. Felly y cyraeddasom y buarth a chael gwers gofiadwy gan ein tad ar y modd i ddychwelyd y morthwylion i stad o normalrwydd.[9]

Gyda dechrau ei drydedd flwyddyn, wynebodd Islwyn Ffowc Elis ar ei gwrs H1, a dryswch ynglŷn â'r pwnc y dylai ei ddilyn. Dymuniad ei ewyrth John oedd iddo wneud Cymraeg, ar ôl pasio'r Inter 1 mewn Groeg. Yn ôl cariad iddo ar y pryd, Athroniaeth oedd y pwnc y'i harfaethwyd ar ei gyfer: 'Merch alluog a gwybodus a fu'n ymyrryd gormod â'm cwrs i, a finnau'n rhy wan.'[10] Y ferch hon, Glennys Morris, a gariodd y dydd – a chadarnhawyd y dewis drwy wahoddiad personol y pennaeth adran:

Derbyniais wahoddiad yr Athro D. James Jones i ddilyn Athroniaeth. Camgymeriad, fel y cefais weld. Mi ddrysais fy nghwrs yn llwyr. Penodwyd fi'n ysgrifennydd Cymdeithas y Ddrama Gymraeg. Penodwyd fi hefyd yn ysgrifennydd Suliau myfyrwyr y Presbyteriaid, i drefnu cyhoeddiadau Sul y myfyrwyr mewn gwahanol gapeli. At hynny i gyd, penodwyd fi'n gyd-ysgrifennydd Cymdeithas Cymru-Tsiecoslofacia gyda merch o'r wlad honno a oedd yn fyfyrwraig yn y Coleg. Roeddwn i'n ysgrifennydd cwbl anobeithiol, wrth gwrs, yn ddifrifol o anhrefnus, ac yn mynd ar goll ymhlith yr holl bapurau a llythyrau. Ac wrth reswm, yn gorfod ufuddhau i orchymyn 'fy nghariad' i gwrdd â hi bob nos. Roeddwn i'n actio yn y ddrama Gymraeg, ac roeddwn hefyd yn pregethu bob Sul. Ychydig iawn o amser oedd ar ôl i waith!

Yn arholiadau'r haf dilynol, mi lwyddais yn yr *Inter 1* Groeg o'r diwedd. Ond roedd yr arholiad Athroniaeth yn gwbl anobeithiol. Mi atebais *dri chwestiwn* ar Descartes, ond dim un ar Kant na Hegel na'r athronwyr perthnasol eraill. Fe ddaeth llythyr eto oddi wrth yr Athro James Jones, yn tynnu'n ôl ei wahoddiad imi y flwyddyn gynt ac yn dweud na allai ganiatáu imi barhau gydag anrhydedd Athroniaeth. Roeddwn i'n haeddu hynny, wrth reswm, ond mi ddigiais wrth yr Athro. Wedi iddo fy mherswadio y flwyddyn gynt i ddilyn ei gwrs ef, fe allai fod wedi dangos ychydig mwy o ffydd ynof.[11]

Yr oedd yn gam pendant yn ôl. Mynnodd y coleg fod Islwyn Ffowc Elis yn gwneud *Inter* mewn Cymraeg, Athroniaeth a Saesneg yn ei bedwaredd flwyddyn – a pharhau i wneud Groeg *Inter* 2.

Yn y cyfamser, daeth y garwriaeth 'gaethiwus' â Glennys Morris i ben, a chynyddodd 'y bywyd cymdeithasol tra difyr'. Erbyn Nadolig ei bedwaredd flwyddyn, roedd yn perfformio mewn nosweithiau llawen radio dan ofal Sam Jones ac yn teithio'r wlad gyda gwahanol bartïon i godi arian at y Blaid.

Nid oes sôn yn y rhestr hir o ofalon ac atyniadau a ddrysodd ei waith academaidd am lenydda. Ei gyfrwng ym Mangor oedd *Omnibus*, cylchgrawn dwyieithog y myfyrwyr, a welodd gyhoeddiadau cynharaf Geraint Gruffydd, Meredydd Evans, Derwyn Jones, Emyr Humphreys a Raymond Garlick yn yr un cyfnod. Mae'r tudalennau'n cyfleu peth o firi'r dyddiau soffistigedig-ddiniwed hynny wrth i Gymru symud o ansicrwydd rhyfel i ansicrwydd mwy heddwch: paneidiau o goffi yn yr Iwnion a Bobby Bob's yn y dref, cymdeithasau gwleidyddol a chrefyddol, Cymdeithas Masaryk, cangen o Gymdeithas y Cenhedloedd Unedig, y Cymric, timau pêl-droed a phêl-rwyd a hoci. Roedd y cyffro o'i amgylch yn sbardun iddo gystadlu a chyhoeddi – i fynnu ei gyfran yntau o'r hwyl. Enillodd ar y bryddest 'Mae a Fu Gynt' yn Eisteddfod y Myfyrwyr yn Aberystwyth, yn 1944, ac yn 1947 cyhoeddodd ffurf gynnar ond caboledig iawn ar yr ysgrif 'Melodi', a ymddangosodd wedi hynny yn *Cyn Oeri'r Gwaed*. Ei brif gynnyrch, er hynny, oedd telynegion rhamantaidd, penfeddwol. Mae'n werth aros gyda rhai o'r *juvenilia* yma, am eu bod yn amlygu, efallai, pam y dewisodd Islwyn Ffowc Elis ryddiaith rhagor barddoniaeth yn gyfrwng. Haws hefyd fydd eu trafod gyda'i gilydd.

MWG

Un nawn dan bren afalau,
Ar wely'r glaswellt hir,
A'r gwanwyn o'i hualau
Yn cerdded dros y tir,
Y gwelais i mor lân, mor lân
Yw wyneb pan fo bron ar dân.

Un hwyr ar ael y mynydd,
Yn oedfa'r grug a'r sêr,
A lleuad haf ar gynnydd
Trwy rith cymylau blêr,
Y gwelais i mor dlos, mor dlos
Yw cariad ifanc wedi nos.

Yn nhanllwyth hwyrnos gaeaf
A'r byd i gyd dan wg,
Llosgai derw'r cynhaeaf,
Esgynnai yn y mwg.
A gwelais i mor chwim, mor chwim
Y try sylweddau pêr yn ddim.

ENIGMA

Oriau'r dydd, i ddwfn dy lygad
Syll fy llygaid i,
Nid yw oriau cwsg ond eiliad
Yn dy freichiau di.

Cerddi ataf ymhob tegwch,
Ceni yn y gwynt,
Teimlaf d'awydd yn nhrythyllwch
Chwedlau'r oesoedd gynt.

Nid oes awr na lysg dy nwydau
Yn fy nwydau i
Ond ni ddysgodd un o'm horiau
Pwy na ph'le'r wyt ti.

YMBIL

Mi welaf, fôr, lle curi ar ddrysau'r tir,
Ddawns wen dy forforynion ar y traeth,
A'u dagrau yn fy ngwallt, a'u hwylo'n hir,
Yn troi a throsi'n eu cadwynau llaeth[.]
Ymbil y maent am dorri'r swyn a'u deil
Rhag gwisgo cnawd a rhodio'r pelmynt maen
Yng nghwmni cig a gwaed, o wylio steil
A gwrando stŵr llancesi â'u lliw ar daen.
Ffolach eu hymbil na dymuno'r lloer;
Nid oes a roddo glust i'w herfyn hwy.
A phwy na charai swae eu dawnslawr oer
A'th lanw a'th drai tragwyddol iddo'n blwy?
Tra perych di, fe bery eu dawns ddi-hedd,
A merched cnawd yn llonydd yn y bedd.

Tair cerdd yn rhychwantu chwe blynedd. Rhaid dweud cyn dechrau eu datgymalu eu bod yn cymharu'n ffafriol iawn â'r rhan fwyaf o lawer o gynnyrch *Omnibus*: mae'r gystrawen yn lân, y rhythmau'n gadarn – ac eithrio ym mhennill clo 'Mwg' – a'r rhediad yn glir. Maent yn fendithiol brin hefyd o'r tywyllwch ystyr, ieithwedd hynafol a dicter hunangyfiawn a welir yng ngwaith ei gymheiriaid. Er hynny, mae pob un yn gaeth i fagl llais telynegol, a fyn awgrymusedd yn nod amgen, bron fel petai'r bardd wedi ymrwymo i beidio â dweud dim yn agored, rhag i lais clochaidd, dehongliadol dorri'r hud. Yn fyr, maent yn tynnu'n groes i gynneddf storïol a dadansoddol yr ysgrifau. Nid oes le yn y cerddi i gamu'n ôl, i arafu'r dweud, i ymhelaethu, i gynnig eglurhad. Cymharer 'Mwg' â 'Melodi', er enghraifft. Ar un wedd, yr un yw testun y ddwy: tyndra darfodedigrwydd ac anfarwoldeb. Ond mae paragraffau clo'r ysgrif yn cynnig dulliau amgen o ymdrin â'r deunydd, hyd yn oed yn fersiwn cymharol amrwd 1947:

> Bydd yn rhaid i mi farw ryw dydd. Hynny am nad wyf ond talp o glai, ond bod bywyd wedi cymryd fy menthyg am rai blynyddoedd i ryw amcan na allaf ond damcaniaethu yn ei gylch. Ac am i mi ym mlynyddoedd fy nghleidod gyfarfod ag ysbryd fel y felodi hon ar fy nhaith, bydd marw'n anos. Bydd marw'n anos am wybod ohonof i y bydd hon yn canu ymlaen i'r canrifoedd wedi i mi dewi, ac y bydd clustiau eraill yn ei chlywed a dyfnderoedd eraill yn cynhyrfu o dan ei swyn. Dyna pam yr wyf yn eiddigus. Clai yn eiddigeddu wrth ysbryd.

Deuir i drafod dyled y nofelau i'r ysgrifau maes o law, ond llawn cyn bwysiced yw ystyried pwysigrwydd yr ysgrifau yn hanes Islwyn Ffowc Elis fel pont rhwng y farddoniaeth a'r ffuglen, o ran arddull a thechneg hefyd. Fel yr arbrofodd Islwyn Ffowc Elis â barddoniaeth, daeth i ymglywed â diffyg y 'Dyna pam...' ynddi. Er na ddatblygodd erioed yn feirniad llenyddol – yn wir, ceir digon o dystiolaeth ei fod yn drwgdybio ac yn ofni'r ddisgyblaeth fwy neu lai i'r un graddau – mynnodd gadw yn ei waith creadigol lais y sylwebydd fel rhyw feirniad preswyl neu gyfarwydd dirprwyol. Mae adeiladwaith ei nofelau'n ddibynnol ar gymeriadau corawl (a defnyddio gair *Geiriadur yr Academi*; byddai 'corig' yn nes ati), mor amrywiol â Gareth Evans yn *Yn Ôl i Leifior*, Macgregor yn *Tabyrddau'r Babongo*, Caleb Morris yn *Blas y Cynfyd* a Benni Rees yn *Y Gromlech yn yr Haidd*, i dynnu sylw'r darllenydd at arwyddocâd y digwydd. Wrth fwrw ei brentisiaeth farddol ym Mangor, ar ei liwt ei hun ac o dan gyfarwyddyd Dafydd Owen (y Prifardd wedi hynny), dysgodd werth cynildeb, ond dysgodd am ei gyfyngiadau hefyd.

Roedd y chwilen gystadlu wedi cydio. Enillodd y Goron ar y bryddest yn Eisteddfod Myfyrwyr Cymru 1944 – a chafodd y fraint o gael trafod ei waith gyda Thomas Parry. Y flwyddyn ddilynol enillodd ar ddrama fydryddol yn yr un gystadleuaeth – John Gwilym Jones yn beirniadu, ac yn Eisteddfod Colegau Bangor gydag Eic Davies yn feirniad, ar ddrama yn null Omar Khayyâm. Penllanw'r cystadlu oedd ennill y Gadair yn Eisteddfod Lewis's, Lerpwl, am bryddest ar y testun 'Gwin', yn 1947. Y beirniaid y tro hwnnw oedd Cynan a William Morris.

Erbyn Awst y flwyddyn honno, teimlai Islwyn Ffowc Elis yn ddigon hyderus i fentro cystadlu ar y Goron yn y Genedlaethol ym Mae Colwyn ar destun agored heb fod dros 250 o linellau. Yn 'Glyn y Groes' lluniodd un ar bymtheg o sonedau ar ffurf ymddiddan corff ac enaid. '. . . hi oedd y gerdd olaf i mi gael gwefr wrth ei chanu,' meddai yn 1960, 'y ffling afieithus olaf, fel petae, cyn troi bron yn gyfangwbl at ryddiaith'.[12] A'r ffling olaf cyn troi at y weinidogaeth hefyd, wrth gwrs. Dyma'r ddwy soned y gwelodd Islwyn Ffowc Elis yn dda eu darlledu y flwyddyn honno, ond sydd heb eu cyhoeddi cyn hyn:

> Derfydd gwŷn a newyn pan dderfydd cnawd,
>   Pan syrth yr olaf haul i byrth y môr,
> Pan erys nos heb sêr a chorff heb frawd,
>   A chau ar chwerthin dydd yr olaf dôr.
> Ni wlych un deigryn yr ystyllod coch
>   A gaea'r corff rhag gweled gwawr a gwig;
>   Ni ŵyr y llonydd sugno'r gwrid o'i foch,
>   Na phallu serch o'i fewn na pheidio o'i ddig.
> Teilwng, gan hynny, daflu'r ffrwyn i'r gwynt
>   A dilyn hwyl yr helfa tra fo dydd;
> Af ar war fy nyheu i borffor hynt,
>   Nid oes ieuenctid fel ieuenctid rhydd.
> Nid oes a'm dysg oferedd y ffyrdd mau,
> Na phorthor a ŵyr amser i'r drysau gau.
>
> Mae'r porthor ar y drws, a'i ddwylo'n llonydd,
>   Ceulodd ei waed yn hollt dy hoelion di.
> Gwyrodd dy boeri ei ben. Ni ylch afonydd
>   Wrymiau dy chwip. Eu stŵr ni fawdd ei gri.

Cymerodd ef ei hun dy gur o gariad,
　　A'th wendid yn ei ddwyfol wendid ef;
Gwêl dy loesau dy hun ym mhob amhariad
　　Ar gorff nas derbyn daear, nas arddel nef.
Mae'n hongian yno fel na fwyty'r pryfyn
　　Dy enaid gyda'th gorff. Ac megis lamp
Y tyn di ato fel rhyw wibiog wyfyn,
　　Ac ar d'adenydd llosg y gedy'i stamp.
Ef yw'r porthor a fyn i ti barhau.
Ef ydyw'r drws na weli byth mo'i gau.[13]

Profodd y wefr breifat o wybod bod T.H. Parry-Williams wedi gosod ei ymdrech yn gydradd ail ag eiddo Dewi Emrys. Enillodd yn yr un Eisteddfod ar yr Ysgrif gyda 'Gwrychoedd', a dod yn gydradd gyntaf y flwyddyn wedyn ym Mhen-y-bont ar Ogwr gyda 'Hyfrydwch y Gwir Grefftwr'. Yr un fyddai'r hanes ar y stori fer ('Gryffis') yn Nolgellau yn 1949, ynghyd â rhannu'r wobr am ddrama fer.

Ac yna fe beidiodd y cystadlu ar farddoni – a'r barddoni yntau i bob diben hefyd. 'Honno, greda i,' meddai Islwyn Ffowc Elis am bryddest Bae Colwyn, 'yw'r gerdd orau a sgrifennais, ond honno hefyd oedd y cefndeuddwr yn fy ngyrfa lenyddol. Roeddwn i'n teimlo 'mod i wedi arllwys pob peint o'm hawen fydryddol iddi, ac er i mi barhau i sgrifennu cerddi am ddwy neu dair blynedd wedyn, roedden nhw'n farw-anedig.' Efallai fod geiriau Saunders Lewis wrth feirniadu'r bryddest – 'triciau barddonllyd, cyffyrddiadau wedi eu dysgu gan feirdd eraill, llond siop o bethau ail-law' – wedi ei gyffwrdd i raddau mwy nag yr oedd yn barod i'w gyfaddef ar y pryd na wedi hynny, yn wir. Ond mae eglurhad mwy cymhleth ond mwy argyhoeddiadol yn ymgynnig. Ceir cnewyllyn yr esboniad hwnnw yn 'Hyfrydwch y Gwir Grefftwr':

Dichon fod pob crefftwr dan orfod. Ac y mae dau orfod. Un yw'r gorfod a osodir arno gan amgylchiadau neu gan feistr. Y llall yw gorfod ei natur ef ei hun. Gwae'r crefftwr na ŵyr ond y gorfod cyntaf. Pan baid y gorfod fe baid y gweithgarwch hwnnw, a bydd ei grefft farw o ddiffyg ei pharhau. Ond yr ail, gwyn ei fyd. Pan baid pob gorfod oddi allan, fe barha ef yn ei grefft am na all beidio, ac am fod ei harfer yn hyfrydwch iddo . . . A anwyd yn fardd, ni all na farddona . . . Diau y gellir dysgu un i sgrifennu cerddi, ac y gesyd uchelgais eisteddfodol arno ryw orfod gwneud, ond pe byddai farw'r uchelgais byddai farw'r barddoni gyda hi. A phrin y dôi o'i farddoni farddoniaeth.

Mae perygl i'r uchelgais ballu, sylwer; nid oes sôn am ddawn na hunanhyder. Yr hyn sydd ynghudd yn yr iaith gain, wirebol yw gwreiddiau rhywbeth y mae Islwyn wedi ei led-awgrymu am ysgrifennu creadigol sawl tro ers hynny. Nid mater o dorchi llewys mohono – na ffrwyth yr awen chwaith, bid sicr – eithr cyfuniad o bleser a chrefft lle gweddw'r naill heb y llall. Ni feddai ar yr hunanddisgyblaeth i'w orfodi ei hun i farddoni am ei fod wedi colli'r archwaeth. Nid oedd y gêm farddonol yn werth y gannwyll 'Doeddwn i ddim yn gweld hynny ar y pryd,' ysgrifennodd yn 1999, 'ond mae'n eglur i mi nawr nad fy ngadael a wnaeth y barddoni, ond mynd i'r ysgrifau a'r "clytiau porffor" yn y nofelau y byddwn yn eu sgrifennu yn y man.'[14] Hynny yw, aeth barddoni'n grefft ategol, iswasanaethgar. Gallai greu heb ei wneud yn ganolbwynt. Am y tro, ac yn gyfiawn felly, medrai ymgysuro yn y cysylltiad annatod rhwng dawn a dymuniad. Er na allai ei orfodi ei hun i ysgrifennu'n grefftus, teimlai'n ffyddiog y byddai'r gallu ganddo tra parhâi'r dymuniad i wneud hynny. Roedd eisteddfota wedi gwneud ei gwaith fel magwrfa a symbyliad: ' . . . yn ystod y pedair blynedd hynny,' meddai am y blynyddoedd rhwng 1947 a chipio'r Fedal Ryddiaith yn 1951, 'mi ddysgais gymaint ag y gallai prentis llenor ei ddysgu gan lenorion profedig y pryd hwnnw.'

Bu'n brentisiaeth drawiadol o fer, a hynny'n bennaf am i Islwyn Ffowc Elis sylweddoli'n gynnar iawn beth oedd ei briod gyfeiriad llenyddol. Roedd swm y gwaith yn gymharol fach – dyrnaid o gerddi ac ysgrifau ac un stori fer – ond roedd yr aeddfedrwydd yn hynod. Ar gais T. J. Morgan – a oedd yn olygydd i bob pwrpas ymarferol erbyn hynny – ymddangosodd dwy ysgrif ym mhrif gylchgrawn llenyddol y cyfnod, *Y Llenor*: 'Sut i Yrru Modur' yn rhifyn hydref 1948 ac 'Ar Lwybrau Amser', yn rhifyn olaf un y cylchgrawn, yng ngaeaf 1951.

Oherwydd dryswch ei drydedd flwyddyn, graddiodd yn haf 1947 gyda BA *Pass* mewn Cymraeg, gydag Athroniaeth yn bwnc atodol. 'Eironi' pethau yr haf hwnnw oedd llythyr o gydymdeimlad oddi wrth Ifor Williams a gwahoddiad iddo aros ymlaen i wneud BA Anrhydedd:

> Hir ystyried, wrth gwrs. Petai Ifor wedi sgrifennu ataf ddwy flynedd ynghynt, yn hytrach na D. James Jones, rwy'n sicr y byddwn wedi derbyn ei wahoddiad . . . Mi fyddwn wedi elwa ar gwrs trwyadl mewn Llenyddiaeth Glasurol Gymraeg. Ond roedd hi'n rhy hwyr; roeddwn i'n sicr o hynny. Roeddwn i'n wynebu ar dair blynedd o'r BD, a chwrs blwyddyn wedyn yn hen Goleg y Bala. Pedair blynedd arall, a finnau eisoes wedi blino ar 'addysg'! Ysgrifennais at Ifor Williams i ddweud hyn oll wrtho, gan orfod gwrthod ei wahoddiad graslon gyda llawer o ddiolch.[15]

Cychwynnodd ar y BD ym Mangor y flwyddyn honno; ond ar ddiwedd arholiadau haf 1947, 'fe ymyrrodd Cyfundeb y Presbyteriaid unwaith eto', gan orchymyn i Islwyn, Robin Williams a J.R. gwblhau eu gradd yn y Coleg Diwinyddol yn Aberystwyth. Canodd y tri'n iach i'w hen gyfeillion ar dudalennau'r *Omnibus* yr hydref hwnnw. Mae'n werth dyfynnu'n bur helaeth o'r llythyr:

> At ddinasyddion rhydd angor oddi wrth blant y Gaethglyd [*sic*],
> – ANNERCH
>   ANWYLIAID
>   Ffrwyth apêl eich golygydd hynaws yw hwn, ein cameo ni o hiraeth amdanoch ac am y llwybrau yr ydych, ffodusion, yn eu rhodio beunydd.
>   Pan ddaeth i'n pennau ni (neu i bennau'r rhai sydd ganddynt agoriadau dagrau a llawenydd) benderfynu y buasai newid awyr a newid cymdeithas yn lles inni, yr oeddem wedi treulio, rai dair blynedd, eraill bedair ac eraill bump, yn eich plith, ac wedi'ch cael yn gwmni gwresog dihafal ym mhob dim. Ac wrth ddymuno crwydro'r byd, a phenderfynu peidio â mynd (am sbel), ddim pellach nag Aberystwyth donnau gleision, yr oedd rhyw ddemon ynom. Sibrydai'r demon melyslais fod yr olygfa ar

fae [*sic*] Ceredigion dan fachlud haul o ffenestri llofftydd y coleg llwydfrics yn amgenach na honno ar Fôn werdd a'i chulfor gloyw o ffenestr eang ystafell ffrynt Tŷ Pen Menai. Âi'r demon ymlaen i'n twyllo y caem wrando fin hwyr ar glychau Cantre'r Gwaelod yn ymystwyrian yn y dŵr tawel. Honnai, a'i sibrwd yn cryfhau, fod rhianedd Sir Aberteifi . . . Ond dyna ddigon. Ein cysuro yr oedd y demon, chwarae teg iddo. Yr oedd eraill eisoes wedi penderfynu'n tynged.

Ac yma, yn fynachod gweplwyd, di-sgwrs; a gwraidd ein gwallt yn dechrau britho, a'n heneidiau'n sychion, y sefwn am oriau hir â'n llygaid tua'r Gogledd, dros bigyn annelwig yr Wyddfa pan ymddengys ar hwyrnos glir tu draw i'r dŵr, i'r lle y saif yr unig goleg yn y byd, fry ar y bryn yn teyrnasu uwch dinas Bangor, a'i ffenestri'n olau gan rialtwch dawns a Chymric pan fo'r gaeaf yn dywyll arnom ni. Y mae'r tristwch y tu hwnt i ddagrau. Y mae ein llygaid yn sychion [. . .]

Hyd nes y gwêl y byd yn dda ymddatod a'r sêr gwympo a'r haul welwi'n blât arch, ymfodlonwn. Wylwch erom, anwyliaid.

Gwnaeth radd BD yn y Coleg Diwinyddol Unedig, gan arbenigo mewn Athrawiaeth Gristnogol a Hanes Crefyddau. 'Cymry Cymraeg yw mwyafrif y myfyrwyr,' ysgrifennodd yng ngolygyddol cylchgrawn y Coleg, *Y Greal*, yn haf 1949, 'a chystal Cymry ag a gewch yn unman. Ohonom ni'r Cymry, y mae'r mwyafrif yn gweithio am Gymru Rydd; yr ydym oll yn gweithio am Gymru well.' Rhwng darlithoedd ar Kierkegaard, Schleiermacher a chrefydd Groeg a Rhufain, bu'n flwyddyn weithgar yn gymdeithasol hefyd: cafodd hwyl yn y Gymdeithas Gymraeg 'flodeuog' (darlithoedd ar 'Fandaliaeth' gan R. Tudur Jones' ar 21 Hydref 1948 a 'Williams Pantycelyn fel Llenor a Bardd' gan D. Myrddin Lloyd wythnos yn ddiweddarach), a 'brwdaniaeth wleidyddol': ymaelododd â changen Plaid Cymru Coleg y Brifysgol, gan ysgrifennu i'w chylchgrawn hithau, *Y Wawr*. Mwynhaodd hefyd gwmni ei gydfyfyrwyr. Roedd ôl-effaith consgriptio blynyddoedd y rhyfel i'w theimlo erbyn hynny ar yr ymgeiswyr a dderbyniwyd: roeddynt ar gyfartaledd rai blynyddoedd yn hŷn nag Islwyn, a'u profiad o fywyd yn ddiddorol o wahanol wedi smaldod Bangor:

Sgwrs argyfwng yw ein sgwrs – argyfwng cymdeithas, argyfwng Cymru, argyfwng heddwch, argyfwng diwinyddiaeth. Mae eu dadleuon yn finiog, eu hymchwil am wirionedd yn ddiorffwys, a'u gofal parhaus yw iawn synio am yr Efengyl Waredol.

Byddai argyfyngus yn air priodol i ddisgrifio'i gyfraniad llenyddol i'r un cylchgrawn – rhwng ysgrif ar 'Crwydro' gan Robin Williams a soned 'Eifionydd' J. R. Owen – 'Offrwm':

> Rhoddwn, ein Duw, ein gwlad i Ti yn ôl,
>> Pob mynydd swrth, pob gloyw lyn, pob pren,
> Cyn pylu'r coch o'r grug a'r gwyrdd o'r ddôl
>> A mygu'r glas o'r awyr ddofn uwchben;
> Mae'r Mamon melyn eto'n lleibio'r llannau
>> A Mawrth yn gwrthod marw ar ei bannau

> Rhoddwn, ein Duw, ein cenedl swil o'i gwawd,
>> O'i chablu cudd a'i rhagrith uwch y gwir,
> Cyn moldio'i mêr yn llwyr i estron gnawd
>> Ac ildio'n ufudd ffals ein holaf ffin;
> Dyro dy ras i ni, ei llesg forgeiswyr,
>> I dagu ei thrais heb ddigio wrth ei threiswyr.

> Rhoddwn, ein Duw, ein hiaith, ein hen, hen iaith,
>> A wnaeth yn gerdd i'n clust Dy enwau Di
> Cyn marw'n bydredd bloesg ar ben ei thaith
>> A'r byd yn wacach byd o'i thewi hi;
> Gad farw'r hil yn ddewr mewn gwlad fach lân –
>> On'de, gad fyw i ysu'r byd yn gân.

Ac yn yr un llyfr nodiadau â drafft gwreiddiol y gerdd uchod, ceir darnau o lenydda arbrofol ar eu hanner: braslun stori 'Yr Ymerodraeth Olau: Apologia'r Mabinogi Newydd' ac ysgerbwd stori arall, 'Y Synthesis Cyfyngedig', drama gerdd 'Y Briodas', ac amlinelliad o bregeth ar 'Sythweled', yn dangos gŵr ifanc yn ceisio rhesymoli seiliau ei gred ei hun:

Nid trwy synhwyro y penderfynodd Newton ar ddeddf disgyrchiant. Nid trwy resymu chwaith. Os gwir traddodiad,

gwelodd yr afal yn disgyn o'r pren, a fflachiodd i'w feddwl fod
y ddaear yn tynnu gwrthrychau oddi allan iddi ati ei hun. Aeth
ati wedi hynny i resymu, wrth gwrs, a llwyddodd i gadarnhau
ffrwyth ei sythweled. Barnodd gwyddonwyr heddiw nad oedd
sythweled Newton yn gwbl gywir. Ond ni wna hynny ond
cadarnhau na ellir ddim gwybod eto trwy sythweled, dim ond
credu. Nid yw sythweled ddim sicrach cyfrwng cred na
synhwyro a rhesymu. Nid yw'n llai sicr chwaith. Y mae'r un
ansicrwydd i bob un ohonynt.

Gwyddom nad oes sicrwydd gwybod terfynol nac i synhwyro
na rhesymu na dychmygu na sythweled. Nid mynd i honni'r
wyf mai datguddiad yw'r unig gyfrwng.

Yr oedd adegau ysgafnach. Trwy gydol ei amser yn Aberystwyth,
daliai i gyfansoddi – ac *Awr y Plant* ar y radio'n gyfrwng y tro hwn.
Darlledwyd 'Y Bws Pinc Newydd' ar 31 Awst 1948 a 'Santa a'r Tri
Chabalero' ar 28 Rhagfyr yr un flwyddyn; 'Y Ceffyl Adeiniog' ar 17
Mawrth 1949; 'Oes "Na Ddraig Goch?' ar 5 Gorffennaf; a 'Carafán ar
y Comin' ar 10 Tachwedd. Plotiau hwyliog, hawdd eu dilyn a
chaneuon darfodedig oedd yr arlwy, mewn cyfnod pan nad oedd sôn
am recordio masnachol na chyfleusterau i ailddarlledu. 'Does gen i
ddim syniad erbyn hyn faint o ganeuon a luniais,' cyfaddefodd
Islwyn Ffowc Elis yn 1988 wrth edrych yn ôl ar y dyddiau afradlon
hynny, gan edifarhau na fyddai wedi ildio i'r cais i'w casglu'n gyfrol
ugain mlynedd ynghynt, '. . . Roedd eisiau cân newydd ar gyfer pob
rhaglen, ac weithiau bump neu chwech. Aeth ugeiniau o'r caneuon
undydd hyn ar goll. Doedd gen i ddim copi o gwbwl o rai, ac
roeddwn wedi anghofio'n lân am eraill.'[16]

Treuliodd wythnos olaf 1949 ym Merlin, yn un o chwech ymwelydd
o Brydain â chynhadledd eciwmenaidd, dan ofal Adran Materion
Crefyddol y Swyddfa Dramor, gan deithio o'r Hook of Holland ar
drên milwrol a fu unwaith yn eiddo i deulu brenhinol yr Almaen.
Croesawodd Nos Galan ar aelwyd teulu o Ddwyrain yr Almaen a
oedd wedi ffoi i ran orllewinol y ddinas rhag y Comiwnyddion.[17]
Cofnododd ei brofiad o'r ddinas chwilfriw mewn cerdd benrhydd,
ddideitl sy'n cynnwys atsain o Farwnad Llywelyn ap Gruffudd yn y

llinell agoriadol ond sy'n cynnig cip hefyd ar eiriau Karl Weissmann yn *Cysgod y Cryman*, pan soniodd hwnnw fod gwareiddiad y Gorllewin wedi blino. Gwelsai drannoeth cyfeddach Sally Bowles:

Gwelsom y fflam mewn ffenestri, y daran yn gymysg â'r derw,
Tai yn llosgi a disgyn, heolydd fry rhyngom a'r gwyll,
Pen a chalon a choes yn y llaid, muriau'n ymrannu,
Cerrig ffyrnig o'r ffyrdd yn y gawod haearn,
Llygaid yn y cymylau, gwenau blysig mewn blew,
Gwthio ffon, agor ffenestr, gollwng bom i'r tranc tân,
Dicter yng nghyngor y cymylau.

Gwelsom y llygaid llonydd dan y lamp, dwyfron am ddeg sigarét,
Nadau drwy'r drws melyn, lori ar ei phen mewn ffos,
Y gyllell yn y meingefn, marc minlliw ar y foch feddw.
Y sgrech yn y gwyll, mygu'r gri yn y crud.

Gwelsom drais yr ysgubor, y gwyro tywyll a'r gweiddi,
Anwes deugorff unrhyw'n y gell, su'r chwip yn y gwersyll gwaith,
Geiriau onglog y swyddfa waed, propaganda melyn y muriau,
Y crymu'n y ffatri, y plygu uwch cwysi crintach,
Y radio dan wely'r tyddyn, y llong rhy bell yn y môr,
Tramp traed, cyfarth dryll, y cyrff gwlyb ar y gwymon.

Hyn oll sy'n ein llygaid ni, fel na welwn mo'r wawr;
Hyn oll, fel nad yw'ch trugaredd yn wefr i ni.
Ni ellir ein prynu ni
Gan barseli bwyd a chasgliadau ar fore Sul
I anghofio. Ni welwn ni mwy
Ond yr hyn a welsom. I ni,
Fe rwygodd y byd, fe ddymchwelodd yr awyr,
Fe brynodd yr Anghrist ein merched a llyncu'n plant.
I ni, mae diwedd y byd wedi bod,
Fe agorwyd y Llyfr Datguddiad.[18]

Daeth haf 1950 â'r cam olaf ar ei daith tuag at yr alwedigaeth y teimlai fod eraill wedi ei harfaethu iddo: 'blwyddyn gwbl ofer'[19] yng Ngholeg y Bala, lle'r oedd bardd o ewythr iddo, Gwilym Berwyn, wedi astudio – a boddi yn Llyn Tegid – ar droad y ganrif. O fewn ychydig wythnosau i ddiwedd ei gwrs, gyrrodd 'Gair o'r Bala' i'w hen goleg yn Aberystwyth, at y genhedlaeth o fyfyrwyr a'i dilynai i'r swydd ymhen blwyddyn eto. Yr oedd y cywair yn hallt-hwyliog, a'r awdur yn argyhoeddedig ei fod ar flaen cad i ddistrywio'r Cyfundeb yr âi i'w wasanaethu. Os oedd yn mynd i ddioddef, mynnai wneud y dioddef hwnnw'n gamp ac yn genhadaeth:

> Y mae'n wrthryfel yn erbyn pendefigaeth y weinidogaeth. Y gweinidogion Ymneilltuol, meddai Mr Saunders Lewis, oedd pendefigion y werin Gymreig yn niwedd y ganrif ddiwethaf a dechrau hon. Fe ddylai ef wybod; y mae ef o'u llinach. Yr oedd eu golwg yn dywysogaidd a phawb yn brysio i weini arnynt; yr oedd eu trem yn ddychryn a'u gair yn ddeddf – neu felly y magwyd ni i gredu. Yr ydym ni, fyfyrwyr, yn wynebu cyfnod go wahanol. I ddechrau, fe fydd ein teyrnas yn llai, yn anhraethol lai. Nid bugeiliaid y corlannau llawnion a fyddwn ni, ond gweision y lleiafrif swil. Nid eiddom ni yr orsedd ond y tywel a'r ddysgl.
>
> Nid wyf yn achwyn. Yr wyf yn bur falch mai felly y mae. Y mae'n gwneud imi feddwl am yr Eglwys Fore cyn iddi gael esgobion, ac am weinidogion yr Almaen dan gysgod y carchar. Tir caregog sy'n profi aradr, ac oni allwn ni brofi heddiw drwy'n gwytnwch fod crefydd ein Harglwydd yn werth newynu drosti, yna fe'n torrir ni bob un a'n Cyfundeb gyda ni.[20]

Dywedodd wrth ei ddarllenwyr ifanc fod enwadaeth 'yn ddibwynt bellach', a'r Eglwys Bresbyteraidd yn waeth na'r un. 'Greddf hunanamddiffyn' rhagor unrhyw rinwedd cynhenid a oedd wedi'i gadw'n fyw, greddf a oedd, er na ddefnyddiodd y gair, yn gyfwerth â rhagrith: yn ffieiddio rhyfel yn amser heddwch a'i gyfiawnhau yn amser rhyfel; yn dirmygu'r Gymraeg pan oedd yn ffasiynol gwneud hynny, a'i harddel pan drodd llanw poblogrwydd o'i phlaid. Ymosododd ar ei bregethu a'i draddodiad deallusol, ar 'ddefodaeth lwydaidd' ei wasanaethau a hyd yn ar bensaernïaeth ei gapeli, a geisiai ddynwared ysguboriau moel y tadau Methodistaidd 'a'u trimio wedyn â chyrls a chwafars eglwysaidd'. Ac am ei ddiwinyddiaeth:

Fe geir yn rhengoedd ein Cyfundeb ni weinidogion a ddylai, o ystyried eu syniadau, fod yn Annibynwyr, ac eraill a ddylai fod, pe baent yn onest, yn yr Eglwys Anglicanaidd. Gwir y mae gan y Corff ei Gyffes Ffydd, ond lleiafrif, gredaf i, yw'r gweinidogion sy'n ei gymeryd o ddifrif, chwaethach ei gredu i gyd. Y mae gennym Ritschliaid, Hegeliaid, Cyfrinwyr, Barthiaid, Neo-Tomwyr a Rhesymolwyr stwbwrn, gyda llu mawr na wyddant beth ydynt, a lleiafrif dros ganol oed sy'n clymu wrth y Gyffes Ffydd o deyrngarwch.[21]

Yr unig ateb, meddai, oedd 'Eglwys Gymreig Unedig ... anghenraid i enaid y genedl a'i hunan-barch'. Ac yna, fel rhywun yn sugno un anadl olaf i'w ysgyfaint cyn plymio, daw at y brawddegau clo:

Fe elwir arnom i feddwl, i chwysu, i weddïo. Duw'n unig a ŵyr a ydym yn addas i'r pethau hyn.[22]

Roedd bellach yn barod i wynebu gyrfa. Gwrthododd swydd gyda'r BBC ym Mangor, a throes ei olygon tua Llanfair Caereinion.

Ffynonellau

1 Huw Jones, nodiadau darlith anghyhoeddedig 'Islwyn Ffowc Elis', ynghlwm wrth ohebiaeth bersonol, 4 Mai 2001.
2 Gohebiaeth bersonol, 28 Tachwedd 2002.
3 Gohebiaeth bersonol, 26 Tachwedd 2002.
4 'Holi Islwyn Ffowc Elis gan Dyfed Rowlands', *Y Traethodydd*, Gorffennaf 1992, t. 158.
5 'Llenor wrtth ei waith: 3. Islwyn Ffowc Elis mewn sgwrs ag Eigra Lewis Roberts, *Y Genhinen* 28/1, 1978, t. 5.
6 *Mabon*, 13.
7 *Cyn Oeri'r Gwaed*, t. 15.
8 Bryn Ellis, gohebiaeth bersonol, 30 Awst 2001.
9 Ibid.
10 Gohebiaeth bersonol, 26 Tachwedd 2002.
11 Ibid.
12 Llawysgrifau Bangor 15392, 'Gwŷr Llên: Islwyn Ffowc Elis', darllediad radio 26 Hydref 1960, 4.
13 Ibid, 5.
14 Gohebiaeth bersonol, 11 Hydref 1999.
15 Gohebiaeth bersonol, 26 Tachwedd 2002.
16 *Caneuon Islwyn Ffowc Elis* (Talybont, 1988), t. 5
17 *Naddion*, tt. 246-8
18 Llawysgrifau Bangor, op cit, 3-4.
19 Gohebiaeth bersonol, 26 Tachwedd 2002.
20 *Y Greal* (1950), t. 11.
21 Ibid, 12.
22 Ibid, 13.

3

'Tasg na allaf ei chyflawni'
1950-6

Sefydlwyd Islwyn Ffowc Elis yn weinidog ar gapel Moreia, Llanfair Caereinion, yng ngogledd Sir Drefaldwyn ar 26 Gorffennaf 1950. Flwyddyn yn ddiweddarch, ychwanegwyd gofalaeth Meifod a'r Bontnewydd. Roedd y Pwyllgor Bugeiliol wedi cysylltu ag ef a'r Parchedig Ben Williams, Llanelidan, ym Medi'r flwyddyn gynt gyda golwg ar benodiad. 'Hysbyswyd,' nododd cofnodion capel Moreia, Llanfair, ar 4 Hydref, 'fod Mr Williams yn symudol a bod Mr Ellis hefyd yn barod i alwad.' Mewn pleidlais a gynhaliwyd gan flaenoriaid y tri chapel roedd naw o blaid Islwyn, tri am ddewis Ben Williams, a derbyniwyd pum 'papur gwag' gan aelodau a oedd am ymatal. Pan ddaeth enw Islwyn Ffowc Elis gerbron ar ei ben ei hun, pleidleisiodd 11 o'i blaid a phump yn erbyn. Fe'i penodwyd ar gyflog o £291 y flwyddyn, ynghyd â chostau teithio o £25 a thŷ'r gweinidog – 'Vyrnwy Villa' – yn ddi-rent. Casglwyd £135 i dalu am adnewyddu ac addurno'r tŷ, medd cofnodion 12 Awst – 'enwyd rhai o'r chwiorydd i ddewis y papur'.[1]

Erbyn Medi'r flwyddyn honno roedd y gweinidog newydd yng ngafael y drefn a barhâi am weddill ei gyfnod yno: cyfarfodydd pregethu, cyfarfod gweddi gyda seiat bob yn ail nos Fawrth, dosbarth Ysgol Sul, oedfa Saesneg unwaith y mis. Roedd arwyddion anfodlonrwydd o'r cychwyn: Vyrnwy Villa yn 'anghyfleus o fach', yn ôl nodyn yn llaw Islwyn ei hun, trafferthion gyda thŷ arall yn perthyn i'r capel y dymunai Islwyn symud iddo – Bryn Coffa – nad oedd y tenant yn barod i'w ildio, cais aflwyddiannus i ad-drefnu'r hysbysfwrdd, a chais aflwyddiannus arall yng Ngorffennaf 1951 yn gofyn am benodi rhagor o flaenoriaid. Pan dderbyniodd yr alwad, fe'i cynghorwyd gan ei diwtor yn y Bala, y Prifathro Griffith Rees,

'*When you walk down the high street in Llanfair Caereinion, remember that you are a man of God*'.[2] Ceir yr argraff ddigamsyniol o ddarllen hyd yn oed y braslun a geir yn y cofnodion fod y ffordd honno'n un galed iawn.

Ac edrych ar y peth mewn gwaed oer, roedd yn anochel y câi unrhyw weinidog pump-ar-hugain oed drafferth i ddygymod â phraidd hŷn nag ef ei hun, mewn rhan o Gymru nad adwaenai ac na ddeallai ei gymeriad. At hynny, roedd chwithdod cymdeithasol ehangach y gŵr gradd yng nghanol gwŷr cefnog ac o fryd gwahanol iawn: J.C. Jones, er enghraifft ('Jâ Si' ar lafar gwlad, henadur ar y Cyngor Sir, pen-blaenor ym Moreia, a ffarmwr adnabyddus yn yr ardal – dyn dihiwmor, dyn "strêt"; neu'r pen-blaenor arall, Rhys Lewis, cyn-felinydd cefnog, doniol, miniog ei dafod ar brydiau, a brynai'r *News of the World* ar ei ffordd i'r capel ar fore Sul, gan ei guddio mewn perth pe digwyddai'r gweinidog ei weld. Tynnwyd Islwyn i mewn i'r ymgiprys rhyngddynt 'a rhaid oedd bod yn ofalus i beidio â ffafrio un yn fwy na'r llall.'[3]

Nid oedd y cyflog bychan (yr oedd cyflog athro tua chanpunt yn fwy y flwyddyn ar gyfartaledd yn 1950) yn hawdd, chwaith, i ŵr a oedd newydd briodi.

Priododd Islwyn ag Eirlys Rees Owen o fferm Cefnamberth, Tonfannau ger Tywyn, Meirionnydd, ar 28 Hydref 1950, yng nghapel y Bwlch, Rhoslefain, lle y bu ei thad yn flaenor a hithau'n canu'r harmoniwm ar dro. Roedd y ddau wedi cwrdd ar ddamwain ar y trên wrth i Eirlys a'i mam deithio adref o ddiwrnod yn siopa yn Lerpwl ac i Islwyn ddychwelyd i Goleg y Bala.

Rhwng popeth, yr oedd ei gylch cymdeithasol yn gyfyngedig – a heb y cyfarfyddiadau damweiniol hynny a nodweddai ei fywyd ym Mangor: cyd-weinidog iddo, Madryn Jones, i gynnig gair o gyngor o bryd i'w gilydd (gofynnodd i Islwyn unwaith a fyddai'n rhegi weithiau – ond ni chofnodwyd yr ateb), Parry-Jones, prifathro Ysgol Gynradd y Banw gyda'i ddiddordeb ysol yn nramâu'r West End, R. S. Thomas, a oedd ar y pryd yn offeiriad ym Manafon ac yn dal i berffeithio ei Gymraeg. Ysgrifennodd hwnnw ato ar 22 Medi 1952, yn mynegi cyfuniad o eiddigedd, edmygedd ac anogaeth:

Fel y gwyddoch erbyn hyn Cymraeg a fuasai fy nghyfrwng i pe cawswn fy magu yn iawn, ond yr wy'n gorfod sgrifennu mewn iaith estron oherwydd bod gwell gafael gennyf ynddi. Ond ni fodlonaf ar y sefyllfa tra byddwyf byw. Dyna'r drwg a wnaeth hanes i un fel myfi – holltodd fy mhersonoliaeth.

Da gennyf weld nad yw'r un anhawster yn eich llethu [?] chwi. Cymraeg yw'ch iaith naturiol a Chymraes yw'ch gwraig. Gallwch fyw bywyd normal felly – hyd y caniatâ'r byd abnormal hwn.

Yr ydych yn ddyn ieuanc hefyd – y mae eich bywyd o'ch blaen. Bron nad wyf yn cenfigennu wrthych. Dyn anwybodus ydwyf. Pe bawn innau'n bump ar hugain oed, buaswn yn ceisio gwneud yn well o'm bywyd nad [sic] wyf wedi wneud.

Yr ydych yn ddyn addawol. Peidiwch â gwastraffu eich adnoddau. Dyna'r prif berygl i Gymro heddiw. Yn fy marn i, nid yw'r rhan fwyaf o'n cyd-Gymru yn werth bothran â hwy. Os oes arnoch eisiau datblygu eich dawn, ni fedrwch fforddio plesio ffyliaid.

Maddeuwch y llythyr tadol hwn – yr wy'n tynnu at ddeugain mlwydd oed!

Yn bur,
R. S. Thomas

Cymdoges arall oedd Dyddgu Owen, prifathrawes Ysgol Uwchradd Arbennig Cyfronnydd, a chyd-ddarlithydd gydag Islwyn ymhen mwy na degawd wedi hynny yng Ngholeg y Drindod, Caerfyrddin. 'Bu Dyddgu Owen yn ddylanwad arnaf, does dim dwywaith,' ysgrifennodd Islwyn yn 2000. '. . . Roedd ei gwybodaeth am lenyddiaeth Gymraeg a Saesneg yn helaeth iawn, a'i gwybodaeth yn gyffredinol am y byd a'i bethau yn synnu rhywun.' Ymwelydd pur fynych â'r aelwyd yng Nghyfronnydd, ac â Llannerch wedi hynny, oedd Tegla Davies. Er hynny, teimlai 'yn arteithiol o unig'.[4] Synhwyrai Robin Williams, yntau'n weinidog yng Nghorwen, yr un newid cywair yn sgil hwyliogrwydd coleg, gwaith y BBC, gwleidydda, pregethu a chymdeithasu. Troesai bywyd yn ddiflas, ysgrifennodd mewn llythyr diddyddiad at Islwyn yn Llanfair:

A'r bai?

Y byd yr ydym ynddo, fy nghyfaill, – y Byd. A'r bywyd y digwyddodd i ni, fyfyrwyr Bangor, orfod ei fyw. Poblogrwydd a phrysurdeb a threfniadau ac apwyntiadau diddiwedd. Byd sy'n gweiddi arnom o bob ongl. Stanbei! Reit! Eto! Hei! Smai! Pryd dowch chi yma eto? Pregeth dda! Action! Kill-it! Cut! Extras again! Ten seconds from now! Diolch iti ein Tad am Dy fendithion! Gwela'i di nos Fawrth am saith wrth y cloc ta! O cariad! Methu dod! Rhaid i Gymru fyw! Ddaw Islwyn Ffowc Elis ymlaen! Cynnig! Wedi'i basio! Dau alwyn 'sgwelwch yn dda! Peint – o oel hefyd!

Un adloniant oedd sefydlu 'Pedwrawd Caereinion', a fyddai'n ymarfer yn Llannerch ac a ddaeth ymhen amser i berfformio llu o ganeuon ysgafn Islwyn Ffowc Elis yn lleol ac yn fyw ar y radio o stiwdio Bangor: Allen Williams a Glanfor Griffiths yn denoriaid, ac Aled Jones ac Alun Jones yn canu bas.

Yr atalfa fwyaf, er hynny, oedd ei anaddasrwydd cynhenid i'r swydd:

> Fe ddaeth yn amlwg imi'n fuan iawn nad oedd gen i dymheredd gweinidog. Roeddwn i'n rhy anghymdeithasol ac roedd yn gas gen i ymweld â thai i fân siarad; gwersi oedd fy mhregethau yn hytrach na pherorasiynau swynfawr (er gofid i'r saint) ac roedd mynychu pwyllgor a chyfarfod dosbarth a chyfarfod misol a sasiwn yn ing.[5]

Fel ymateb i 'her' y disgrifia Islwyn Ffowc Elis gyfansoddi *Cyn Oeri'r Gwaed*, wrth weld cynnig y Fedal Ryddiaith am gasgliad o ryddiaith greadigol yn Eisteddfod Genedlaethol Llanrwst yn 1951. '. . . un peth a olygai "gasgliad o ryddiaith greadigol" i mi ar y pryd; ysgrifau oedd hwnnw.'[6] Rhwng cyfansoddi a 'bustachu drwyddi â dau fys' ar deipiadur rhwng gorchwylion eraill yn Vyrnwy Villa, llwyddwyd i gael y deipysgrif yn barod erbyn y prynhawn cyn y dyddiad cau. Gyrrodd Islwyn ac Eirlys yn yr Austin 10 bychan (rhodd gan ei rhieni) i'r Trallwng, gan orffen y pacio yn y swyddfa bost ei hun. Dair wythnos cyn yr Eisteddfod daeth gair oddi wrth

Elwyn Roberts (Ysgrifennydd yr Eisteddfod am y flwyddyn honno'n unig) yn ei hysbysu bod 'Rheingold' – enw a welsai Islwyn Ffowc Elis ar westy yn ystod ei arhosiad yn Berlin – wedi ennill.

Cyrhaeddodd Islwyn Ffowc Elis Lanrwst y dydd Mercher hwnnw heb sylweddoli fod *dwy* gyfrol i dderbyn medal. Roedd Medal Ryddiaith wedi cael ei rhoi cyn 1951, ond bob tair blynedd am y gwaith arobryn gorau yn y tair Eisteddfod flaenorol. Y Fedal Ryddiaith newydd oedd gwobr Islwyn Ffowc Elis; y Parch Ifor Parry oedd enillydd yr ail, am ei draethawd ar *Karl Barth*. Meistr dryslyd y Ddefod oedd W.J. Gruffydd:

> Pan welodd y ddau ohonom yn dringo i'r llwyfan roedd W.J.G. wedi hurtio'n lân. Wrth glymu medalau am ddau wddw roedd yn fysedd ac yn fodiau i gyd, ac ofnwn iddo golli ei dymer a cherdded oddi ar y llwyfan. Doedd y ddefod newydd ddim yn llwyddiant, a dweud y lleiaf.[7]

Dim ond y deg ysgrif olaf yn fersiwn cyhoeddedig 1952 oedd cynnwys y casgliad a wobrwywyd gan John Gwilym Jones, T.J. Morgan a D.J. Williams. Ychwanegwyd chwech ysgrif atynt: y sgwrs radio 'Adfyw', 'Melodi' a oedd wedi gweld golau dydd yn *Omnibus*, 'Sut i Yrru Modur' ac 'Ar Lwybrau Amser' a gyhoeddwyd yn *Y Llenor* ar gais T.J. Morgan yn 1948 ac 1951, 'Gwrychoedd' a enillasai ym Mae Colwyn, ac ysgrif gyd-fuddugol Pen-y-bont ar Ogwr y flwyddyn ddilynol, 'Hyfrydwch y Gwir Grefftwr'. Fe'u cyflwynwyd 'i Eirlys'.

'. . . yr unig beth yr ydw i'n ei gofio yw iddyn nhw ddod yn hynod o hawdd a chyflym,' meddai Islwyn Ffowc Elis am yr ysgrifau yn 1973, 'a finnau'n cael y teimlad fod bron bob gair a brawddeg yn mynd i'w lle'n ddidrafferth . . . Doeddwn i ddim yn teimlo ar y pryd 'mod i'n "cyflawni" dim, os nad yw hunanfynegiant yn gyflawniad ynddo'i hun.'[8] Er bod rhagoriaethau'r gyfrol yn drech o dipyn na'r gwendidau, mae'n gasgliad pur gymysg – fel y gellid ei ddisgwyl gan lenor ifanc yn cyfansoddi, i bob pwrpas, mewn gwagle. Mae hynny o wendidau sydd i'w cael yn deillio, fe ymddengys, o'r awydd i ddynwared. Saif 'Hyfrydwch y Gwir Grefftwr' a 'Tai' yn llinach sentiment poblogaidd 'Mynyddoedd' ac 'Enaid Cenedl' O.M.

Edwards; amrywiadau ar arddull T.H. Parry-Williams yw 'Gwrychoedd' ac 'Y Ddannodd'. Mae Islwyn Ffowc Elis ar ei orau pan saif yng nghanol ei greadigaeth gan ildio i uniongrededd gyffesol draddodiadol yr ysgrif yn ei lais ei hun. Ar dro, mae'r cyffyrddiad yn ysgafn. Yn 'Sut i Yrru Modur', er enghraifft, deil yr awdur fod y gallu i yrru yn warant bod y gyrrwr wedi ildio ei ddynoldeb. Mewn mannau eraill arferir techneg debyg i *Martian School* Craig Raine, lle ceisir gweld y byd cyfarwydd o'r newydd drwy ymddieithrio'n fwriadol oddi wrtho. Yr awydd i ffoi yw testun 'Ar Lwybrau Amser', er mwyn gallu adrodd am y profiad ar ôl dychwelyd; sonia 'Mynd i'r Lleuad' am 'yr ysfa ynof finnau fel ym mhob rhamantydd am ddianc o'r lle'r wyf a bod yn rhywle arall'. Yn wir, mae'r casgliad drwyddo'n ailadrodd y syniad am y byd fel lle cyfyng, lle mae dyn yn gaeth i'w ymwybyddiaeth. Fe'i mynegir ar ei eithaf yn 'Pe Bawn i'n Wybedyn', lle mae'r ysgrifwr yn ystyried yr apêl o gyfnewid ei ymennydd am 'dwpdra gogoneddus' y pryf:

> Mi fynnwn innau fod ar ddwy adain fain. Yn uchel o flaen gwres, yn isel o flaen storm. Gyda'm tebyg, heb unrhyw gyfrifoldeb iddynt, yn suo'n nwydus uwch drewdod twym tomennydd. Dodwy hil heb eu cyfri'n blant. Bwyta carthion fel seigiau brenin. Gwybod popeth sydd i wybedyn ei wybod heb ddiwrnod o ysgol, heb agor llyfr. Heb ddrwg na da na hardd na hyll, heb orwel a heb derfyn. A heb ddilema i'w ddatrys mewn chwys oer yng ngenau Ebrill.
>
> Ac fe allaswn i fod felly. Petai Adda heb fwyta o ffrwyth y pren, a dechrau gwybod, ni buaswn innau heno namyn gwybedyn gogoneddus mewn gardd ddi-wybed. Yn wyn fy nghroen a'r nefoedd yn fy llygaid, ond heb ddim yn feistr ond fy ngreddf, a heb flysio dim ond bod fel yr wyf. Ond fe fwytaodd Adda. Ac fe'm ganwyd innau, a'm geni i fyd o well a gwaeth, a'i weled felly. A rhoi imi dasg na allaf ei chyflawni, fy nghasáu fy hun am fod yr hyn ydwyf a cheisio bod yr hyn ni allaf.

Byddai 'Ond fe fwytaodd Adda' yn is-deitl cymwys i'r gyfrol gyfan. Mae'n gyforiog o Galfiniaeth chwareus, ac mae sylwadau

Islwyn ar gyflwr y ddynoliaeth bron bob amser yn cymryd y Cwymp yn ganiataol.

Ymhen tair blynedd eto, ar lwyfan yr Eisteddfod Genedlaethol yn Ystradgynlais yn 1954, cyhoeddodd Islwyn Ffowc Elis fod oes yr ysgrif, fel y delyneg, wedi mynd i rigol. 'Fe'm temtir yn fynych i feddwl bellach nad yw'r ysgrif yn ddim ond ffordd ddifyr o ddweud dim byd.'[9] Soniodd am gystadleuaeth y Fedal ei hun wedi hynny fel 'un o glwyfedigion trist ein heisteddfod'.[10]

Effaith uniongyrchol fwyaf cyhoeddi *Cyn Oeri'r Gwaed*, er hynny, oedd ei wneud yn llenor, a rhithio galwedigaeth arall i gystadlu â honno y teimlai fod eraill wedi ei dewis ar ei gyfer. Byddai'r tyndra rhwng y ddwy yn para am y pum mlynedd nesaf.

Caiff y tyndra lais yn ei adroddiad ar y Sasiwn Unedig yn Aberystwyth i'r *Goleuad* ar 18 Chwefror 1952, lle mae gwrthryfel egwyddorol dyddiau'r Bala, wedi'i borthi bellach gan unigedd ac anfodlonrwydd ac ymdeimlad o anallu, yn ei fynegi ei hun mewn dychan:

> Yr wyf yn ifanc. Yr wyf yn ddibrofiad. Ac yr wyf yn meddu amryw argyhoeddiadau pur bendant, ac, hyd yn hyn, anghyfundebol. Ond clod ac nid anghlod i olygydd y 'Goleuad' yw ei fod wedi gofyn am argraffiadau un o'r mwyaf cignoeth o'r to ifanc. Y mae ef wedi gweld nad yw beirniadaeth byth yn lladd peth byw, ond yn ei sbarduno. Un cais a roddodd ataf; nad oeddwn i ddim i fod yn gas. Mae gennyf ffrewyll, ond melfed yw ei mân reffynnau hi . . .

Ysgrifenna o safbwynt un wedi ymneilltuo o'r hyn sy'n digwydd o'i gwmpas, gan awgrymu'n gryf na fynn fod yn rhan ohono chwaith. Mae'r arddull yn dwyn i gof awdur *Cyn Oeri'r Gwaed* yn atgofio digwyddiadau disynnwyr, digyswllt ei blentyndod:

> Yr oedd yr olwg ar y Sasiwn Unedig yn eistedd yn un i ddychryn y nerfus. Pob sedd ar lawr y Tabernacl yn llawn i'r pen. Pennau brithion a moelion gan mwyaf, nid gan henaint yn unig, ond gan 'fagad gofalon bugail', ambell un, a chan straen byw mewn 'oes mor ddreng'. Cyrff eliffantaidd yn gymysg â

chyrff bach gwisgi, a du yn lliw llywodraethol, gydag ambell rebel ym mrethyn gwyrdd Dinas Mawddwy. Ac wrth gwrs, y babal arferol o leisiau trwm ac ysgafn, yn cynnig ac yn eilio ac yn gwrthwynebu gwelliannau, a llywyddion urddedig a'u breichiau pendefigaidd ar led yn ofer grefu am drefn.

Effaith gysylltiedig a mwy cyrhaeddbell cyhoeddi *Cyn Oeri'r Gwaed* oedd gwneud yr awdur yn destun sylw ehangach. Daeth yn 'ffigur cenedlaethol' yn yr ystyr neilltuol o Gymreig a Chymraeg i'r ymadrodd hwnnw. 'As soon as a Welsh author has become a "name",' cwynodd yn 1971, 'he is inundated with invitations – one could almost call them commands – to speak, lecture, adjudicate, edit, "read-my-manuscript-and-tell-me-if-it's-any-good", and to attend innumerable cultural committees and conferences and take part in battles and campaigns of all kinds – in fact, to do anything except write.'[11]

Un o'r galwadau a ddaeth yn sgil y Fedal oedd gwahoddiad i ddod yn gydolygydd *Y Ddraig Goch* gyda Huw Jones yn 1952. Ymgymerodd y ddau â'r gwaith gyda rhifyn yr Hydref, yn olynwyr i J. Gwyn Griffiths, a fuasai yn y gadair am bedair blynedd cyn hynny:

> Dau ddyn bach newydd iawn i'r gwaith sy'n dechrau golygu'r *Ddraig Goch* y mis hwn. Ac mae meddwl am y cyfrifoldeb o olygu papur y mae miloedd o bobl orau Cymru yn ei ddarllen bob mis yn peri i ni grynu yn ein hesgidiau bychain. Fodd bynnag, yn y frwydr hon nid oes fwrw arfau. Rhaid i bob Cymro wneud ei ran, ac nid gwiw dweud 'Na'. Mae Cymru ar y dibyn, a rhywrai neu ryw bethau ar eu gorau yn ceisio'i gwthio drosodd.[12]

Roedd gan y ddau bolisi golygyddol penodol ac agored o'r cychwyn. Y nod fyddai poblogeiddio papur a oedd wedi mynd i rigol: papur yn pregethu wrth y cadwedig. Un addewid oedd symleiddio'r cynnwys ac apelio at bobl o'r tu allan i'r Blaid: 'Nid ydym yn addo gwneud y *Ddraig Goch* yn ail-bobiad o *Tiger Tim*,' ysgrifennodd Islwyn Ffowc Elis yn y golofn olygyddol gyntaf, 'ond fe geisiwn roi rhywbeth ynddi ar gyfer pawb.'[13]

Daeth y cylchgrawn yn sioncach drwyddo rhwng hynny a Mawrth 1954, pryd y trosglwyddwyd yr awenau i D. Eirwyn Morgan. Arweiniwyd ymgyrch i aelodau bwyso ar lyfrgelloedd i dderbyn rhifyn, gwahoddwyd rhai o'r tu allan i'r Blaid i egluro pam nad oeddynt yn aelodau (Tegla ym mis Tachwedd 1952 ac E. Morgan Humphreys fis yn ddiweddarach) a gwelwyd cyffyrddiadau bach diedifar o ysgafn, gan gynnwys croesair, 'Dyddiadur Pleidiwr' ffug o waith Islwyn ei hun, a blwch ar dudalen blaen pob rhifyn yn cyhoeddi atyniadau'r mis i ddod. Yn ogystal â llenwi (a gorlenwi weithiau) colofn olygyddol bob mis, rhaid oedd ymgymryd, ar fyr rybudd, â cholofn reolaidd J.E. Jones yn adrodd hynt a helynt y canghennau.

Yn bwysicach na dim, gwelwyd newid cyfeiriad yn athrawiaeth y cylchgrawn: meddylfryd mwy graslon, mwy cynhwysol a llai caeth-bleidiol. Fe'i mynegwyd yn gryno yng ngolygyddol Ebrill 1953:

> Bu adeg pan gyhuddid y Blaid o godi bwganod lle nad oedd bwganod; yn hytrach lle nad oedd eisiau bwganod. Yr oedd Cymry pwysig o'r tu allan i'r Blaid yn gweld popeth yn iawn, yr iaith Gymraeg a'r bywyd Cymreig yn dragwyddol ddiogel, a dim un anhawster yn bod y tu yma i Lundain.
>
> Daeth tro ar fyd. Heddiw y mae Cymry amlwg nad ydynt eto wedi ymuno'n swyddogol â ni yn gweld nad bwganod yw'r peryglon y buom ni'n eu gweld ers chwarter canrif. Y maent yn fygythion real.

Roedd canmoliaeth agored, felly, i'r Aelodau Seneddol hynny a oedd yn barod i ddadlau achos Cymru a'r cynghorwyr o bob plaid a fynnai le i'r Gymraeg yng ngweithrediadau'r cyngor plwyf mwyaf distadl. Y neges ymhlyg oedd darbwyllo Cymry amlycaf y dydd – Aneirin Bevan, James Griffiths, Megan Lloyd-George, Goronwy Roberts, Clement Davies – eu bod eisoes yn Bleidwyr mewn popeth ond enw.

Sail y cyfan oedd cenedlaetholdeb unigolyddol y golygydd. Mater o ddehongli oedd safiad gwleidyddol, a gwleidyddiaeth hithau – fel crefydd – yn fater i ddirgel-leoedd y gydwybod rhagor y pen na'r galon, fel y sylwodd yng ngholofn olygyddol Mehefin yr un flwyddyn:

Nid ffeithiau sy'n gwneud dyn yn Geidwadwr neu'n Rhyddfrydwr neu'n Llafur neu'n genedlaetholwr, ond ei berthynas ef â'r ffeithiau. Mae'n debyg y gallai ffeithiau, yn nwylo gelyn rhyddid, brofi y byddai Denmarc yn ffynnu'n well dan lywodraeth Almaenig, a Norwy a Sweden dan lywodraeth Rwsaidd, ond nid yw'r Daniaid a'r Swediaid yn credu hynny, am y rheswm syml mai Norwyaid a Swediaid ydynt. Iddynt hwy, gwendid a gwarth fyddai iddynt fyw dan lywodraeth estron, nid yn unig am fod ffeithiau'n profi iddynt fod rhyddid yn talu'n well, ond am fod eu dyndod yn profi iddynt fod rhyddid yn iawn. A yw'n rhaid i Gymru gredu'n amgen?

Mae'r gosodiad yn mynd â ni at graidd cenedlaetholdeb Islwyn fel mater moesol, rhywbeth sy'n ffinio hefyd ar fod yn foneddigeiddrwydd, neu'r hyn y byddai awdur y Mabinogi'n ei alw'n syberwyd, a rhywbeth gwyrdd, bron, yn ei hanfod.

Pan daeth y fenter olygyddol i ben gyda rhifyn Mawrth 1954, yr oedd mwy nag elfen o foddhad yn niolchiadau Islwyn Ffowc Elis i'w gyd-olygydd:

Nid wyf yn honni ei fod ef a minnau wedi cytuno bob amser ar bob peth, ond yr ydym wedi cytuno'n ddigon clos i brofi bod cydolygu'n bosibl. Ac mi gredaf, pan fydd Cymru'n rhydd, a phan fydd hi'n gymdeithas o gymdeithasau cydweithredol, y dylai fod cymdeithas gyd-olygyddol ymhlith y cymdeithasau hynny.

Yn ddiau, bu'n rhagbaratoad defnyddiol ar gyfer y gweithgarwch golygyddol a ddilynai ymhen amser gyda *Taliesin* a *Llais Llyfrau*.

Yn Llanfair Caereinion yr ysgrifennwyd y rhan fwyaf o *Cysgod y Cryman*. 'Roedd symud i Faldwyn wedi bod yn ysgytwad diwylliannol i mi,' cyfaddefodd hanner can mlynedd yn ddiweddarach:

Dau ddosbarth yn unig oedd yn fy hen ardal i, sef y bobl gyffredin a'r sgweier o Sais oedd yn byw yn y Plas. Ond yn y rhan hon o Faldwyn yr oedd graddfeydd cymdeithasol cymhleth. Nid Saeson oedd yn y ffermydd mawr, ond Cymry Cymraeg glân gloyw. Ac eto roedd y pentrefwyr yn edrych i fyny at y ffermwyr mawr a'u teuluoedd. 'Isaac Roberts y gof', ond 'Mr Jones y Parc'. Y ffermwyr mawr hyn oedd arweinwyr y gymdeithas, un efallai'n gynghorydd sir ac yn ynad heddwch, y lleill yn ddiaconiaid neu'n flaenoriaid yn y capeli.

Mi feddyliais, 'Beth petai gan un o'r ffermwyr mawr hyn fab disglair, ac yntau, er ei anfon i ysgol breifat – neu o leia'n ddisgybl preifat – (i Dywyn, Meirionnydd), yn mynd i'r Brifysgol ym Mangor, fy hen goleg i, lle byddai holl blant Gogledd Cymru'n mynd yn y pedwar degau, ac yno'n troi yn erbyn crefydd a gwleidyddiaeth Ryddfrydol ei deulu, oni fyddai cythrwfl yn y teulu a'r ardal?'

Mi gefais fy mod, wrth ysgrifennu, yn rhoi i Harri Vaughan nifer o nodweddion fy mywyd i fy hun: yn ei wneud yn fab ffarm, bid siŵr, ac yn gyfarwydd â gwaith ffarm; yn ei wneud yn wrthwynebydd cydwybodol i wasanaeth milwrol adeg y rhyfel, fel yr oeddwn i wedi bod; yn ei anfon i Goleg Bangor, fel y bûm i; yn peri iddo fynd i gyfarfodydd y Gymdeithas Sosialaidd yno, fel fi fy hunan, a'i dueddu at y Blaid Gomiwnyddol (er nad euthum i mor bell â hynny).[14]

Y peth dadlennol yma yw nid yn gymaint yr awgrym am thema'r nofel – gwrthryfel oesol y mab yn erbyn daliadau gwleidyddol a chrefyddol ei dad – na hyd yn oed y cyfaddefiad, er ei bwysiced, fod elfennau hunangofiannol ynddi (rhywbeth pur gyffredin mewn nofel gyntaf, wrth gwrs), ond yn hytrach y geiriau twyllodrus o syml, 'Mi gefais fy mod, wrth ysgrifennu . . .'. Ceir ergyd ddwbl yma: yn gyntaf yr ensyniad fod troeon y plot yn gymaint ddadleniad i'r awdur ag yr oeddynt i'w gynulleidfa, ac yn ail fod llunio *Cysgod* yn weithred heb nod y tu allan iddi ei hun: act o greu hunangynhaliol, bron na ddywedid diniwed, fel datrys croesair. 'Ysgrifennais *Cysgod y Cryman*,' mynnodd Islwyn Ffowc Elis yn 1957, gan led-ddyfynnu cyflwyniad Pantycelyn i'w *Theomemphus*, 'fel pry copyn yn dirwyn ei we o'i fol, heb amcanu dim ond dweud stori yn y ffordd orau a wyddwn i.'[15] Rydym unwaith eto, fel y gwelwyd wrth drafod ei blentyndod, wyneb yn wyneb â storïwr na all beidio â dweud stori. Diau iddo ymgolli yn ei stori ei hun (mae'n cyfeirio at y profiad o'i hysgrifennu fel un pleserus); diau hefyd na fwriadai i'r chwedl hon am wrthdaro egwyddorol fod yn bropaganda o blaid dim nac yn hunangofiant agored. Ond roedd ysgogiad arall y tu ôl i gyfansoddi *Cysgod*:

Llawn cystal imi wneud un cyfaddefiad yma. Roedd gen i edmygedd mawr o rai nofelwyr a fu'n ysgrifennu o'm blaen: T. Rowland Hughes, Kate Roberts, Tegla (*Gŵr Pen y Bryn*), Gwenallt (*Plasau'r Brenin*), Saunders Lewis (*Monica*), Elena Puw Morgan (*Y Wisg Sidan* a *Y Graith*), ac wrth gwrs, Daniel Owen, y mwyaf o'r cwbl. Ond doedd dim un o'r rhain wedi medru sgrifennu *stori* afaelgar a oedd yn cymell darllenydd i ddarllen tudalen ar ôl tudalen, gan ddal ei anadl, nes cyrraedd yr atalnod olaf un. Roedd Dickens wedi medru gwneud hynny, a llawer nofelydd galluog arall yn Saesneg, ac mewn ieithoedd eraill, yn ddiamau, heb i'r *suspense* dynnu dim oddi wrth sylwedd y nofel. Roedd awydd mawr arnaf fi i sgrifennu nofel 'gymhellol' fel yna.[16]

Ac fe lwyddodd hefyd; gwnaeth egwyddorion yn destun nofel sy'n cymell y darllenydd i ddilyn yr hanes i'r pen. Mae prif gymeriadau *Cysgod* yn diferu ystyfnigrwydd egwyddorol, yn gyforiog o hunanymwadiad. Mae pob un yn coleddu rhywbeth ac yn barod i aberthu er ei fwyn: yn achos Harri, y Gomiwnyddiaeth sy'n rhoi ei etifeddiaeth yn y fantol; Rhyddfrydiaeth Edward, ei dad, sy'n fodlon aberthu ei linach trwy ddietifeddu ei unig fab; ufudd-dod Greta i ddymuniadau ei rhieni wrth briodi Paul; Cristnogaeth Karl yn gofyn am faddeuant i'w ymosodwyr 'canys ni wyddant pa beth y maent yn ei wneuthur'; hyd yn oed gofal Marged am ei thad, sy'n bygwth ei gadael yn hen ferch. Nod amgen y cymeriadau sy'n ennyn ein cydymdeimlad a'n sylw yw eu didwylledd cythruddol, a champ *Cysgod* yw consurio tyndra moesegol yn adloniant. Daeth deubeth cydymddibynnol ynghyd yn y nofel: cyfrwng traddodiadol yn null *Gone to Earth* Mary Webb a *Grapes of Wrath* John Steinbeck, gyda'u golygfeydd eang, ffilmig, eu traethydd hollwybodus, eu gwibio o ddigwyddiad i ddigwyddiad, plot sy'n gweithio tuag at uchafbwynt, a'r cyfan dan reolaeth tueddfryd mewnblyg yr awdur ei hun.

Teimlai Islwyn Ffowc Elis yn bur falch o'r arbrawf. Yr unig fan gwan o bwys yn ei olwg oedd achub Harri mor llwyr yng ngolwg Wil James sinigaidd a'r gweithwyr ffordd y cafodd y delfrydwr ifanc ei hun yn gweithio yn eu plith. 'Ofnwn y feirniadaeth hon o'r cychwyn' ysgrifennodd at Tecwyn Lloyd ar 18 Ionawr 1954:

Fy unig amddiffyn yw hyn: fy mod yn wrthryfelwr yn erbyn y llenyddiaeth dirywiad yr ydym yn gyfarwydd â hi yng Nghymru, lle mae dyn a dynes yn llithro gyda'r lli, yn gaethwas neu'n gaethferch i amgylchiadau . . . Gwrthod derbyn yr wyf fod stori am ddyn yn llwyddo yn ei genhadaeth yn llenyddiaeth sâl a stori am ddyn sy'n methu yn llenyddiaeth dda. I mi, safon cenedl gwbwl afiach yw honna. A yw'n bosibl i ddyn cryf ddylanwadu a gwella ar ei gyd-ddynion? Os ydyw, yna mae rhyddid i lenyddiaeth ddarlunio hynny'n digwydd.[17]

Ei nod, meddai yn yr un llythyr, oedd dangos 'impact cynnig mawrfrydig ar ddyn hunanol', ac os oedd y darlun hwnnw'n aneglur, diffyg profiad ymarferol oedd hwnnw: '. . . ni wn i ddigon am waith ffordd – ac ni wiw i awdur fentro gormod i'w ddychymyg.'

Nid oes angen llawer o ddychymyg chwaith i dynnu'r casgliad bod Islwyn yn ymladd gwrthryfel dirprwyol trwy Harri Vaughan, ac mae tystiolaeth yr awdur am ei unigrwydd diwylliannol a chymdeithasol mewn 'cymdeithas wledig agos-uchelwrol', chwedl yntau yn 1973, yn Llanfair Caereinion yn eglurhad rhannol, o leiaf, ar yr ymgais i ysgrifennu. Ond gwneir cam â'r nofel drwy synio amdani'n syml fel therapi neu ddihangfa. Mae ei eiriau am gyfnod Maldwyn yn y cyfweliad fideo gyda Derec Llwyd Morgan yn 1986, yn drawiadol:

. . . roedd yna lawer iawn o egni, ac o egni sbâr yna. Roedd yn rhaid i hwnnw fynd i rywle. Efallai nad oeddwn i ddim yn gallu fy nghyflawni fy hun yn llawn yn y gwaith roeddwn i yn ei wneud. Roedd yna ddigon o ryw fwrlwm yna oedd wedi tarddu yn y blynyddoedd cynt.

I dyb Islwyn Ffowc Elis, cynnyrch dau ymdeimlad ymddangos-iadol groes oedd *Cysgod* – hunanhyder llenyddol ar y naill law ac annigonolrwydd dynol tybiedig ar y llall. Fel yr aeth y pumdegau rhagddynt, tyfodd yr argyhoeddiad fod ei allu i ysgrifennu – a'i lwyddiant cydnabyddedig fel llenor – yn brawf nad oedd yn gymwys i wneud dim arall. Nid hafan hwylus i gilio iddi oedd llenydda ond rheidrwydd. Yn 1964, mewn ysgrif ar 'Llenydda' i Barn, ceisiodd egluro'r gynneddf lenyddol fel cyflwr gorfod:

... mae'r dystiolaeth yn dangos, nid bod llenorion yn llai
gwleidyddol a gweinyddol a masnachol am eu bod wedi dewis
bod yn fwy llenyddol, ond i'r gwrthwyneb, eu bod wedi gorfod
bod yn llenyddol am eu bod nhw, neu am y bydden nhw, yn
chwerthinllyd o anfedrus yn y pethau eraill.

Mewn gair, math o ddyn ydi artist. Dyn aflwyddiannus, a
siarad yn blaen.[18]

Roedd llwyddiant ysgubol *Cysgod*, felly – gwerthwyd yr argraffiad
cyntaf o ryw bedair mil yn llwyr o fewn tri mis iddo gael ei gyhoeddi
yn Rhagfyr 1953 – ymhell o fod yn foddion cyfleus i ymddihatru o'r
hyn a fwriadwyd ar ei gyfer gan eraill. Er ei fod yn brawf o'i botensial
fel llenor roedd yn brawf gwrthgyferbyniol petrus, yn ôl ei olygon ei
hun, o'i anghyfaddasrwydd i barhau yn y fugeiliaeth ffurfiol – yn
gyfaddefiad ymhlyg o wendid. Wrth ddisgrifio Harri Vaughan yn
cicio tros y tresi, roedd Islwyn Ffowc Elis nid yn unig wedi rhoi llais
i'w wrthryfel gohiriedig ei hun, roedd wedi pennu ei amodau. Hawdd
deall pam y disgrifiodd y penderfyniad i arddel llenydda amser llawn,
mewn rhaglen deledu yn 2000, fel 'yr unig beth dewr a wnes i erioed'.

Yng nghyd-destun y sylweddoliad cynyddol fod y naill
alwedigaeth yn negyddu'r llall, ac nad oedd cymod i fod rhyngddynt,
y dylid darllen yr erthygl a gyhoeddodd Islwyn yn *Y Dysgedydd* yn
1952.[19] Fe'i disgrifiwyd, ynghyd ag ail gyfres o ysgrifau i'r *Drysorfa*
dair blynedd wedi hynny, gan eu hawdur fel 'erthyglau ... llawn
protest chwerw llanc annedwydd mewn gwaith nad oedd wedi ei
"dorri allan" ar ei gyfer',[20] ond rhaid ei ddehongli'r un pryd fel dogfen
sy'n rhedeg yn gyfochrog â'r sicrwydd cyferbyniol bod llais a
swyddogaeth amgen ganddo.

Mae Islwyn Ffowc Elis yn llygad ei le wrth dynnu sylw at yr elfen
o brotest agored sydd ynddi. Mae'n agor yn herfeiddiol:

Mae'r weinidogaeth fel y mae heddiw yn fethiant. Po amlaf y
byddaf yn meddwl am y peth, sicraf yn y byd yr wyf o hynny.
Ac nid oes dim i'w ennill wrth osgoi'r gwir a mygu geiriau. Nid
yw siarad plaen yn peryglu dyfodol Cristnogaeth; mae'n
debycach o'i ddiogelu. Y cyfan y mae siarad plaen yn ei beryglu

yw'n ffurfiau a'n sefydliadau presennol ni. Ac nid rhaid i'r Efengyl ofni na chrynu dim yn sŵn cwymp y rheini.[21]

Â rhagddo i ddadlau 'fod eglwysi llawn y Pabyddion fel y maent yn fwy o gyfraniad i deyrnas Dduw na'r seddi gweigion sydd yn ein capeli ni' a bod angen creu un Eglwys Brotestannaidd Unedig 'ac nid pump neu chwe lodj fasiwnaidd'. O edrych ar y geiriau fel datganiad o gredo ddiwinyddol, mae'n anodd dirnad beth y gobeithiai Islwyn Ffowc Elis ei gyflawni. Yr oedd yn ddigon llygadog, yn ddigon o realydd, i sylweddoli na allai geiriau byrbwyll cyw weinidog greu chwyldro a fyddai'n ysigo Ymneilltuaeth Gymreig i'w seiliau, ac mae'r ddelwedd ohono fel ail Luther yn taro'n chwithig iawn. Anodd yn un peth, yw cysoni'r tanbeidrwydd â'i ddiflastod ar y fugeiliaeth. Diau fod enwadaeth yn ddân ar ei groen, ond âi ei syrffed yn ddyfnach na hynny, a phrin y byddai eglwys unedig yn adfer ei frwdfrydedd fel bugail. Yr oedd rhan o'i fwriad, yn ddiau, yn agored o wleidyddol. Ysgrifenasai at Lewis Valentine, yntau ar y pryd yn weinidog gyda'r Bedyddwyr, ar 13 Rhagfyr 1951 i'w wahodd ynghyd â 'nifer bychan o weinidogion – rhyw dri o bob enwad, dyweder,' i gyfarfod dros nos yn Aberystwyth yng ngwanwyn y flwyddyn ganlynol, i drafod sefydlu 'Eglwys Genedlaethol Gymreig', gan gyfaddef y byddai'r rhan fwyaf o'r gwahoddedigion yn Bleidwyr, ond ni ddaeth dim o'r cynllun.[22] Ceir goleuni pellach ar y gwir gymhelliad mewn llythyr at Iorwerth Jones, golygydd *Y Dysgedydd* adeg cyhoeddi'r erthygl, ddwy flynedd ar hugain yn ddiweddarach:

Ing enaid, nid ysfa bryfocio, a barodd imi sgrifennu'r pethau hynny, ac fe welais fod y gyfundrefn yn fy ngwrthod i cyn i mi droi cefn ar y fugeiliaeth.[23]

Hynny, yw, megis yn achos ei ufudd-dod wrth fynd i'r weinidogaeth, roedd am roi plwc yn llawes ffawd drwy greu'r amgylchiadau a wnâi ei benderfyniad i'w gadael maes o law yn eiddo iddo'i hun rhagor eraill. Roedd hefyd, yng ngwir ystyr y geiriau, yn ymarfer llenyddol:

Pan oeddwn i yn y fugeiliaeth fy hun, fedrwn i ddim lleisio a llefaru'n bregethwrol nac adrodd ystrydebau wrth glaf a thrallodus. Yn hytrach na mynd i hwyl a dweud storïau dagreuol roeddwn i'n ymdrechu'n barhaus i fynegi gwirioneddau'r Ffydd yn yr iaith symlaf bosibl fel y byddai Jac Tŷ Lôn, a fyddai weithiau'n eistedd yn y sedd gefn, yn deall, a dweud fy neges yn dawel a chyfoes fel mewn sgwrs ar aelwyd. Doedd y 'saint' ddim yn hoffi hynny . . . fe roddodd fy mlaenoriaid y dampar ar rai o'm 'harbrofion'; yn yr Hen Gorff, y blaenoriaid sy'n rheoli, wrth gwrs.

Canlyniad anochel hyn oedd protest.[24]

Nid sorri sydd yn 'Lludw'r Weinidogaeth' ond arddel cyfrifoldeb. Cyn y gallai ei ystyried ei hun yn llenor, roedd yn rhaid iddo ddarbwyllo eraill – a'i argyhoeddi ei hun – fod y fugeiliaeth yn *werth* cefnu arni, ei bod yn golygu digon iddo fel bod cofleidio llenydda yn fwy na rhoi clec ar ei fawd i'r swydd yr oedd ynddi.

Daeth yr alwad i Ebeneser, Niwbwrch, yn Awst 1953. Cyfarfu blaenoriaid Moreia nos Fawrth 1 Medi. Cystal gadael i gofnodion y capel yn Llanfair ddweud yr hanes:

Trafodwyd gwahanol agweddau ynglŷn â'r adroddiad fod Eglwys Niwbwrch, Môn, yn ystyried rhoddi galw i'r Gweinidog, Parch I. Ff. Ellis [*sic*]. Dywedodd Mr R[hys] Lewis nad oedd Mr Ellis wedi gwneud ei feddwl i fyny yn bendant i ymadael. Yn wyneb hyn cytunwyd (1) danfon llythyr at Mr Ellis i fynegi ein gobaith y gellid trefnu telerau newydd ag ef a fyddai yn ei berswadio i beidio ymadael o Lanfair (2) trefnu cyfarfod blaenoriaid Meifod a'r Bontnewydd nos Wener nesaf ym Meifod i drafod telerau i'w cynnig i Mr Ellis. Pasiwyd y dylid ceisio cario y telerau canlynol – (1) Rhoddi swm o £50 at gostau teithio fel ag i godi'r gyflog i £400. (2) Talu yn llawn y National Health Insurance. (3) Talu rhent garage.

Daeth blaenoriaid y tair eglwys at ei gilydd i gyflwyno'r telerau y nos Lun ganlynol. Gofynnodd Islwyn Ffowc Elis am wythnos o ras. Y dydd Gwener hwnnw, teithiodd Islwyn i Fangor yng nghwmni

Pedwarawd Caereinion i berfformio am y tro olaf, gydag Allen Williams ac Alun Jones yn rhannu'r gwaith gyrru. Yn ôl llyfr nodiadau Glanfor Griffiths, lle y cofnodir dyddiad a rhaglen pob perfformiad, y gân olaf a ganwyd y noson honno oedd 'Wyt Ti'n Cofio?'. Roedd geiriau'r pennill clo'n od o briodol:

> Wyt ti'n cofio'r ffarwel wrth y bae?
> Llygaid llaith yn troi i'r daith?
> Cofio wnaf, a chofio gyda gwên
> Dyddiau braf hirddydd haf
> Pan ddaw oerni'r hydref.

Torrwyd y ddadl rhwng y gweinidog a'i flaenoriaid yn derfynol yn sgil oedfa'r bore ar 13 Medi. Roedd Islwyn Ffowc Elis am dderbyn yr alwad i Fôn.

Roedd Islwyn wedi ffeirio un dieithrwch am ddieithrwch arall. Cafodd 'ehangder gwyntog' yr ynys effaith gorfforol arno, bron, gan wneud iddo deimlo, meddai mewn darllediad radio diddyddiad rywbryd yng nghanol y chwedegau, 'yn benysgafn reit. Dim llechweddau. Dim ochrau, rywsut, i'r byd. Gorwel oedd yn is na'r llygad, ymhellach na thafliad llais, yn gapelog, fythynnog bell.' Ac am y bobl, câi'r rheini yr un mor anghyffwrdd. 'Y mae "Môn" yn air hud i'w thrigolion, ac anodd i neb na fu'n byw yn eu plith sylweddoli i ba raddau y mae Môn yn wlad a'r Monwysion yn genedl.'[25] Fe'i cafodd ei hun unwaith eto yng nghwmni ffermwyr o Gymry cefnog a oedd yn Rhyddfrydwyr o hil gerdd, mewn capel harddach o dipyn na Moreia y tro hwn, gyda ffenestri lliw o boptu'r pulpud. Yr oedd tŷ'r gweinidog, Bodiorwerth, ysgrifennodd at Tecwyn Lloyd ar 10 Mai 1954, yn yr ieithwedd wamal-Fabinogaidd a ddefnyddiai'r ddau ym mharagraffau agoriadol eu gohebiaeth ar y pryd, yn 'lle tec brenhineit, lle gwelir ohono Avon Menai ac Aber Menai, a holl vynyded Eryri ymywn gogoniant hwyr a bore, ygyd â mynyd uchaf an gwlat, nyt amgen e Uydua.' Yr un oedd y drefn i raddau helaeth ag yn Llanfair: gwasanaeth boreol a hwyr ar y Sul, Ysgol Sul yn y pnawn, seiat a chyfarfod gweddi bob yn ail nos Fercher a chymdeithas lenyddol bob yn ail nos Lun a chwrdd i'r ifanc bob nos Wener drwy'r gaeaf.

Mae Tecwyn Owen, a oedd yn ei arddegau ar y pryd, yn cofio hanes ymweliad cyntaf Islwyn Ffowc Elis â'i ofalaeth newydd:

> Y cof cyntaf sydd gen i o ddyfodiad Islwyn Ffowc Elis i'n plith oedd i fy mam ddod adref o un o siopau'r pentref gan ddweud yn eithaf styrblyd fod gŵr dieithr, sef y Gweinidog newydd, wedi dod i mewn i'r siop y bore hwnnw, a bod un o wragedd tafotrydd y cwmni a oedd yn disgwyl eu tro yn y siop wedi gofyn i'r siopwraig pwy oedd y gŵr bach dieithr a ddaeth trwy'r drws. Hithau'r siopwraig yn ceisio egluro yn barchus sanctaidd mai hwn oedd y Gweinidog newydd. 'O, fy machgen bach i,' meddai'r wraig blaen ei thafod, 'rydach chi wedi dod i Sodom a Gomorah. Gwae i chi ddod yma erioed.' Ac aeth rhagddi i restru gwendidau a ffaeleddau'r 'criw o anwariaid o flaenoriaid a eisteddent yn sêt fawr y Capel'. Yr oedd mam druan wedi cynhyrfu'n lân.[26]

Mae synnwyr trannoeth yn awgrymu'n gryf, wrth gwrs, y dylai Islwyn Ffowc Elis fod wedi gadael y weinidogaeth wrth ymadael â Llanfair. Rhyw goda annedwydd oedd ei dair blynedd yn Niwbwrch. Roedd yr achos yno, yn sicr, yn llai llewyrchus nag y buasai hyd yn oed yng nghyfnod ei ragflaenydd, Haydn Thomas – gŵr a enillasai enw iddo'i hun fel bugail rhadlon oherwydd ei arfer o sefyll wrth ddrws y capel ar ddiwedd pob oedfa a chyfarfod i fynnu gair gyda'i braidd. Er hynny, roedd ymhell o fod yn farwaidd ac anobeithiol. Mae Tecwyn Owen yn cofio chwech neu saith o ddosbarthiadau i oedolion yn yr Ysgol Sul, a hyd yn oed pwyllgor eisteddleoedd yn gofalu am osod seddau i'r gynulleidfa 'fel pe byddent yn ceisio tŷ ar rent'. Ond y ffaith foel oedd fod y lle'n anghydnaws. 'Teg dweud,' noda Eurwyn T. Griffiths yn hanes anghyhoeddedig y capel, 'na chafodd gystal cefnogaeth fel y rhai a fu o'i flaen'. Roedd, er hynny, yn weithgar – yn enwedig gyda'r plant: dwy ddrama gerdd, *Ednyfed Fychan* yn 1954 ac *Ann Griffiths* yn 1955 (gyda Jane Edwards yn cymryd y brif ran). Roedd ei gyfeillgarwch â W.H. Roberts yn gysur hefyd.

Ym Môn, fe ymddengys, yr ystyriodd Islwyn roi'r gorau i ysgrifennu creadigol yn gyfan gwbl. Dyna'r casgliad anorfod o ddarllen llythyrau ceryddol bron, Dyddgu Owen ato o Gyfronnydd.

Hyn ar 20 Mehefin 1954, er enghraifft: 'Er mwyn popeth, Islwyn, daliwch ati i sgrifennu. Cofiwch eich bod yn perthyn i ni fel cenedl ac nid i gornel o Sir Fôn.' A hyn wedyn ar 12 Rhagfyr yr un flwyddyn: 'Rwyf wedi meddwl llawer am eich sylw na all dyn fod yn weinidog a sgrifennu . . . Yn enw popeth, beth yw cydwybod, Islwyn? Rhwystr a lluddias? Byddaf yn cynddeiriogi weithiau.'

Ceisiai Islwyn Ffowc Elis ymgysuro yn ffyniant cymharol y Blaid: 'Cynnydd cyflym Plaid Cymru,' cyhoeddodd ar drothwy etholiad cyffredinol 1955, 'yw'r unig warant sydd gennym fod Cymru'n mynd i fyw. A hi yw'r unig ffordd sydd gennym i argyhoeddi pleidiau eraill fod Cymru'n bwriadu byw.' Ceisiodd ddyfalu sut bleidlais a gâi a goblygiadau hynny:

> . . . ped enillai Plaid Cymru drwy Gymru gyfan bum-mil-ar-hugain [*sic*] o bleidleisiau, fe fyddai cyffro yn Llundain. Cyffro cudd, wrth gwrs, y tu ôl i ddrws caeedig 10, Downing Street, y tu ôl i lenni Transport House, a thu ôl i ddesgiau swyddfeydd y cynllunwyr. Fe fyddai hanner can mil o bleidleisiau i Blaid Cymru'n tynnu cawod o welliannau cyflym ar Gymru. Synnwn i ddim na fyddai can mil yn dod â Senedd i Gymru.[27]

Arhosodd Islwyn Ffowc Elis ar ei draed nos Iau 26 Mai i wrando ar y canlyniadau. Roedd pedwar ymgeisydd – John Rowland Jones (Môn), Ioan Bowen Rees (Conwy), R.E. Jones (Caernarfon) a Gwynfor Evans (Caerfyrddin) wedi cadw eu hernes. 'Dyma gychwyn o'r diwedd ar filltir ola'r ffordd i fuddugoliaeth,' ysgrifennodd yn *Y Faner* drannoeth y cyhoeddiadau. Nid oedd y bleidlais, er hynny – 45, 119 trwy Gymru – yn bopeth y gobeithiai amdano. Ni ddeuai'r gwelliannau lu ar fyr o dro: roedd y Senedd i Gymru yr oedd wedi deisebu ac annerch drosti mor bell ag erioed.

Roedd tinc diamheuol negyddol yn ei waith erbyn canol y pumdegau. Ym Mehefin 1955, cofiodd am ddarllen *Brave New World* Huxley pan oedd yn llanc 'a minnau ar y pryd yng ngafael ingoedd meddwl ac ysbryd adolesent' ac fel yr oedd y syniad o *soma* – tabledi anghofrwydd – wedi apelio ato. Ailgydiodd yn y syniad eto. Cadwyd yr atalnodi gwreiddiol:

Y mae cwestiwn moesol, fodd bynnag, na all dyn ddim peidio â'i
ofyn. Pa faint o'r dioddef sydd mewn bywyd y dylai dyn ei
ddwyn heb unrhyw help cyffuriol? Os yw'n iawn iddo gymryd
cyffuriau i leddfu poen corff, onid yw'n iawn iddo gymryd
cyffuriau i leddfu poen meddwl? Fe all poen meddwl yn fynych
fod yn fwy dinistriol na phoen corff. Fe all meddwl iach fyw
mewn corff dinerth. Ond pan fo'r meddwl yn rhacs, nid yw corff
iach fawr o werth. Wn i ddim. Rhyw feddwl yr oeddwn i . . .
gofyn er mwyn cael goleuni fel petae . . . rhyw fyfyrio. Rhaid
peidio â myfyrio gormod, chwaith. Yn enwedig heddiw. Rhwng
y lecsiwn yma, a'r bom-H a barbareiddiwch y byd. Mae dyn yn
ei gael ei hun ar brydiau ar ororau gwallgofrwydd. Os byddwch
chwi'n teimlo felly, ewch at eich meddyg am un o'r tabledu [*sic*]
bach. 'Oblivion' yw'r enw.[28]

Ceir mwy yma na phrudd-der, wrth gwrs; mae yma anobaith yn
ymylu ar iselder patholegol: deisyfiad i beidio â bod. Fe'i clywir eto
yn y gyfres o dair ysgrif yn *Y Drysorfa*, 'Y Grisial Ofnadwy', a
ysgrifennodd ar gais y golygydd, Huw Llewelyn Walters yn niwedd
1954, ac a gyhoeddwyd rhwng Chwefror ac Awst 1955.[29] Mae'r ysgrif
gyntaf ar ffurf chwedl am ddifaterwch ysbrydol ac anallu crefydd
gyfundrefnol i gyffwrdd calonnau. Mae rhod hanes wedi troi ac mae
angel yn wylo uwchben y Gymru gyfundebol, golledig:

Drueiniaid, meddai'r ysbryd gwasanaethgar, sy'n llewych
lleuad a niwl a gwynt, oni wyddoch nad yn eich pentref chwi yn
eich ardal chwi yng Nghymru y mae'r deffro heddiw? Dydd y
dyn du yw hi heddiw, dydd geni Cristionogion fory o groth yr
Anghrist Comiwnyddol, dydd achub yr Ianc a Christioneiddio'r
Siapanead, dydd dial ar ymerodraethau a dydd gwasgaru
awdurdod. Nid i chwi y rhoes Duw allweddau'i Deyrnas. Yn
ofer y curwch chwi ar ddrysau caeedig. Gadewch eich hunan-
dyb a'ch consárn gyda pheirianwaith crefydda. Ni ellir
peirianeiddio na chyfundrefnu'r Ysbryd sydd o Dduw.
    [. . .] Y dyn sydd yn ddyn am na all, er dymuno, fod yn
anifail. Y blaenor sydd yn flaenor am ei fod yn
llwyrymwrthodwr. Y gweinidog sydd yn weinidog am fod

ganddo ewythr yn weinidog o'i flaen. Na, na, medd yr angel, nid rhaid i Dduw wrthych chwi. Ni'ch galwyd chwi. Cristionogion ydych chwi o ddyletswydd. Cristionogion am fod eich rhieni'n Gristionogion, Cristionogion yn siarad geiriau Cristionogaeth heb brofi'i phrofiadau. Peidiwch â beio Duw a pheidiwch â beio'ch oes a pheidiwch â'ch beio eich hunain. Fe ddaw daioni o'ch marwolaeth ysbrydol chwi. I rywun. Yn rhywle. Cysgwch bellach, ac yn India ac yn Rwsia ac yn Siapan fe ddaw eich breuddwydion yn wir.[30]

Ceir tri pheth yn baglu dros ei gilydd gan ymgiprys am ein sylw yma: arddull, cymhellion a chenadwri. Unwaith eto, megis yn achos ei argyhoeddiad fod llwyddiant *Cysgod y Cryman* yn argoel o'i anghymhwyster i fod yn weinidog a'i haeriad yn 1952 fod y weinidogaeth drwyddi'n fethiant, mae Islwyn Ffowc Elis ar ei fwyaf huawdl – a dadlennol – wrth ddadlau achos go simsan. Mae'r arddull yn gwasanaethu dau ddiben: yn gyntaf, er nad oes amau ei ddiffuantrwydd a'i sêl dros ei bwnc, mae Islwyn Ffowc Elis wedi dewis ei drafod mewn llais storïol sy'n tynnu sylw at yr awdur rhagor ei neges; yn ail, ac yn baradocsaidd, mae'r ieithwedd hithau'n amodi'r dweud drwy ei wneud yn fwriadol aneglur. Ai'r traethydd ynteu'r angel wylofus ynteu'r gweinidog anfoddog o Fôn sy'n llefaru? Fe wyddai Islwyn Ffowc Elis ei fod yn chwarae tric rhethregol; mae'n gwestiwn a wyddai hyd yn oed yntau'n iawn pam. Ei fwriad yn yr ysgrif agoriadol – os gellir yn briodol alw peth mor annelwig yn fwriad – oedd braenaru'r tir ar gyfer yr ymddiswyddiad ymhlyg sy'n dilyn yn yr ail a'r drydedd ysgrif ac a ddilynai mewn gwirionedd erbyn dechrau 1956. Yn ysgrif 1952, ceisiai ei berswadio ei hun fod y weinidogaeth yn werth ei gadael – ei fod, trwy estyniad, yn annheilwng ohoni. Mae'r dacteg yma yn ddiddorol o wahanol. Yr ymresymu yma yw y dylai adael y weinidogaeth am nad yw hithau'n deilwng o'i chomisiwn. Felly'r pwyslais yn ail ysgrif y gyfres, 'Yr Hen Gyfundeb Annwyl', ar rywbeth go agos i anniddordeb:

Gan fod yr enwad hwn naill ai wedi gorffen ei waith yn y byd neu wedi ymwrthod â'r cyfrifoldeb amdano, i beth y mae'n bod? Nid yn arbennig i addoli Duw a phregethu Crist; y mae

pob enwad yn bod i hynny. Nid i arwain y frwydr dros
welliannau cymdeithasol; ni wnaeth mo hynny erioed. Gellir
dweud ei fod yn bod i gondemnio'r fasnach feddwol. Os yw
holl egni ysbrydol enwad yn mynd i wasgu un ploryn ar gorff y
ddynoliaeth, nid rhyfedd ei fod yn cyflawni cyn lleied.

Erys y ffaith. Er na all ein henwad mwyach gyflawni swydd
briod enwad, sef tystio i wirionedd arbennig, diogelu ffurf-
wasanaeth neu ffurf-lywodraeth arbennig, annog ffordd
arbennig o fyw – am fod y gwaith naill ai wedi'i orffen neu
wedi'i drosglwyddo – eto fe estynnir ei ddyddiau ac fe'i
cynhelir ac fe'i hamddiffynnir o hyd â sêl syfrdanol. Nid hynny
yw fy nghŵyn i, ond bod y fath sêl dros ei gadw a'i gynnal a'i
amddiffyn, heb fod neb, i bob golwg, yn gwybod pam.

Ni allaf weld bod ymlyniad ein selogion wrth ein Cyfundeb
heddiw yn ddim ond ymlyniad greddfol y natur ddynol wrth yr
hyn sy'n gynefin ac yn gyfarwydd. Medraf ei ddeall a medraf ei
barchu. Ond nid yw ond yr un peth â'm hymlyniad annwyl i
wrth fy ngwlad ac wrth fy rhieni ac wrth lechweddau coediog
cysgodol. Ond nid yw ymlyniad felly wrth beirianwaith yn beth
cwbl iach, nac yn beth creadigol.[31]

Yn y pen draw, aeth brwydr feddyliol Islwyn Ffowc Elis yn
ymdaro rhwng teyrngarwch a chreadigedd – a'r ysbryd creadigol a
orfu. Llwyddasai i'w sicrhau ei hun mai'r Cyfundeb oedd y gelyn a
bod modd byw hebddo – yn wir nad oedd modd byw bywyd llawn y
tu mewn iddo. Erbyn y drydedd ysgrif, 'Machlud a Gwawr y
Fugeiliaeth', roedd y mater wedi'i benderfynu a bron na ellir clywed
ochenaid o ryddhad yn seinio trwyddi. Darfu am ddigalondid yr
ysgrif gyntaf a dicter yr ail: ysgrifenna ei sylwadau ar ddirywiad ei
swydd ei hun 'yn gwbwl wrthrychol, oddi allan, fel pe na bawn yn
weinidog fy hun'.[32] Sonia am argyfwng ariannol gweinidogion a
chynigia batrwm i'r weinidogaeth a allai ei gwared, sef rhannu
dyletswyddau rhwng timau o weinidogion, pob un a'i arbenigedd ei
hun, a chynnig mwy o gyfran i leygwyr. Dyma haelioni dros-
ysgwydd un a oedd eisoes wedi penderfynu gadael.

Ataliwyd pedwaredd ysgrif arfaethedig, ond ceir copi ohoni mewn
llawysgrifen ymhlith ei bapurau, dan y teitl 'Blwyddyn Gweinidog':

Pregethau a gyfansoddwyd: deugain.

Pregethwyd gant a hanner o weithiau.

Cyfarfodydd a gynhaliwyd: cant a deugain.

Ymweliadau bugeiliol: tri chant. Llythyrau a sgrifennwyd: yn agos i fil. Llyfrau diwinyddol a ddarllenwyd, ar wahân i lenyddiaeth ysgafn: pymtheg. Practisoedd drama: hanner cant. Angladdau y cymerwyd rhan ynddynt: deg. Priodasau: pedair. Bedyddiadau: pump. Cynadleddau: un-ar-ddeg. Pwyllgorau: un-ar-ddeg ar hugain. Oriau a dreuliwyd yn astudio: deugant. Ymgomiau yn y stydi â rhai'n ceisio goleuni, cysur neu gymorth: trigain.

Dyma'r cyfrif. Ac o'u cymharu â thabl y gallai ambell weinidog prysur ei ddangos, mae'r gofynion yn ysgafn. Ond nid dyma'r eitemau i gyd. Beth am y rhai hyn?

Poenau pen a grewyd gan eiriau difeddwl, anffyddlondeb, difaterwch, cwerylon, golygfeydd anfelys: pedwar ugain. Pryderon economaidd: deugain. Oriau cwsg a gollwyd: deugant. Brwydrau ansicrwydd: lleng. Amheuon: rhif y gwlith.

Nid oes yswiriant rhag y rhain. Fe'n hordeiniwyd iddynt, ac nid oes gyfrif ohonynt. Mae'r chwerthin? Yn eu priodas hwy â'r oriau melysach ac â'r eitemau hyn:

Cwpaneidiau o de a roddwyd i ddenu crefyddwyr i ffyddlondeb mwy: cant a hanner. Cymdeithasau yr ymunwyd â hwy er mwyn 'bod yn un o'r bobol': pedair. Ffyncshons chwaraeon, a ffeiriau y dangoswyd wyneb ynddynt er mwyn rhoi'r argraff fod y gweinidog yn 'hen foi iawn': tri dwsin. Cŵn ffyrnig a anweswyd er mwyn mynd i serch eu perchnogion: deunaw. Cathod a nyrsiwyd: deg-a-thrigain. Babanod y gwnaed seiniau anhygoel uwch eu pennau: amryw. Modurwyr brwd y canmolwyd eu cerbydau: lliaws. Ffermwyr y canmolwyd eu gwenith a'u gwartheg: degau.

O fewn wythnosau i'r diwedd, trodd yn ôl at farddoni, a chrynhoi'r cyfan mewn soned ddideitl. Fe'i ceir ar dudalen blaen plocyn o bapur yng nghasgliad Islwyn Ffowc Elis, a gweddill y tudalennau'n wag:

> Ofer yw estyn mwy fy llaw yn arwydd
>   Tadolaeth feddal uwch y pennau pren;
> Ofer yw murmur eto'r gwir cyfarwydd:
>   Ni welant hwy ond cylch o goler wen.

Ofer yw camu hyd y stryd ddidderbyn
   A llusgo'n lleidiog dros y caeau plwm;
Ofer yw crygni ymbil bach ac erfyn,
   Ni ddeffry pentref mwy, ni chyffry cwm.
Diffydd fy llais yng ngherrig mawr y muriau,
   Ac eco 'nhraed yn holltau'r palmant hir,
Ni wêl eu llygaid llwythog mo 'noluriau –
   Ni chesglir dolur ond wrth drin y tir.
Nid yw paganiaeth yn eu blino hwy;
Mae gwaedd Calfaria'n ofer, ofer mwy.

Cyhoeddodd ei fwriad i ymadael yn Adroddiad Ebeneser am 1956:

. . . dylwn grybwyll un peth arall y disgwylir imi ei grybwyll, mi wn. Yr oedd yn ofid diffuant i mi orfod cyflwyno fy ymddiswyddiad o fod yn fugail yr Eglwys am resymau iechyd. Yr oedd yn newydd sydyn i chwi, ond yr oeddwn i wedi ymladd yn erbyn yr anhwylder ers dwy neu dair blynedd, ac wedi gohirio fy ymddiswyddiad cyhyd ag y gallwn. Yr wyf yn ddiolchgar i'r mwyafrif mawr ohonoch am dderbyn y newydd mor raslon, ac am eich cydymdeimlad a'ch dymuniadau da. Diolch hefyd i'r rhai ohonoch a ddangosodd garedigrwydd i'm priod a minnau tra fuom yma. Nid â eich caredigrwydd yn angof, ac nid ydym yn debyg o anghofio Niwbwrch. Credaf i chwi a minnau wneud ein gorau i'n gilydd yn ystod y ddwy flynedd a hanner ddiwethaf, yn ôl y goleuni a gawsom a'r natur [a] roddwyd i ni. Os teimla rhai ohonoch fy mod wedi eich esgeuluso mewn unrhyw fodd, nid oes gennyf ond erfyn eich maddeuant.

. . . Ni allaf fi ond eich atgoffa am addewid Duw yn Iesu Grist: 'Nis gadawaf chwi yn amddifad; Mi a ddeuaf atoch chwi.' Addewid y gellwch chwi a minnau fforddio pwyso arni, beth bynnag sydd o'n blaenau, gan wybod y gall Duw ein defnyddio i'w waith Ef beth bynnag yw ein colledion.

Mae'r atgofion amdano yn Niwbwrch wedi pylu. Cofia rhai amdano ar y twyni tywod ar gyrion y pentref brynhawn Sul o haf, yn dal pen rheswm a'i ddosbarth Ysgol Sul; eraill amdano yn ei waeledd, yn cydgerdded â'i feddyg teulu, Dr John Griffiths, ar hyd prif stryd y pentref, wedi ymgolli mewn sgwrs, a llaw'r meddyg yn gorffwys yn ysgafn ar benelin y llenor.

Pan oedd y cyfan drosodd, ar 29 Mai 1956, ysgrifennodd Tegla Davies ato, gan restru, dan is-benawdau, y gweithgareddau dirifedi a oedd wedi plygu ei ysbryd. Fe'i cymharodd (fel y gwnâi Islwyn ei hun wedi hynny) ag ebol ifanc, goreiddgar:

> Y mae Natur, neu efallai y dylwn ddweud, yr Anfeidrol Dad, yn drugarog iawn yn ein bachu oll wrth dennyn, ac yn ein cyfyngu o fewn hyd hwnnw, ac yn plycio pan ydym yn tynnu ar ben ein tennyn, rhag inni yn ein rhuthr fynd dros y dibyn. A dyna a gawsoch chwi, plwc ar y tennyn, yn arwydd ysgafn eich bod ar fin dyfod i'w ben . . . Fe gawsoch eich gwers yn gynnar ar eich bywyd fel y gellwch fanteisio arni, a dyma'ch cyfle i fanteisio arni wedi dod. Nid oes gennych ddim i'w wneud ar hyn o bryd ond eistedd i lawr i fyfyrio arni a'i dysgu'n llwyr, fel y bydd y dyfodol yn loyw a chwithau'n mynd o nerth i nerth gan eich bod wedi eich torri i mewn.

Geiriau oeddynt gan un a ddaethai i adnabod Islwyn yn drylwyr, ac yr oedd Islwyn yn prysur ddysgu amdano yntau.

FFYNONELLAU

[1] Cofnodion Capel Moreia, Llanfair Caereinion, drwy garedigrwydd yr ysgrifennydd, Mrs Joyce Ellis.

[2] *Naddion*, t. 44.

[3] Gohebiaeth bersonol, 27 Hydref 1999.

[4] Ibid.

[5] 'Holi Islwyn Ffowc Elis gan Dyfed Rowlands', *Y Traethodydd* CXLVii, Gorffennaf 1992, t. 159.

[6] Gohebiaeth bersonol, ibid.

[7] Ibid.

[8] *Mabon*, t. 16.

[9] *Naddion*, t. 93.

[10] 'Gwella'r Adran Ryddiath, *Baner ac Amserau Cymru*, 6 Awst 1959, t. 6.

[11] *Artists in Wales*, op. cit. t. 156.

[12] *Y Ddraig Goch*, Hydref 1952, t. 2.

[13] Ibid.

[14] Gohebiaeth bersonol, 11 Rhagfyr 1999.

[15] 'Fy Nofel Aflwyddiannus' *Lleufer* (Haf, 1957), t. 55.

[16] Gohebiaeth bersonol, 11 Rhagfyr 1999.

[17] LlGC, papurau Tecwyn Lloyd 1/3.

[18] *Naddion*, t. 64.

[19] Ibid, tt. 69-72.

[20] Gohebiaeth bersonol, 13 Mehefin, 1998.

[21] *Naddion*, t. 69

[22] LlGC, papurau Lewis Valentine, dim cyfeirnod.

[23] LlGC, papurau Iorwerth Jones, 3/97.

[24] Ibid.

[25] *Y Ddraig Goch*, Ebrill 1957, t. 4.

[26] Gohebiaeth bersonol, 29 Mai 2002.

[27] 'Ledled Cymru' *Baner ac Amserau Cymru*, 11 Mai 1955, t. 4.

[28] 'Ledled Cymru' *Baner ac Amserau Cymru*, 1 Mehefin 1955, t. 4.

[29] *Naddion*, tt. 73-89.

[30] Ibid, t. 77.

[31] Ibid, t. 79.

[32] Ibid, t. 83.

Ar lin mam: Islwyn, yn faban, gyda'i rieni, Edward a Catherine Ellis

Islwyn Ffowc Elis 'y "progidy" newydd oedd yn Rhos-y-Coed'.

Islwyn a Bryn, ei frawd.

Islwyn ifanc, yn 11 oed, wedi pasio'r 'Scholarship'

Ffermdy Aberwiel; llun a dynnwyd gan Islwyn.

Bryn.

Aelodau'r teulu'n mwynhau ychydig o dywydd braf!

Llwyddiant cynnar, ynteu ffars? Tudalen o'r *Western Mail* adeg gwobrwyo gwaith Islwyn Ffoulkes Ellis yng nghystadleuaeth Gwyl Ddewi'r papur 1939.

Ysgol y Sir, Llangollen, 1941 – tynnwyd y llun ar achlysur mabwysiadu HMS *Auk*
gan yr ysgol. Y prifathro, Crwys Willimas a chapten y llong sy'n sefyll yn y canol;
mae Islwyn yn sefyll y tu ôl i'r prifathro.

Eisteddfod Ryng-golegol, mis Chwfror 1948. Mae Merededydd Evans yn y rhes gefn.

Cartŵn o'r bardd coronog – Eisteddfod Ryng-golegol 1944. Llun wedi ei godi o'r
Omnibus, cylchgrawn myfyrwyr Bangor

4
Achub Tegla

Yn Ebrill 1956, yn ei flwyddyn olaf yn y weinidogaeth, cyhoeddwyd cyfrol ac Islwyn yn olygydd arni: *Edward Tegla Davies: Llenor a Phroffwyd*. Cafwyd rhagair gan fab Tegla, Arfor; englynion gan Gwilym R. Tilsley; 'Ei gyfraniad i'w Gyfundeb' gan D. Tecwyn Evans; pennod ar Tegla'r pregethwr gan R. W. Davies; atgofion personol gan David Thomas; ymdriniaeth â Tegla'r nofelydd gan Tecwyn Lloyd; ysgrif ar ei nofelau i blant gan Dyddgu Owen; ac 'Ysgrifau Proffwyd' gan y golygydd ei hun.

Mae i Tegla (1880-1967) le unigryw yn hanes ysgrifennu Islwyn ar ddau gyfrif neilltuol. Yn gyntaf, ef yw'r unig lenor iddo ysgrifennu'n estynedig amdano, a hynny chwe gwaith dros gyfnod o bum degawd. Yn ogystal ag ysgrif 1956, caed dwy ysgrif goffa iddo, yn *Y Ddraig Goch* yn Nhachwedd 1967 a *Taliesin* yng Ngorffennaf 1968, dewisodd 'Cyfrinach Tegla' yn destun i'r Ddarlith Lenyddol a draddododd yn Eisteddfod Wrecsam yn 1977, daliodd ar y cyfle wrth adolygu *Tegla* Huw Ethall yn *Y Traethodydd* yn 1982 i ymhelaethu ar ei adnabyddiaeth ohono, ac ef a luniodd y cofnod arno i'r *Bywgraffiadur Cymreig 1951-1970* (ei unig gyfraniad i'r gyfrol, gyda llaw), a ymddangosodd yn 1997. Mynegodd hanner bwriad yn narlith 1977 hefyd i ymdrin yn llawnach â Tegla ar ôl ymddeol. Yn ail, ac yn arwyddocaol, ef yw'r unig lenor i Islwyn ddyfalu neu ddamcaniaethu yn ei gylch.

Tegla, *mutatis mutandis*, oedd George Bernard Shaw neu C. S. Lewis Cymru Gymraeg canol yr ugeinfed ganrif: gweinidog gyda'r Wesleaid Cymraeg, awdur hunanaddysgedig toreithiog ei gynnyrch a phendant-unigolyddol ei farn. Fel y nododd Islwyn ei hun amdano, rhaid darllen rhyw ddeugain cyfrol i ddirnad cwmpas ei weithgarwch. Ysgrifennodd lyfrau i blant, dwy nofel, ysgrifau dirifedi, colofnau golygyddol, cyfieithiadau, pregethau, storïau byrion a dwy gyfrol o hunangofiant. Fe'i cofir yn bennaf heddiw, a chymryd maes llafur colegau Prifysgol Cymru'n faen prawf, am ei nofel hir, *Gŵr Pen y Bryn* (1923).

Fel un o genhedlaeth o blant a fagwyd yn y dauddegau a'r tridegau, gwyddai Islwyn am Tegla'n gyntaf fel awdur *Hunangofiant Tomi* (1912), *Nedw* (1922) a *Rhys Llwyd y Lleuad* (1925). Yn 1940, bu Tegla'n feirniad cystadleuaeth nofel y cymerodd Islwyn ran ynddi, pan osodwyd ef tua gwaelod y rhestr. Fe'i gwelodd am y tro cyntaf yn angladd T. Gwynn Jones yng nghapel Salem, Aberystwyth, ym Mawrth 1949, tra oedd yn fyfyriwr yno, a chael ei hudo ganddo:

> Does gen i ddim llawer o go am y gwasanaeth. Ond gan nad oes dim yn ddiflas yn y cofio, mae'n rhaid ei fod yn briodol a chwaethus. Ond yng nghanol y niwlen mae un darn hollol glir. Tegla yn y pulpud. Yn sefyll fel y byddai bob amser yn sefyll mewn pulpud, yn dalsyth, hardd, ddisymud, un llaw wedi'i chroesi'n ofalus dros y llall. Ei wyneb main, gwyn, dan ei gwmwl crychwallt arian, yn dal dau lygad mawr glas oedd yn dilyn y llong dros bennau astud y gynulleidfa. A'r llais tenau, undonog, cyfareddol hwnnw'n adrodd ei gyfeillgarwch â T. Gwynn Jones.[1]

Daeth i'w adnabod yn Llanfair Caereinion trwy Dyddgu Owen, a fuasai'n un o braidd Tegla yn Llanrhaeadr ym Mochnant. O hynny allan, datblygodd cyfeillgarwch rhyngddynt a oedd i barhau am y pymtheng mlynedd nesaf, wyneb yn wyneb, ond yn achlysurol, yn ystod ei amser yn Llanfair Caereinion; yn amlach na hynny yn nyddiau Niwbwrch a Bangor, pryd y daeth Islwyn yn ymwelydd lled fynych ag aelwyd Tegla ym Mryn Llinos, Victoria Avenue, Bangor; a thrwy ohebiaeth dair neu bedair gwaith y flwyddyn ar ôl i Islwyn symud i Gaerfyrddin yn 1963.

Mae geirfa arferol perthynas rywsut yn annigonol i ddisgrifio'r hyn a ddatblygodd rhyngddynt. Er gwaethaf edmygedd agored Islwyn ohono, prin y gellir galw Tegla'n arwr; ceir cynneddf feirniadol yn Islwyn sy'n ei imwneiddio rhag clefyd arwraddoliaeth. Nid oedd yn eilun iddo chwaith; ni cheisiodd erioed ei efelychu, ac yn bendant iawn ni fynnai ymdebygu iddo yn slafaidd-ymwybodol. Mae'n amheus a ellir yn deg ei gyfrif chwaith yn ddylanwad yn yr ystyr gonfensiynol bod modd olrhain ôl meddwl y naill ar y llall; mae'n arwyddocaol, er enghraifft, nad oes yr un gair amdano yng nghyfraniad Islwyn i'r gyfrol *Dylanwadau*, a dim mwy na gair wrth basio yn y mynych gyfweliadau am ei yrfa.

Efallai mai'r disgrifiad tecaf yw dweud i Tegla fod yn ffon fesur iddo. I ŵr fel Islwyn a'i cafodd ei hun dan orfod – am resymau personol ac ar gais eraill – i gloriannu ac ailgloriannu ei fywyd, daeth ei ymwneud â Tegla'n wrthbwynt iachusol i'r rheidrwydd hunangofiannol i ymbellhau oddi wrtho'i hun. Tegla, yng ngeiriau'r seicolegydd Charles Horton Cooley, a ddarllenai Islwyn yn fyfyriwr ym Mangor, oedd ei *looking-glass self*. Fe'i deallai ei hun yn well drwy graffu arno. Nid oes amheuaeth iddo fwrw iddi i dalu teyrnged, ond sgil-gynnyrch y teyrngedu oedd iddo ei ddefnyddio – nid yn sinigaidd nac yn fwriadol na hyd yn oed yn ymwybodol – i ddehongli ei gredoau, a'i grefft a'i yrfa ei hun. Daeth ei sylwebaeth ar Tegla yn sylwebaeth ar droeon ei fywyd yntau. Fel y gweodd *Cysgod* megis pryf copyn yn dirwyn edafedd o'i fol a dod i ddeall crefft llunio nofel yn ei sgil, gwnaeth beth tebyg wrth fyfyrio ac ysgrifennu am ei gyfaill.

Pan gollfarnwyd 'nofelét' amrwd y llenor o fachgen ysgol gan Tegla yn 1940, hanfod y feirniadaeth oedd gorddibyniaeth y plot ar ymyrraeth *deus ex machina* i achub yr arwr. Hwn, fel y cyfaddefodd Islwyn yn ysgrif goffa 1968, oedd y tro cyntaf i Islwyn glywed yr ymadrodd. Rhwng 1956 ac 1997, fe luniodd Islwyn naratif achub ei feirniad cyntaf.

I ddeall y gydnabyddiaeth gyhoeddedig, rhaid deall y cefndir. Roedd y gyfrol, a'r teyrngedau a'i dilynodd, yn werthfawrogiad ymhlyg o weinidog a fu'n gydwybod ac yn glust i wrando – ar lafar ac ar bapur – yn nyddiau dadrithiad Islwyn â'i alwedigaeth. Pan gyflwynwyd papurau Tegla i'r Llyfrgell Genedlaethol gan Arfor Davies yn 1968, nid oedd llythyrau Islwyn yn eu plith. Rhaid casglu iddynt fynd ar goll neu gael eu distrywio. Tystiolaeth rannol sydd gennym, felly, am natur yr ohebiaeth, ond o'r llythyrau oddi wrth

Tegla a gadwyd, gellir synhwyro cyd-ddealltwriaeth fod cyswllt annatod rhwng y wedd greadigol a'r wedd ysbrydol ym mywyd y ddau, ac am ysgrifennu fel proses gathartig. Hyn, er enghraifft, ar 5 Tachwedd 1953, yn fuan wedi i Islwyn symud i Niwbwrch:

> Onid hwrdd o aflonyddwch am ei gael allan o'r cyfansoddiad yw cyfrinach pob ysgrifennu grymus a byw[?] Gellir gwneud berfa mewn gwaed oer ond rhaid cael berw gwanwyn i wneud pren byw. Hir iawn y parhao'r berw a'r anesmwythyd ynoch. Ac am eich teimlad o annheilyngdod, onid dyna un o'r cymwysterau mawr[?] Beth am Foses pan ddaeth yr alwad wedi gweld ohono'r berth yn llosgi, ac Eseia wedi gweld yr eisteddfa uchel a dyrchafedig, a Jeremeia, – 'O! Arglwydd Dduw, ni fedraf ymadrodd'[?] Na phryderwch am y cymhwyster. Daw'r gloywi yn y llafur.

Ymchwil i'r berw a'r anesmwythyd oedd llunio'r gyfrol a cheisio cyfranwyr iddi, o ganol 1954 ymlaen. Wrth wneud, ac wrth sôn wrth y gwrthrych amdano, datgelodd Islwyn wedd ar ei gyfaill a fuasai ynghudd cyn hynny. Yr oedd gan y gŵr yr oedd wedi ymagor iddo ei wendid cudd ei hun. Ar 2 Gorffennaf y flwyddyn honno, ysgrifennodd at Islwyn:

> O ddifrif, coeliwch fi, fod fy nghalon yn fwy na llawn a'm llygaid yn fwy na llaith wrth weld bod fy nhipyn ymdrechion, i'r to sy'n codi, yn rhywbeth mwy na rhan o'r gorffennol, a'i ddiddordeb yn y ffaith ei fod wedi ei gerfio gan y creadur rhyfedd hwnnw (yng Nghymru) – gweinidog Wesle.

Addefodd iddo deimlo ar ymylon bywyd diwylliannol a chrefyddol Cymru a'i ardal ei hun ar gyfrif ei enwad, ac ar ymylon yr enwad yntau gan mai 'traddodiad Calfinaidd fy mam oedd traddodiad sylfaenol yr aelwyd':

> At hyn oll, gan fod fy niddordeb llenyddol mor ddidraddodiad nid oedd gennyf ond gwneud fy ngorau i dorri fy rhych fy hun, ac yn swil iawn i arddel fy ymdrechion pan fyddai gwŷr y

traddodiadau yn gosod y ddeddf i lawr *ex cathedra*. Ai dyma'r hyn a eilw'r gwybodusion yn *inferority complex*?

Ac yna daw rhai fel chwi a Pennar Davies, Tecwyn Lloyd a J. Gwyn Griffiths a'ch bath i geisio ail gynhyrchu [*sic*] gwanwyn ynof, a minnau erbyn hyn yn Nhachwedd einioes. Diolchaf, yn ddwfn a dwys iawn, am eich teimladau a'ch geiriau hael, a'm hunig ofid yw na buaswn wedi eu clywed pan oedd yn wanwyn arnaf.

Yr un oedd tôn llythyr Tegla at Islwyn ar 13 Rhagfyr 1955:

O! na allwn gredu amdanaf fy hun yr hyn a gredwch chwi. Pa gyfeiriad bynnag yr edrychaf iddo ni welaf ddim ond ffaeleddau, ac nid oes gennyf gymaint ag un llyfr na charwn gael cyfle i'w ail ysgrifennu.

Y rheswm cyhoeddus a roddwyd gan Islwyn dros olygu *Llenor a Phroffwyd* oedd mai ymateb oedd i'r cam 'brawychus', chwedl y rhagarweiniad, a gafodd Tegla pan hepgorwyd cyfraniad arno o gyfrol dan olygyddiaeth Aneirin Talfan, *Gwŷr Llên: ysgrifau beirniadol ar weithiau deuddeg gŵr cyfoes* yn 1948. Hyderai Islwyn Ffowc Elis fod y rhod yn troi, bod Tegla'n dechrau cael cydnabyddiaeth haeddiannol, a dymunai i'r gyfrol fod yn rhan o'r symudiad hwnnw:

Adlewyrchu'r argyhoeddiad newydd hwn o fawredd a phwysigrwydd Tegla Davies yw amcan y llyfr anrheg hwn. Ychydig yw nifer ei ysgrifenwyr, ond maent yn cynrychioli tuedd gyffredinol ym myd llên ac ym myd crefydd. Y mae'r genhedlaeth lenyddol hon yng Nghymru wedi darganfod llenor o ddifrif, un y mae ysgrifennu'n wewyr ac yn genhadaeth iddo. Ac y mae'r genhedlaeth grefyddol hon yng Nghymru wedi darganfod proffwyd. Nid yw'r gyfrol hon ond pluen yn y gwynt, ond fe ddengys i ba gyfeiriad y mae'r gwynt yn chwythu. Bydd yn anodd i neb anwybyddu cyfraniad Tegla Davies, a'i ddylanwad ar lenyddiaeth a chrefydd ei ddydd, wedi ei ddarllen.[2]

Roedd trefn geiriau'r teitl yn fwriadus: ysgrifennwyd y geiriau canmoliaethus a gobeithiol hyn yng ngoleuni cyffes ansicrwydd Tegla wrth awdur a deimlai, yntau, yn ansicr o'i gyfeiriad fel gweinidog. Yr oedd y ddau wedi cyffesu wrth ei gilydd: Islwyn ei annheilyngdod, Tegla ei ffaeleddau, ac ymgais oedd y gyfrol i adfer hyder y gwrthrych yn ei allu ei hun.

Felly, yn hytrach nag ysgrifennu am ei nofelau, dewisodd Islwyn y Tegla aeddfed yn destun, y Tegla a adwaenai, gŵr hanner-dall a thoredig, yr ysgrifwr ar ddiwedd ei yrfa, rhagor y nofelydd a'r pregethwr ym mlodau ei ddyddiau. Ei dasg hunanapwyntiedig oedd ei ddilysu fel llenor 'cyfoes', chwedl is-deitl cyfrol Aneirin Talfan, yng ngolwg 'gwŷr y traddodiadau' drwy ddangos nad atodiad damweiniol i'w gynnyrch llenyddol oedd yr ysgrifau eithr penllanw ei weithgarwch:

> Magwyd ef yng nghyfnod dadeni llenyddol yng Nghymru, rhoed iddo ef ei hun ddawn llenor, ac fe ymarferodd a disgyblu'i ddawn lenyddiaeth ystorïol. A phan ddaeth yr awr i gyhoeddi'i broffwydoliaeth yr oedd ei sgrifbin yn loyw a'i athrylith yn ei hanterth.[3]

Ni allai Islwyn lai na chredu mai henaint a wnâi Tegla mor ddibris o'i ddoniau ei hun. Felly'r cwestiwn rhethregol ar ddechrau'r ysgrif:

> ... pa beth fyddai Edward Tegla Davies petai'n bymtheg ar hugain oed yn awr ac nid yn bymtheg a thrigain? Petai wedi cael ysgol ramadeg ac wedi darllen llenyddiaeth Gymraeg yno, petai wedi mynd i un o golegau Prifysgol Cymru ac wedi cymysgu yno â rhai o arweinwyr ifainc Cymru heddiw, petai wedi bwrw'i brentisiaeth lenyddol yn Eisteddfod ddiwygiedig yr ugeinfed ganrif ac nid yng nghylchgronau ei Gyfundeb.[4]

Hynny yw, petai'r un oed ag awdur y geiriau ac yn etifedd y symudiadau addysgol a chymdeithasol a fowldiodd hwnnw ac a oedd, wrth iddo roi'r geiriau ar bapur, yn ei dynnu'n anochel o'r naill alwedigaeth at y llall. Nid ymuniaethu sydd yma ond ymwahaniaethu, ymwybyddiaeth o arwahanrwydd a enynnodd Tegla ynddo. Pan geisiodd ddyfalu'r fath lenor a fuasai Tegla, fe'i gwelodd ei hun – neu'n hytrach edrychodd ar adlewyrchiad ohono'i hun o chwith, megis. Roedd y gweinidog o Wesle digoleg yn rhybudd i Islwyn, yn ddrych parhaus o'r hyn y gallasai yntau fod, er gwell ac er gwaeth, heb y manteision a ddaethai i'w ran. Roedd addysg uwch wedi cynysgaeddu Islwyn Ffowc Elis â phwyll mesuredig academaidd, tuedd ar ei waethaf i fesur a phwyso a bod yn deg. Yn Tegla, câi ŵr llym, ymrwymedig a oedd yn rhydd o'r anghyfleustra hwnnw: arwr digofus, dioddefus y chwedl a ymddadlennai wrth i Islwyn lunio ei werthfawrogiad. 'Nid ffordd i'r bywyd yn unig yw dioddefaint,' ysgrifennodd am ei gyfaill; 'dioddefaint ydyw bywyd, yr unig fywyd gwerth ei fyw.'[5]

Yr oedd ymateb Tegla i benderfyniad Islwyn i adael Niwbwrch yn ysgytwad iddo. 'Gwn, pa un ai a ymleddwch eich brwydr o fewn y weinidogaeth fugeiliol neu o'r tu allan iddi,' ysgrifennodd yr henwr ato yn llythyr 13 Rhagfyr 1955, pan oedd y rhwyg bron yn anochel, 'mai eich unig nod fydd hyrwyddo'r deyrnas a'ch cymhwyso eich hun i hynny.' Fodd bynnag, mewn 'portread' dienw o Islwyn yn *Y Faner* lai na blwyddyn wedi iddo ymddiswyddo, roedd y dôn yn ddiddorol o wahanol. 'Yr oedd Islwyn Ffowc Elis dan gamargraff pan aeth o'r weinidogaeth, ond ni wnaeth gamgymeriad pan aeth i'r weinidogaeth, canys yno y mae ei le.' Y trobwynt, tybiai, oedd ysgrifau'r *Drysorfa*:

> Pan aeth ef i'r weinidogaeth, cynigiodd sachliain i'w bobl, a hwythau'n gofyn am sidan . . . Ac fel pob proffwyd ieuanc, meddyliodd fod ei gyfnod ei hun gydag ef, ac o'r herwydd y caffai ganddo freichiau agored. Eithr yr oedd isel chwyrnu'r hen yn uwch nag ochain main yr ieuanc.
>
> . . . nid ysgrifydd na nofelydd na darlledwr yw Islwyn Ffowc Elis yn bennaf, yn ymhyfrydu mewn sain geiriau, rhuthm brawddegau a meddyliau cain, ond gŵr â chyflwr ei bobl yn riddfan enaid ynddo, ac yntau'n ymestyn at bob cyfrwng posibl i'w fynegi.[6]

Cythruddwyd Dyddgu Owen. Mewn llythyr diddyddiad toc wedi i'r portread ymddangos, ysgrifennodd at Islwyn:

Cefais gip ar eich portread cyn iddo fynd i'r *Faner* ac nid oeddwn yn cyd-weld o gwbl y dylech fynd yn ôl i'r weinidogaeth. Yn wir, teimlwn yn gryf mai haerllugrwydd oedd dweud y fath beth yn gyhoeddus. Dim ond y ffaith fy mod yn gwybod eich bod i Tegla fel cannwyll ei lygad (honno'n fwy o drysor iddo ef nag i'r rhan fwyaf ohonom) roddodd nerth imi gadw'n ddistaw. Islwyn, pregethwch ond, da chwi, peidiwch â mygu'r weledigaeth.

Er ei fod yn ddienw, 'cyn bod wedi darllen hanner dwsin o linellau,' addefodd Islwyn yn ysgrif goffa 1968, 'mi wyddwn mai Tegla oedd awdur fy "mhortread" i . . . A'r frawddeg allweddol oedd "Yn y weinidogaeth y mae ei le". Roedd hynny 'mhen sbel wedi imi adael y barchus arswydus, ac yn dangos gymaint ei siom 'mod i wedi gollwng cyrn yr arad.'[7] Ie, efallai. Eto, yng nghyd-destun cyfatebolrwydd y berthynas, mwy dadlennol yw sôn Tegla am Islwyn fel proffwyd – sef tadogi arno'r un priodoledd a fynnai'r gŵr iau iddo yntau – a hynny ar draul bod yn llenor. Mae chwarae mig yma: ymgais i ddiffinio'i gilydd fel y mynnent synio amdanynt eu hunain: Islwyn yn llenor yn ôl ei olygon ei hun, a Tegla'n ŵr Duw wrth natur.

Cafodd y berthynas fynegiant cyhoeddus ar ffurf dau wrth-adolygiad. Gwrthododd Tegla adolygiad confensiynol ar *Wythnos yng Nghymru Fydd* Islwyn yn Hydref 1957, gan gyfaddef wrth wneud, iddo ymgadw rhag ymdrin â'r un o weithiau ei gyfaill cyn hynny. Yr hyn a gaed ganddo yn hytrach oedd sylwadau pendant o anllenyddol:

Wedi dechrau ei darllen gwelais ei bod yn fath o nofel na all neb heddiw ei hadolygu am na ellir hynny ond gan un a fydd yn anterth ei oed olygyddol yn y flwyddyn 2033, yr amser y lleolir y nofel ynddo. Yr adeg honno y gwelir pa un a yw'n rhyfeddol o broffwydol neu'n gwbl ddisynnwyr . . . Gan hynny, gwyn ei fyd am fedru ysgrifennu ohono nofel na all neb ei hadolygu, dim ond mynegi opiniwn fel pob darllenydd arall a phob opiniwn o angenrheidrwydd yn gyfwerth, oherwydd ei sylfaen ar yr un anwybodaeth o'r dyfodol.[8]

Tra arddelai Tegla fath o berthynoldeb beirniadol, nogiodd Islwyn rhag adolygu *Y Ffordd* o waith Tegla oherwydd '[na] fyddai'n weddus i mi, am resymau personol'. Ni allai ymgadw rhag ymateb iddo, er hynny, ar lefel arall:

> Mi welais yn fuan nad llyfr i'w fwynhau mo hwn, gan ei fod yn siarad â dyn yn ei ofnau a'i bechodau. Mi welais hefyd nad llyfr i'w ddarllen ar redeg mohono, ac felly mi benderfynais ddarllen un o'r deunaw pregeth bob nos cyn cysgu. Bu hynny'n foddion gras i mi.[9]

A'r un pryd, daliai ar bob cyfle i hybu enw da llenyddol ei gyfaill. Mewn darllediad radio i ysgolion Cymru, 'Materion y Dydd', ar 11 Tachwedd 1959, ar 'Y Nofel Gymraeg', aeth ati nid yn unig i gyhoeddi mai *Gŵr Pen y Bryn* oedd y nofel Gymraeg gyntaf o werth ers dyddiau Daniel Owen, ond i hawlio statws amgenach iddi drwy ensyniad:

> Efallai na fyddai *Gŵr Pen y Bryn* chwaith ddim yn bosibl yn Gymraeg oni bai am Daniel Owen. Ond fe dorrodd Tegla Davies dir newydd. Fe sgrifennodd nofel gref am ffarmwr cefnog yn ystod Rhyfel y Degwm, a'i ymgais o fod yn fydol i fod yn dduwiol. Y peth newydd oedd hyn: darlunio cymdeithas a wnaeth Daniel Owen bob tro, ond dangos brwydr enaid un cymeriad a wnaeth Tegla Davies. Didoli un person oddi wrth y lleill, a'i ddangos yn newid bob yn dipyn o sefyllfa i sefyllfa.
>
> Dyna hefyd a wnaeth Saunders Lewis saith mlynedd yn ddiweddarach yn ei nofel *Monica*. Dyna a wnaeth Elena Puw Morgan yn *Y Graith* a'r *Wisg Sidan*. A dyna a wnaeth Kate Roberts yn *Y Byw Sy'n Cysgu*.[10]

Anghofier y feirniadaeth ddadleuol nad oes dyfnder seicolegol yn *Rhys Lewis*, er enghraifft. Amcan Islwyn oedd ensynio fod nofelau Saunders Lewis a'r lleill naill ai dan ddylanwad uniongyrchol Tegla neu, o leiaf, yn olynwyr iddo.

Effaith fwyaf ymadawiad Islwyn â Bangor yn 1963 oedd adfer y berthynas gyffesol a fodolai gynt. Un rheswm am hyn, fe ymddengys, yw fod Islwyn erbyn hynny â'i fryd ar ysgrifennu cofiant i Tegla.

Brithir y llythyrau â chyfeiriadau at erthyglau mewn cylchgronau darfodedig, â thorion o bapurau newydd, ag atgofion. Ar 22 Chwefror 1964, ysgrifennodd Tegla ato i geisio esbonio'r gwahaniaeth rhwng y derbyniad gwresog a dderbyniodd argraffiad cyntaf *Gŵr Pen y Bryn* yn 1923 a'r croeso llai brwd yn 1926. Y rheswm, barnai Tegla, oedd anerchiad '[g]ŵr ifanc o'r enw Saunders Lewis' yn Eisteddfod yr Wyddgrug yn 1923: 'Mor ysblennydd oedd ei anerchiad fel yr ymsaethodd ei roced fel beirniad llenyddol i'r entrych ar drawiad'.

Yr oedd Islwyn Ffowc Elis yn gyfarwydd, wrth reswm, â beirniadaeth ddeifiol Saunders Lewis ar 'the mildew of evangelicalism' yng ngwaith Tegla, yn 1926.[11] Yn wir, bu'n olygydd y bennod gan Tecwyn Lloyd yn y gyfrol deyrnged lle'i trafodwyd. Y datguddiad mawr yn llythyr Chwefror 1964 oedd ymateb Tegla:

> Ni theimlais fawr ar y pryd, ond mai rhydd i bob dyn ei farn. Eithr yn fuan teimlwn fod fy siariau llenyddol wedi disgyn yn eu pris i'r gwaelodion. Bob tro y cyfeirid ataf wedyn yr oedd y frawddeg 'Ond fel y dywed Mr Saunders Lewis' yn sicr o fod i mewn. Gan nad oedd gennyf ar y pryd fawr o nerth i ddim ond i'm gwaith angenrheidiol, torrais fy nghalon yn llenyddol a phenderfynais ddefnyddio fy holl adnoddau ar fy ngwaith priod o fod yn bregethwr a gweinidog yr efengyl.

Rhwng ei gyffes a'i farw dair blynedd yn ddiweddarach, ymagweddai Tegla yn llai a llai fel llenor. Ysgrifennodd at Islwyn ar 16 Ebrill 1965, yn diolch iddo am gopi o *Thema yn y Nofel Gymraeg*, gan nodi ei fod wedi ailddarllen ysgrif y gyfrol deyrnged hefyd, y tro cyntaf iddo wneud hynny er ei chyhoeddi:

> Gwelwn ynddo yntau yr un trylwyredd a gwybodaeth o grefft yr ysgrif. Dywedwch, er enghraifft, fod gennyf ddwy arddull, gan eu henwi. Nid oeddwn erioed wedi dychmygu fod y fath arddulliau'n bod, mwy na'r dyn a syfrdanwyd pan ddeallodd ei fod wedi bod yn siarad rhyddiaith ar hyd ei oes. Y cwbl a wnawn oedd gofyn 'Sut y medraf gyfleu'r syniad hwn orau?' heb ddychmygu fy mod yn defnyddio 'arddull' arbennig, ond wedi darllen yr ysgrif yr oedd y peth yn berffaith glir i mi.

Cymerodd ofal yn yr un llythyr i aildrafod ac i amodi ei dorcalon llenyddol – arwydd go glir fod Islwyn wedi gweld yn dda ei grybwyll yn y cyfamser ac wedi poeni amdano:

> Y mae'n wir fy mod wedi torri fy nghalon, ond gŵr afiach ofnadwy-denau ei waed, a'i fywyd yn y fantol a gafodd yr ergyd. Pe bawn yn iach ar y pryd y mae'n sicr y buasai pethau'n wahanol, ond ar ôl llusgo [? aneglur] byw am ddwy flynedd a hanner a gwella yr oedd llawer o'm diddordeb wedi mynd.

Yn y blynyddoedd 1964 a 1965, fel y ceir gweld, yr oedd y cysyniad o feirniadaeth a allai danseilio hunanhyder, neu hyd yn oed awydd llenyddol, yn cyffwrdd Islwyn Ffowc Elis i'r byw. Dechreuai amau ei allu ei hun erbyn hynny, neu ddechrau amau, a bod yn fwy manwl gywir, a oedd yr hinsawdd feirniadol yn ffafriol i'w waith. Wrth syllu yn nrych profiad Tegla, fe'i gwelai ei hun. Erbyn cyhoeddi'r ysgrif goffa yn 1968, yr oedd y byd wedi rhoi tro crwn. Nid rhywbeth i edrych ymlaen yn ffyddiog tuag ato oedd cydnabyddiaeth deilwng i'w gyfaill. Y gorau y gellid ei ddisgwyl oedd gwerthfawrogiad ysbeidiol ambell ddarllenydd craffach na'i gilydd a allai, fel yntau, wahaniaethu rhwng y gweinidog a'r llenor ynddo:

> Beth bynnag fydd consensws y farn lenyddol yng Nghymru ymhen canrif eto ar waith Tegla – a bwrw bod consensws o unrhyw fath yn bosibl byth mewn gwlad mor Geltaidd â hon – fe fydd yn amhosib sgrifennu hanes llenyddiaeth Gymraeg heb roi lle go helaeth iddo. A hynny am resymau eitha syml. Llenor i ddadlau'n ddiderfyn yn ei gylch yw Tegla . . .Ychydig, efallai, fydd yn barod i ddadlau mai *Gyda'r Blynyddoedd* yw hunangofiant Cymraeg gorau'r ugeinfed ganrif, ond mae *rhywun* yn mynd i ddweud hynny mewn cenhedlaeth ar ôl cenhedlaeth. Mae *rhywun* mewn to ar ôl to yn mynd i ddotio ar *Tir y Dyneddon*. Mae *rhywun* yn mynd i fwynhau *Nedw* . . .

Cofiant yn unig a allai achub cam Tegla. Ac wrth ymchwilio, a gweld nad oedd hyd yn oed adolygiad o *Gŵr Pen y Bryn* ym mhrif gyfnodolyn llenyddol y cyfnod, *Y Llenor* W. J. Gruffydd, ac wrth

ailddehongli cyfeiriadau mynych Tegla ei hun at farn beirniaid yn
Gyda'r Blynyddoedd fel ffrwyth diffyg hunanhyder rhagor hunan-dyb,
daeth Islwyn Ffowc Elis i'r casgliad nid yn unig fod beirniadaeth y brif
ffrwd am ddileu Tegla o fap llenyddol hanner cyntaf yr ugeinfed
ganrif, ond bod cynllwyn wedi bod i wneud hynny. A'r rheswm oedd
fod Tegla yn ei oes ef, megis Islwyn genhedlaeth neu ddwy yn
ddiweddarach, wedi mentro ysgrifennu i blesio cynulleidfa. Felly
darlith 1977, yn Eisteddfod Genedlaethol Wrecsam, ar gyrion henfro
Tegla ac yng ngolwg yr ardal lle y gwasanaethai'n weinidog yn ei
anterth. Mae'n ddarlith addfwyn, atgofus, faldodus mewn mannau,
efallai, ond ceir y chwip hwn o baragraff ynddi:

> Mae sawl rheswm, rwy'n siŵr, pam y llithrodd Tegla o olwg
> beirniadaeth lenyddol gyfoes. Ond mae'n rhaid imi nodi un, er
> bod hynny'n ofid imi. Rywbryd yn y dauddegau fe
> benderfynodd rhywrai, efallai dan arweiniad rhywun, fod yr
> awdur di-radd a di-ddysg hwn, a oedd yn weinidog Wesle o
> bopeth, yn llawer rhy boblogaidd ac yn cael gormod o lawer o
> god, a'i bod yn bryd rhoi taw ar y baldordd.[12]

Yr hyn a wnâi, i bob pwrpas, oedd troi cwestiwn y gyfrol deyrnged
yn 1956 ben i waered. Nid gofyn yr oedd mwyach sut un a fuasai
Tegla pe cawsai ei eni ddeugain mlynedd yn ddiweddarach; y
cwestiwn y tro hwn oedd sut dderbyniad a gawsai Islwyn Ffowc Elis
pe cawsai ei eni ddeugain mlynedd ynghynt. *Ffenestri Tua'r Gwyll* fu
ei *Gŵr Pen y Bryn* personol, ac yr oedd wedi goroesi'r profiad yn
nofelydd mwy argyhoeddedig na chynt. Erbyn diwedd y saithdegau,
a'r hyder a'i cynhaliai ugain mlynedd ynghynt wedi treio, yr oedd
ergyd y gwrthod a fu ar Tegla yn ergyd ddwbl. Os digwyddodd i
Tegla – 'awdur mwyaf toreithiog ein canrif ni', chwedl y ddarlith –
pam na ddylai ddigwydd eto?

Fe gafodd Tegla ei gofiannydd yn Huw Ethall, a gysylltodd ag
Islwyn am wybodaeth yng ngwanwyn 1975. 'Bendith arnoch chi am
eich bwriad i sgrifennu amdano,' atebodd yr olaf ar 27 Mai. 'Boed
cyfrol swmpus.'

Er gwaethaf geiriau caredig, cyhoeddedig a phreifat, Islwyn yr oedd *Tegla* Huw Ethall, pan ymddangosodd yn 1980, yn siom iddo. Tyfodd ei adolygiad yn *Y Traethodydd* yn erthygl wyth tudalen, yn draethiad estynedig ar gyfle a gollwyd, yn gofiant amgen i bob pwrpas. Am ddiffyg hyder llenyddol Tegla, dywedodd hyn:

> Yn briodol iawn, fe roddodd Mr Ethall lawer o sylw i ansicrwydd (honedig) Tegla o'i werth a'i fedr ei hun fel llenor. A'i farn ef yw fod pob mynegiant o'r ansicrwydd hwnnw mewn llythyr neu mewn llyfr yn gwbl ddidwyll. Ysgwn i? Heb iselhau dim ar Tegla, mi ddywedwn i fod ychydig bach o ffugwyleidd-dra, os nad, yn wir, beth cyfrwystra diniwed, yn ei ddatganiadau ar ei annheilyngdod llenyddol. Cymysg ydym i gyd, ac roedd y gwendid bychan hwn yn chwanegu at ei anwyldeb ef, yn dangos y plentyn ynddo.
>
> Mae'n gwbl wir, fel y dywed Mr Ethall fwy nag unwaith ac fel y dywedodd Tegla ganwaith, mai rhan o'i weinidogaeth oedd llenydda iddo ef. 'Gweinidog yr Efengyl' sydd ar garreg ei fedd ym mynwent Tregarth, a dyna hefyd, heb amheuaeth, oedd wedi'i dorri ar lech ei galon. Ond, a mynegi barn gwbl bersonol eto, rwy'n credu bod tinc hunanamddiffynnol yn y pwysleisio hwn mai gweinidog oedd ef o flaen ac uwchlaw popeth arall.
>
> . . . Yr oedd ysgrifennu'n bleser iddo: yn gymaint pleser, mae'n siŵr, â dim yn ei weinidogaeth. Yr oedd hefyd yn ollyngdod i'w rwystredigaeth a'i ddiflastodau yn ei waith pob dydd . . . Ond mae'n rhaid hefyd ei fod cyn sicred o'i alwad i sgrifennu ag o'i alwad i'r weinidogaeth.[13]

Mae'r pwyslais yn ddiddorol o wahanol i eiddo'r ddarlith bum mlynedd cyn hynny. Do, dioddefodd Tegla annhegwch ar law ei feirniaid, ac yn sicr, 'y buasai'n fwy cysurus yn rôl llenor ac wedi dibrisio llai ar ei waith llenyddol'[14] pe na bai am hynny; ond yr esboniad oedd hunan-dwyll rhagor siom. Llenor oedd Tegla, un ai a oedd yn barod i gyfaddef hynny neu beidio.

Yn 1997, mynnodd Islwyn y gair olaf. 'Gweinidog yr Efengyl' a geir ar ei garreg fedd ym mynwent Tregarth, eithr mynnai Islwyn Ffowc Elis ddiffiniad arall yn y *Bywgraffiadur*, pan naddodd y geiriau hyn: DAVIES, EDWARD TEGLA (1880-1967), gweinidog (EF) a llenor . . .'[15]

FFYNONELLAU

1 Naddion, t. 150.
2 *Edward Tegla Davies: Llenor a Phroffwyd* (Lerpwl, 1956), t. 10.
3 Ibid, t. 107.
4 Ibid, t. 106.
5 Ibid, t. 113.
6 *Baner ac Amserau Cymru*, 25 Gorffennaf 1957, t. 3.
7 'Cofio Tegla', op. cit. t. 33
8 *Y Ddraig Goch*, Hydref 1957, t. 2.
9 *Y Ddraig Goch*, Ionawr-Chwefror 1960, t. 2.
10 'Y Nofel Gymraeg', *Lleufer*, Gwanwyn 1959, t. 29.
11 Saunders Lewis, *An Introduction to Contemporary Welsh Literature*, (Wrecsam, 1926), t. 13.
12 *Dirgelwch Tegla* (Cyngor yr Eisteddfod, 1977), t. 2.
13 'Esbonio Tegla', *Y Traethodydd*, Gorffennaf 1982, tt. 135-6.
14 Ibid, t. 138.
15 E. D. Jones a Brynley F. Roberts (gol), *Y Bywgraffiadur Cymreig 1951-1970* (Llundain, 1997), t. 26.

5

'Y gwaith nefoleiddiaf'
1956-8

Gwaddol llenyddol Niwbwrch oedd *Ffenestri Tua'r Gwyll* (1955), ail nofel Islwyn a'r fwyaf dadleuol ar sawl cyfrif. Yr oedd wedi arbrofi gyda deg o deitlau eraill – *Y Tŵr Ifori* (yr enw ar glawr y llyfrau nodiadau sy'n cynnwys y drafft terfynol), *Ni Chwsg y Meirw, Y Weddw Ceridwen, Croeso Anghofrwydd, Ffenestri Gweddwon, Nyni Yw'r Ffenestri, Ffenestri mewn Tŵr Ifori , Ffenestri Tua'r Machlud, Nid Eisteddaf yn Weddw* a *Ffenestri Tua'r Angof* – cyn taro ar un a'i plesiai. Mae'n hawdd gweld ynddi ddrych o'i anesmwythyd ar y pryd, ond â ei gwreiddiau'n a'i symbyliadau'n ddyfnach na hynny. Y gwahaniaeth amlwg yn achos *Ffenestri*, rhagor *Cysgod y Cryman*, oedd i'r ail gael ei chyfansoddi yn sgil astudio nofelau unigol a chrefft y nofel yn fwy cyffredinol. Treuliodd Islwyn Ffowc Elis flwyddyn yn darllen *The Craft of Fiction* Percy Lubbock (1921), *A Treatise on the Novel* Robert Liddell (1947) a *The Writer's Point of View* o waith Somerset Maugham (1951). I'r graddau hynny, prentiswaith oedd *Ffenestri*, cynnig ar waith a gadwai hyd braich, heb ymuniaethu â'i gymeriadau. Fe'i disgrifiodd mewn llythyr at Tecwyn Lloyd ar 16 Chwefror, pan oedd 'ar ei thraeandod' fel rhywbeth 'diddorol fel arbrawf, er nad yw'n fawr mwy, rwy'n ofni, na *pastiche* o Henry James, ac amryw sgrifenwyr llai.' Fe'i câi 'yn anodd a thipyn bach yn henffasiwn' ei chynllun a theimlai y byddai angen 'ail-wampio ac ail-sgrifennu llawer arni' i'w gwneud yn eiddo iddo.[1] Mewn llythyrau eraill o'r un cyfnod, sonia am ddarllen nofelau cyfoes Saesneg a chael, er syndod iddo (a chryn foddhad, mae rhywun yn amau), nad oedd yr un ohonynt wedi dylanwadu ar ei arddull. Dyn yn profi ei ddoniau sydd yma.

Mae'r gymhariaeth ag oerni ffurfiol, deallusol Henry James yn ddadlennol, ond prin y dylid ei dehongli fel dylanwad. Ymgais sydd yn y cymharu i osod label *post hoc* ar y gwaith, neu'n syml i'w gategoreiddio er mwyn ei gyfaill heb fanylu gormod. Roedd cymhariaeth – a dylanwad – sicrach wrth law. Mae *Ffenestri*'n ymdebygu o ran cymeriadaeth onid o ran ysbryd i stori fer yn dyddio o 1950 yr oedd hyd yn oed ei hawdur wedi hen anghofio amdani pan aeth ati i restru ei weithiau llenyddol ar gyfer darllenyddiaeth ym Mhrifysgol Cymru yn 1984. Cyhoeddwyd 'Merch Caligwla (Chwedl Academaidd)' ('*March* Caligwla' oedd y teitl a fwriadwyd) yn *Yr Efrydydd* yn 1950. Stori fer, fer yw hi am griw o artistiaid a merch yn ganolbwynt iddo. Ar un wedd, mae Elveta – gyda'i gwallt llaes glasddu – yn amrywiad ar Gwylan *Cysgod*, 'yn rym nerthol, yn dân ysol, yn ysbryd anorthrech, ac yn gomiwnydd'. Ei delfrydau yw myth y Dyn Cyffredin ac ymfalchïo mewn gwrthddeallusrwydd.

Nid yw'n stori nodedig iawn: hawdd deall, yn wir, pam yr anghofiodd Islwyn Ffowc Elis amdani; ond gellir synio amdani fel rhagflaenydd i *Ffenestri* yn yr ystyr ei bod yn ceisio dychanu hunan-dyb a hygoeledd artistig. Mewn un ystyr, ymgais yw'r nofel i ymhelaethu ar yr un syniad; ar yr un pryd roedd yn wrthryfel ymwybodol yn erbyn *Cysgod* ac yn wrthbwynt creadigol iddi. Yn ei gyfweliad gyda Derec Llwyd Morgan yn 1986, dywedodd fel hyn:

> Dwi'n meddwl 'mod i wedi teimlo'r her i drio portreadu cymdeithas wahanol. Roeddwn i'n ofni ar y pryd, ac efallai'n ofni'n gywir, 'mod i'n fy nghaethiwo fy hun i un math o gymdeithas, un math o fywyd, ac yn teimlo y dylwn i roi cynnig ar bortreadu math arall. Ac wrth gwrs, roeddwn i'n cerdded y tu hwnt i 'mhrofiad fy hun wedyn ac oherwydd hynny mae'r gymdeithas honno'n ffug iawn. Ond roedd yn gyfle imi ddychanu rhyw bethau a rhyw dueddiadau roeddwn i'n tueddu i'w cymryd yn ysgafn ar y pryd.

Ie, yn rhannol. Ond diau fod ysgogiadau eraill. Erbyn 1954, roedd yr adwaith beirniadol yn erbyn *Cysgod y Cryman* yn ei anterth. Llanwyd colofnau'r *Faner* am wythnosau yn nechrau'r flwyddyn honno gan 'Y Ddadl rhwng y Ddau Fardd', sef Pennar Davies, a ddadleuai (fel y byddai Islwyn yntau maes o law) o blaid llenyddiaeth i ddiogelu'r iaith a Bobi Jones – athro ysgol ifanc yn Llanidloes ar y pryd – a fynnai fod llenyddiaeth ysgafn yn peryglu'r iaith o gyfeiriad arall. Roedd yn anochel bron y deuai'r nofel yn gocyn hitio gan yr olaf:

> [. . .] mae'n mynd yn fwyfwy anodd cyhoeddi dim byd sylweddol yn y Gymraeg oni bo o ansawdd 'poblogaidd' Y mae rhagoriaethau mawr ac amlwg yn nofel Islwyn Ffowc Elis, gŵr amryddawn ac un o'r cymeriadau noblaf yng Nghymru, ond y mae'n sicr y byddai gwerth y nofel yn fwy onibai [sic] am ei awydd am borthi'r chwant am bethau 'poblogaidd' fel plot cyffrous, serch rhwydd ac anghymhleth, saint a dyhirod [sic] a phendefigion. Yn ffodus, gallwn ddisgwyl gorchestion gan y ddawn a ddatguddir yng 'Nghysgod y Cryman', ond mae'r nofel hon yn eglureb o ddilema bresennol y nofelydd Cymraeg.²

O ddarllen *Ffenestri* yng ngoleuni rhestr beiau Bobi Jones, mae'n demtasiwn credu bod elfen o dicio blychau yn adeiladwaith yr ail nofel hon: dim plot gwerth y sôn, perthnasoedd afrwydd a chymhleth drybeilig, a chymeriadau o 'grachach anghynnes' na ellir nac ymuniaethu â hwy na'u dosbarthu'n gymdeithasegol.

Prif gymeriad y nofel yw'r wraig weddw ganol oed, gefnog, Ceridwen Morgan sydd, fel Elveta, yn feistres ar garfan o artistiaid hunanymwybodol a hunanfodlon, yn nhref glan-môr Caerwenlli. Mae Ceridwen wedi etifeddu cyfoeth ei gŵr ar yr amod na fydd yn ailbriodi. Daw ei chylch o edmygwyr – yr arlunydd hoyw, Cecil, y nofelydd Idris Jenkins, Bob Pritchard y nofelydd a'r 'neidr sanctaidd' Sirian Owen, yn gariadon dirprwyol iddi. Fe'i cynhelir gan ei chred yn ei pherthnasedd ei hun, a borthir gan weniaith ei gosgordd. Daw'r cyfan i ben gyda dyfodiad Alfan Ellis, bardd a beirniad ifanc o Gymro ail-iaith, sy'n datgelu'r ffalster, yn tanseilio'r clydwch cecrus ac yn gwthio Ceridwen dros ddibyn gwallgofrwydd. Ni allai Islwyn Ffowc Elis fod wedi llunio gwaith mwy gwrthgyferbyniol i *Cysgod y Cryman* pe buasai wedi ei hysgrifennu'n unswydd i ennill bet.

Ac roedd mwy nag awgrym o hapchwarae ynddi hefyd. Mae Islwyn wedi cyfeirio ati fel nofel i'r beirniad, ond amheuai ar ganol ei hysgrifennu a fyddai hyd yn oed y rheini'n ei gwerthfawrogi. Ar 16 Gorffennaf, mewn llythyr yn dwyn y cyfeiriad arwyddocaol 'Bodormes, Anlwc, Sir Boen', dywedodd amdani wrth Robin Williams y 'dylai werthu'n dda, ac adolygu'n gythreulig'. Ni waeth am ei gwir gynulleidfa arfaethedig, fe fethodd ar y ddau gyfrif. Mae'r rhai sy'n cofio darllen *Ffenestri* am y tro cyntaf wedi sôn am siom tebyg i hwnnw a brofai edmygwyr ffilmiau ysgafn Woody Allen, pan drodd hwnnw o hwyliogrwydd *Bananas* i fewnblygrwydd *Interiors*. Am y beirniaid, roeddynt, bron yn ddieithriad, yn oeraidd eu hymateb iddi.

Bu *Ffenestri*'n gam gwag, ac mae Islwyn yn ategu'r uniongrededd beirniadol mai enciliad oedd ei waith nesaf, *Yn Ôl i Leifior,* a ddaeth o'r wasg yn Rhagfyr 1956: 'Do, mi es i'n ôl i Leifior, i ddweud y gwir, ar garlam ulw . . . Colli hyder, siŵr o fod, a mynd yn ôl i'r byd yr oeddwn i, mae'n ymddangos, wedi llwyddo eisoes i'w droi'n nofel. Mi fuaswn i'n saff yn y fan honno.'[3] Y peth arwyddocaol amdani, fodd bynnag, oedd iddi ddod, erbyn ei chyhoeddi, yn amlygiad o ymgais i ysgrifennu yn ôl canllaw boblogaidd newydd:

> Dyna'r pryd yr wynebwyd fi gan y ddilema fawr: ai sgrifennu nofelau newydd, dwfn-sylweddol, yn arbrofi â thechneg, safbwyntiau naratif ac arddull, a fyddai hwyrach yn aberthu'r stori ac yn amcanu at roi pleser celfyddydol yn unig, ynte sgrifennu nofelau gafaelgar, darllenadwy i gadw'r nifer helaethaf o Gymry i ddarllen Cymraeg?
>
> Roedd yr amser yn brin i gadw'r Gymraeg yn fyw. (Cyfraniad at ei chadw, dybiwn i, fyddai cadw pobol i'w darllen yn ogystal â'i siarad.) Dim ond cymuned iaith boblog iawn a allai fforddio dyrnaid o nofelwyr deallusol ochr yn ochr (neu ar gefn) llu o nofelwyr poblogaidd. Roedden ni Gymry Cymraeg yn rhy ychydig o ran nifer, a phrin yr oedd y nofel boblogaidd yn bod o gwbl.
>
> Dyma'r ystyriaeth a dorrodd y ddadl yn y diwedd. Pam y bu Dickens mor aruthrol o boblogaidd yn ei ddydd, a Jane Austen a'r Chwiorydd Brontë a George Eliot, a hyd yn oed Thackeray a Trollope, a Thomas Hardy? Ni fu erioed nofelwyr mwy sylweddol, yn rhoi mwy o bleser llenyddol diledryw, ac eto

roedd miloedd lawer o ddarllenwyr digon di-ddysg wedi'u mwynhau, am eu bod yn adrodd stori'n fedrus a'u cymeriadau mor ddiddorol fyw. Siawns na allai nofelydd Cymraeg, hyd yn oed yn yr heddiw dyrys hwn, roi pleser ar fwy nag un lefel.[4]

Ar 26 Medi 1956 ymsefydlodd Islwyn ac Eirlys yn 'Irfon', 8 Gordon Terrace, Ffordd Garth ym Mangor, ac Islwyn yn ymhyfrydu yn yr ansicrwydd a'r her o ennill ei damaid trwy ei lafur ei hun. 'Yr ydym yn cartrefu'n dda yma,' ysgrifennodd at Tecwyn Lloyd ar 6 Hydref:

Mae'n anhraethol braf wedi cael cefnu ar y bagad gofalon a'r Gyfundeboliaeth gyson a straen ddyddiol gwrando ar fân gwynion a mympwyon pobl y byddai crefydd dotem yn golygu mwy iddynt nag a olygodd yr Efengyl Fawr erioed. Mae'n fendigedig yma'n wir, a theimlaf eisoes fod egnïon newydd yn cael eu meirioli ynof wedi heth hir, yn barod at waith.

Daeth 'Letter of Release' coeglyd a thystlythyr Goonaidd, di-ddyddiad oddi wrth Robin Williams fel yr wynebai Islwyn y bennod newydd hon yn ei fywyd:

To who it is concerns:
   I have known Mr Pyffi Ellis for over 84 years and I can testify to his grate and outsize abiliti.
   He has make a ba & a bd in the college of University of UCNW at Bangor in North Wales. He was a prodigious worker! And a very readable young men. I thingk he will do you an axtraordry assistant if it is assisdant you want.
   I think personally that Mr Ellis has a lot to say to literature. He has wrotten a book or two by nowadays, Viz. 'Cyn Oeri'r Cryman' and i *think* he make a nother one, but hasden to say that I am not siure; but I heard someone say something about 'Cysgod y Gwyll' which i thingk is a book about Poieitry. Mr Ellis is a very onest boy add man, and can be relied on to do a day's work. The day always begins 10 or 11 am every morning. He won a chair and a crown and a medals for many things years before now. He also brings out a book bobnail Xmas. I think his book is very honest and not steal a book.

He is sobr and illustrious and very ffat. He has been to United Theological Colleges on the Prom at Aberystwyth, and I can truthully say that he was happier there than what he has been thereafter. He made a bd there!

He is like a Bird for song, and he has produced over 2? million songs to the bbc. He has made about 50 sermons serving in Llanfair and Niuberg. He is a Welsh Nationalus, and would definitely have been MP if anyone has asked him to go.

He is a traveller too. To Ffraince and Cafenoir and to Berlingen and Toileries and Montpellaf and Etoiles. He has speaking terms of Ffrens, Jerman, Englis, Wels, Groeik, Rusin and a shattering of Ladin and Hebraeke, because I have heard him.

He is very onest and Kindenhearten, but he does not hear very well and is not with us all the time, especially if he is supposed to be there on time.

I heartily recommend him for anything.

'Ar wahân i ddyddiau coleg,' meddai Islwyn am y cyfnod rhwng hynny ac 1963, 'dyna saith mlynedd ddifyrraf fy mywyd, ac roedd y teulu a finnau'n ddigon cysurus ein byd.'[5] Ar gais y golygydd, Eirwyn Morgan, ailgydiodd mewn colofn reolaidd i'r *Ddraig Goch*: dyddiadur dan ei enw ei hun y tro hwn, a gychwynnodd gyda rhifyn Ionawr-Chwefror 1957. Mae'r cofnodion cynnar, am ei wythnosau cyntaf ym Mangor, yn cynnig portread o ddyn ar frys, yn mynychu pwyllgorau, yn annerch cymdeithasau, yn clytio bywoliaeth llenor. Ar fore'r Nadolig 1956 cerddodd drwy'r eira i wasanaeth undebol dan nawdd Cyngor Eglwysi Rhyddion y ddinas i wrando ar y Prifathro J. Williams Hughes yn pregethu ar Mathew 2:12, lle rhybuddir y tri doethion mewn breuddwyd i ddychwelyd adref ar hyd ffordd arall. 'Ein hannog ninnau,' ysgrifennodd Islwyn am y bregeth, 'i gerdded yn y flwyddyn newydd, wedi'n hail-gyfeirio, ar hyd ffordd arall, amgenach na'r ffordd a droediodd ein traed yn 1956.'[6]

Roedd yn rhywbeth y llawn fwriadai ei wneud. Cafodd waith i gychwyn yn diwtor gyda Chymdeithas Addysg y Gweithwyr, yn dysgu 'Llenyddiaeth Gymraeg Ddiweddar' yn y Garreg-lefn, Môn, a rhwng arholi sgriptiau Cymraeg Lefel O i Gymdeithas Frenhinol y Celfyddydau a llu o ddarlithoedd achlysurol (rhestrodd 'Religion and

Poetry in Wales Today', 'Y Beirdd a Chrefydd', 'Merched yng Ngwaith Kate Roberts' a 'Rhyddiaith T.H. Parry-Williams' ymhlith pedwar ar ddeg o destunau, ar ben darlithoedd ar lyfrau gosod yn ei gais am y ddarllenyddiaeth), roedd ganddo ddigon i'w gadw'n brysur.

Yn y llythyr at Tecwyn Lloyd ar 6 Hydref, y dyfynnwyd ohono eisoes, o fewn pythefnos wedi iddo symud i Fangor, soniodd Islwyn ei fod 'bron â gorffen' y gwaith a alwai ar y pryd yn 'ail gyfrol *Cysgod y Cryman*':

> *Potboiler* ydyw, er bod ei hanner olaf yn well na'r hanner cyntaf, wedi'i sgrifennu yng nghanol prysurseb mudo ac ymddatod o Niwbwrch ac mewn iechyd heb fod yn rhy dda. Pe bawn yn artist diledryw ni fyddwn wedi'i sgrifennu, mae'n debyg, ond yr oedd £200 o royalties at y gwanwyn yn ormod o demtasiwn i ddyn heb swydd!

Bu 1956 'yn wych o Nadolig llenyddol': treuliodd y gwyliau yn Irfon yn darllen Y *Byw Sy'n Cysgu* Kate Roberts, cofiant David Thomas i Silyn Roberts, *Tros y Tresi* Huw T. Edwards, *Diogel y Daw* Meurig Walters, *Yr Etifeddion* W. Leslie Richards a *Dail Pren* Waldo. Ar 7 Ionawr 1957, gwelodd ei drydedd nofel, *Yn Ôl i Leifior*, ar y farchnad. Synnai fod y wefr a deimlai bum mlynedd ynghynt wrth weld *Cyn Oeri'r Gwaed* wedi cilio; ond nid felly'r boddhad:

> Teimlaf yn awr fel saer wedi gorffen dodrefnyn. Ni bydd yn plesio pawb, ond mynned a'i mynno a darllened a'i darlleno. Ni allaf fi mo'i wella bellach. Fy ofn mawr yn awr yw i'r ffrwd sychu ac i'm hegni flino, ac i mi ddiflasu ar hwn, y gwaith nefoleiddiaf i mi o bob gwaith. Mi garwn sgrifennu nofel am Moses ac am Lywelyn y Llyw Olaf ac am Williams Pantycelyn. Ac ar y llaw arall, y mae Cymru heddiw'n llawn o destunau. Gobeithio y caf ddal ati.[7]

Camgymeriad fyddai synhwyro ofn gwirioneddol am sychder creadigol rhagor y gofid dealladwy hwnnw a deimla'r pêl-droediwr yn anterth ei allu y bydd yn torri ei goes neu'r actor na fydd ei nerf yn dal ar y llwyfan. Os rhywbeth, y pryder erbyn dechrau ei flwyddyn gyntaf y tu allan i'r weinidogaeth oedd penderfynu sut orau i gyfeirio ei ddawn a'i frwdfrydedd. Nid diffyg asbri oedd y bwgan ond diffyg amser. Cynyddai'r galwadau arno drwy gydol 1957: y gŵr gwadd yng Nghinio Gŵyl Dewi'r Blaid yn y Bala; annerch cyfarfod ym Mhen-y-groes dan nawdd y Cyngor Eglwysi Efengylaidd a chyngor lleol Cymdeithas y Cymod ar 27 Mawrth; sefydlu Cymdeithas Lyfrau Cymraeg Sir Gaernarfon dridiau'n ddiweddarach; beirniadu ysgrifau 'Cyfraniad Dyffryn Ceiriog i Lenyddiaeth Cymru' yn Eisteddfod Daleithiol Powys ar 5 Mai; Pwyllgor Gwaith y Blaid ar 22 Mehefin; Pwyllgor Gwaith Cymdeithas Lyfrau Môn ar 2 Gorffennaf, lle cytunodd Islwyn i fod yn ysgrifennydd; ac ail-lansio cangen yr Urdd ym Mangor.

Ailgydiodd hefyd yn ei waith radio, yn 'darlledu'n fynych ac yn sgrifennu sgriptiau wrth y filltir ac yn cael pyliau o gynhyrchu rhaglenni'. Mwy na phwl hefyd. Treuliodd dri chyfnod fel cynhyrchydd dros dro gyda'r BBC ym Mangor, gan gynnwys saith mis yn 1957-8 – ar wahoddiad Sam Jones – yn llenwi esgidiau Dyfnallt Morgan fel cynhyrchydd sgyrsiau, pan oedd hwnnw'n derbyn triniaeth mewn ysbyty yn Lerpwl. Cynhyrchodd gyfresi *Llais y Llenor* a *Cymry Oddi Cartref*; ac yn Saesneg, *Short Story* a *Mirror*.[8] Un diwrnod, ar gais Gwasanaeth Byd y BBC, cynhaliodd gyfweliad byr ond cofiadwy gyda Bertrand Russell pan oedd hwnnw'n aros ym Mhortmeirion.[9]

Cenhedlwyd *Yn Ôl i Leifior* yn anobaith Niwbwrch, ond esgorwyd arni ym mwstwr Bangor. Ymdeimlai Dyddgu Owen â'r asbri ynddi, wrth ddiolch am gopi anrheg mewn llythyr diddyddiad, tua chanol 1957, yn ôl tystiolaeth fewnol:

> Fe wyddwn i eich bod yn hapus, Islwyn. Y mae yna ryw ddiniweidrwydd annwyl yn *Lleifior* – o fethu dod o hyd i air gwell – *innocence*, neu hwyrach, oleuni, sy'n mynnu gwthio drwodd – rhyw benedictus, rhyw iechyd am ichi wneud yr hyn [yr] oedd Duw am ichi wneud.

Yn sicr, mae hi'n nofel ddiogelach ei thechneg na *Cysgod y Cryman*, ac ehangach ei gorwelion storïol. Ei thema gelfyddydol gynhaliol yw cyfiawnhad trwy ddioddefaint. Achubir Greta o briodas anhapus a phrofedigaeth hunanddinistriol gan Karl a Chymreictod; arbedir Harri gan gariad ei wraig a sythwelediad ysbrydol y gweinidog ifanc, Gareth Evans. Dyma ei nofel fwyaf uniongred Anghydffurfiol hefyd. Mae'r diweddglo hapus yn gymaint amlygiad o chwarae teg cosmig ag o awydd yr awdur am gydbwysedd storïol. Nofel yw hi am gymod. Y 'methiant mwyaf' ynddi, yng ngolwg ei hawdur mewn llythyr at Tecwyn Lloyd ar 24 Ionawr 1957, oedd yr ymdriniaeth â Paul Rushmere, gŵr di-serch Greta. Teimlai iddo fethu ag ennyn unrhyw gydymdeimlad posibl drwy edrych ar y briodas drwy ei lygaid ef. Problem dechnegol oedd hi a oedd wedi gwyro neges foesol y gwaith:

> Dechreuais yn *Cysgod y Cryman* roi pob sgwrs yn Saesneg, a theimlwn fod yn rhaid imi barhau'r ddyfais yn hon er mwyn cysondeb. Felly, byddai llawer o Paul yn golygu llawer o Saesneg, ac ni allwn fentro hynny. Y canlyniad oedd . . . fod Paul – yn anhaeddiannol – wedi'i adael yn *villain of the piece*, heb gyfle i'w amddiffyn ei hun.

'Man gwan' arall oedd troedigaeth Harri. 'Mae'n gwbwl bosibl, wrth gwrs,' addefodd, 'ond dyna'r cyfan y gellir ei ddweud amdani.'

Mae nofelau Lleifior yn meddu, rhyngddynt, ar gyflawnder moesol a chelfyddydol comedi Shakespeareaidd. Esgorodd y ddwy ar yr egwyddorion a liwiai ei ffuglen o hynny allan: nid oes gan neb hawl ddiymwad i fod yn hapus; rhaid cydnabod gwendidau os am eu datrys; peth iach (a iachusol) yw dogn o ddioddef.

Caed croeso gan yr adolygwyr. Llawenhâi Iorwerth Jones, yn *Y Dysgedydd*, lle'r oedd Islwyn wedi cyhoeddi ei gyfres o ysgrifau cwynfanus ddwy flynedd ynghynt, fod yr awdur wedi cael dilyn ei briod yrfa:

> Y mae'r awdur yn bropagandydd, ond mae ei bropaganda'n deg ac yn gaeth i'w gelfyddyd bob amser . . . Yn ei ddynoliaeth fawr, radlon, gynnes ac adeiladol y mae'n rhagori ar W.J. Gruffydd, Saunders Lewis, Tegla Davies a Kate Roberts: ni cheir ynddo mo'r chwerwedd hwnnw sy'n amharu ar waith y cewri hynny.[10]

Hunanfeirniadaeth yn deillio o hunanhyder ac nid hunandosturi, felly, oedd ei ysgrif ar *Ffenestri tua'r Gwyll*, 'Fy Nofel Aflwyddiannus' yn *Lleufer* yn haf 1957, ar gais y golygydd, David Thomas. Mae blas ysgrifau'r *Drysorfa* arni: yr un agoriad trawiadol, y syrthio ar ei fai, yr ymresymu a'r tro yn y gynffon, ond gyda hyn o wahaniaeth: yn ysgrifau 1955, ceisiai gyfiawnhau cefnu ar alwedigaeth anghydnaws; yn hon, roedd yn amddiffyn galwedigaeth newydd, yn ymladd am ei einioes lenyddol:

> Y mae priffordd y nofel Gymraeg yn frith gan gyrff nofelwyr a laddwyd gan adolygwyr angharedig. Mae hynny'n drueni ac yn golled i genedl mor fechan â'n cenedl ni.[11]

Ceir dwy eironi yma. Y gyntaf yw fod yr ysgrif drwyddi'n ymosodiad ymhlyg ar y meddylfryd a greodd yr union waith y ceisiai ei amddiffyn; a'r ail yw mai effaith y lladd ar ei ail nofel oedd ychwanegu rhywbeth allweddol at ei hunanymwybyddiaeth lenyddol: roedd am arddel y briodoledd 'poblogaidd'. *Ffenestri* – neu'n hytrach ei gynnig i'w hegluro – a'i trodd yn llenor gwleidyddol yn ystyr ehangaf y gair. Rhan o symbyliad gwreiddiol *Cysgod y Cryman* oedd profi iddo'i hun y gallai ysgrifennu. Erbyn 1957 – trwy wydr ei *Ffenestri* ac yn sgil y daith *Yn Ôl i Leifior* – cawsai'r weithred o ysgrifennu, hithau, ei gweddnewid yn act boliticaidd. Roedd y feirniadaeth ddamniol ar ei ail nofel o sawl tu wedi argyhoeddi ei hawdur mai hybu'r iaith oedd y gwaith y galwyd ef iddo:

> Mae'n debyg fod fy ail nofel i, *Ffenestri Tua'r Gwyll*, wedi'i hadolygu mor anffafriol ag unrhyw nofel Gymraeg a gyhoeddwyd. Ond yr wyf am barhau i sgrifennu nofelau tra caffwyf fyw a thra pery'r ysfa. Yr wyf yn ddigon bodlon i feirniaid yfory fy ngosod ar waelod y pedwerydd dosbarth, a bwrw y byddant yn sôn am fy enw o gwbl. Ond tra pery argyfwng presennol y nofel Gymraeg a thra phery nofelwyr Cymraeg mor brin, yr wyf yn sicr mai fy nyletswydd i yw parhau i sgrifennu nofelau. Gwyn fyd na allwn berswadio fy nghyd-nofelwyr llai hunanhyderus i edrych ar eu dyletswydd yn yr un goleuni.

Er nad yw'n ymgadw rhag edrych ar *Ffenestri* mor wrthrychol ag y gellir gan ei hawdur ei hun, camp Islwyn Ffowc Elis yn 'Fy Nofel Aflwyddiannus' oedd tynnu sylw oddi ar y cynnyrch at y cymhelliad, neu'n hytrach lwyddo i gyfiawnhau nofel a fethai yn ei bwriad trwy dadogi amcan arall arni. Daeth *Ffenestri* yn batrwm o'r math o nofel y gallai Cymru fforddio bod hebddi. Y gair allweddol uchod yw 'dyletswydd': roedd am ysgrifennu *dros* Gymru.

Ymhelaethodd ar yr un pwnc yn rhifyn cyntaf y cyfnodolyn byrhoedlog hwnnw, *Yr Arloeswr*, ar wahoddiad y golygyddion, R. Gerallt Jones a Bedwyr Lewis Jones, yn haf 1957. Ei thema oedd y gwahaniaeth rhwng 'y "Nofel Fawr" y mae'r megalomania Cymreig yn cyson udo amdani' a'r 'nofel gyffredin' y mae angen amdani wrth y degau:

> Dalied Cymru ati i gynhyrchu ac i ddarganfod 'y nofel orau yn Gymraeg', 'y nofel fwyaf yn yr iaith', 'y nofel gystal a gwell na Daniel Owen', a phob bendith arni. Y mae f'apêl i at y nifer sylweddol sydd o sgrifenwyr Cymraeg â deunydd nofelwyr darllenadwy ynddynt. Yr wyf yn argyhoeddedig eu bod . . .
>
> Mi ddywedwn ar antur fod o ddwsin i bymtheg o bobol yng Nghymru heddiw, a mwy na'u hanner o dan ddeg ar hugain oed, a fedrai sgrifennu nofelau digon cymeradwy. Y mae'r dalent yna. Y peth sydd ar ôl yw'r grefft. Y mae'n rhaid meistroli crefft sgrifennu nofel nad yw'n ddim ond darllenadwy. Mae cymaint o angen crefftwr i wneud bwrdd biliard ar gyfer tafarn ag i wneud cwpwrdd arddangos ar gyfer amgueddfa.[12]

Pan gafodd Islwyn Ffowc Elis ei hun, ar ddamwain bron, yn lladmerydd ymgyrch, cymhwysodd y grefft a ddysgasai at frwydr ehangach. Mae ysgrif *Yr Arloeswr* yn rhestru hanfodion gwahanol iawn i'r rhai a bennodd gyfeiriad *Ffenestri* – a bron yr union rai a enynnodd wg Bobi Jones. Mae Islwyn yn neilltuo paragraff i bob un: stori, dilyniant digwyddiadau, prif gymeriad hoffus ('Hynny yw, fe ddylai siarad a meddwl ac ymddwyn mewn ffordd nad yw'n tramgwyddo'r darllenwyr ar bob tudalen') a ieithwedd hygyrch. Terfynodd gyda'r peth agosaf at faniffesto a ysgrifennodd erioed:

Y mae llenyddiaeth yn amal yn fwy pan yw'n llawforwyn na phan yw'n feistres. Yr adeg honno mae ganddi wyleidd-dra, ac ymgysegriad, ac mae'n ennill anfarwoldeb iddi'i hun wrth hawlio anfarwoldeb i'w neges. I lenor sy'n ymwybodol ddefnyddio'i ddawn i hyrwyddo'i grefydd, neu'i genedlaeth-oldeb, neu'i ddyneiddiaeth, ni wna dim ond y gorau y tro. Am hynny, gall y peth a sgrifennodd fyw wedi i'r peth y sgrifennodd amdano farw.[13]

Olynwyd *Yn Ôl i Leifior* gan *Wythnos yng Nghymru Fydd* (1957), propaganda yr un mor ddigyfaddawd yn ei ffordd ei hun ag ysgrif *Yr Arloeswr*. Fe'i cyhoeddwyd yn wreiddiol gan Blaid Cymru gyda'r bwriad o lenwi ei choffrau ac fe'i cyflwynwyd 'I'r Dr Gwynfor Evans â'r edmygedd mwyaf'. Adroddir ynddi hanes Ifan Powel a'i ddwy daith i 2033, i ddau ddyfodol gwrthgyferbyniol, y naill yn ddelfryd o Gymru lân, waraidd, a'r llall yn 'Western England' hunllefus.

Mae Islwyn Ffowc Elis wedi wfftio ei greadigaeth ei hun ar goedd fwy nag unwaith, gan ei galw'n anffit i'w hystyried fel llenyddiaeth, a'i chategoreiddio'n 'stori' rhagor nofel. Yr oedd yn ddibris ohoni hyd yn oed wrth ei llunio, gan ysgrifennu, 'yn gyfrinachol' at Tecwyn Lloyd ar 11 Mawrth 1957, i'w hysbysu ei fod yn cyfansoddi 'nofel fer am Gymru ddychmygol y dyfodol â'r elw i fynd i'r Blaid os bydd elw. A hi yw'r peth cochaf yr wyf wedi'i wneud ers blynyddoedd, ar wahân i ambell sgript radio.'

'Nofel fer' a chwyddodd oherwydd gofynion y ddwy weledigaeth gymdeithasol hollgynhwysol. Nid oes gwadu trylwyredd y darluniau, sy'n dweud cryn lawer am y cymysgedd o uniongrededd, chwiwiau personol a dychymyg ehedog yng ngwladgarwch yr awdur. Mae'r Gymru gyntaf i Ifan ymweld â hi yn iwtopia ar lun Deg Pwynt Polisi'r Blaid union gan mlynedd cyn hynny yn 1933. Fe'i caiff yn wlad rydd, Gristnogol, ddemocrataidd a chwbl ddwyieithog. Mae Cymru yn chwarae ei rhan lawn fel aelod o wladwriaethau Ewrop heddychol. Ceir stamp Islwynaidd bendant ar ei chynsail economaidd o unedau cydweithredol a chyfundrefn drethi raddoledig sy'n cadw monopolïau dan reolaeth. Mae hi hefyd yn wlad sy'n parchu cwrteisi hen-ffasiwn, syberwyd Mabinogaidd, lle ceir chwarelwyr Bethesda yn tynnu eu hetiau i fenwyod. Mae'r ail Gymru'n fwy digalon, yn erwin felly, ond mae'r stori'n well am fod rhywbeth o leiaf yn *digwydd* ynddi, ac mae'r diweddglo, lle cyferfydd Ifan â hen wraig ffwndrus yn y Bala, a gweld â'i lygaid ei hun farw'r iaith Gymraeg ar ei gwefusau, wedi ennill statws myth cenedlaethol.

A barnu wrth ei ddyddiaduron cyfamserol yn *Y Ddraig Goch* adeg ysgrifennu *Wythnos* drwy ail hanner 1956 a hanner cyntaf 1957, mae'r ddwy Gymru'n ddrych go deg o ddeuoliaeth meddylfryd Islwyn ei hun. Yng nghofnod 14 Rhagfyr, er enghraifft, fe'i ceir yn rhagweld deng mlynedd ddi-dor o gyni economaidd, 'hynny yw tan y trydydd rhyfel byd'. Ddeufis yn ddiweddarach, ar 26 Chwefror, yn dilyn ymweliad ag adfail Mynhadlog ym Mhen Llŷn, mynn fod Cymru, hithau, fel murddun 'a blodau'r gwanwyn newydd yn ciledrych yn swil drwy'r mieri – yr enwau Cymraeg ar strydoedd Pwllheli, dwy fil o aelodau'r Cymdeithasau Llyfrau Cymraeg, tri chan aelod newydd y Blaid yn Sir Gaerfyrddin, yr Ysgolion Cymraeg . . .'. Mae'n rhestr arwyddocaol, sy'n mynd â ni at graidd y diffyg argyhoeddiad yn *Wythnos yng Nghymru Fydd* a'i phortreadau cyflawn, cymesur, gorffenedig – a mawreddog. Nid oes le ynddynt, nac yn y rhaniad moel rhyngddynt, i'r hyn a wnâi genedlaetholdeb yn beth diddorol i Islwyn: cydchwarae'r diobaith a'r gobeithiol; mân fuddugoliaethau yn wyneb posibilrwydd diddymdra. Yn wir, bychander oedd nod amgen 'grym moesol' Cymru iddo, chwedl yntau yn rhifyn Gorffennaf 1957 o'r *Ddraig Goch*: '. . . mae'n rhaid i genhedloedd bach fyw, nid yn unig am mai cenhedloedd ydynt ond am fod pob cenedl fach yn Gymdeithas er Diogelu Callineb a Chymdogaeth Dda.' Os yw Cymru berffaith y stori'n llawn delfrydau, mae hi'n brin drybeilig o'r gynneddf gymdogol.

Ymgynigia rheswm arall am y diffyg argyhoeddiad gwaelodol. Gyrrodd yr awdur gopi o'r deipysgrif at Gwynfor Evans ei hun ar 23 Mai, drannoeth ei chwblhau, gan ysgrifennu llythyr i ganlyn y parsel ddiwrnod yn ddiweddarach. 'Fe welwch mai tipyn o gymysgedd ydyw,' cyfaddefodd am y llyfr: 'tipyn o serch, tipyn o antur, tipyn o broffwydo gwleidyddol.' Nod ei gais, er hynny, oedd gofyn i Lywydd y Blaid gymeradwyo'r cynnwys rhagor sylwi ar y strwythur a'r plot:

Hoffwn ichwi nodi'n bendant y rhannau hynny o'r llyfr a
fyddai, yn eich tyb chwi yn niweidiol mewn unrhyw fodd i'r
argraff orau ar bolisi'r Blaid. Nid wyf yn dweud yn eglur yn y
llyfr mai polisi'r Blaid a ddarlunnir yn y darlun o Gymru Rydd,
ond dyna oedd fy amcan i . . . Os teimlwch fod unrhyw beth yn
rhy eithafol, neu'n rhy amrwd, neu'n rhy ffôl, fe wnewch
gymwynas – nid yn unig â mi – ond â'r amcan y tu ôl i'r stori,
wrth ddweud wrthyf.

Yr oedd dau amcan i'r llyfr, meddai Islwyn yn yr un llythyr. Y
cyntaf oedd 'ei werthu'. Byddai gwerthiant o 5,000 – sef nifer y copïau
o *Yn Ôl i Leifior* a werthwyd hyd hynny – yn dod ag elw o £300 i'r
Blaid. Am yr un rheswm, ac er bod Islwyn 'yn ffynnu ar adolygiadau,
caredig ac fel arall,' roedd yn bwysig na ddylai fod adolygiadau arno:
'Fe'i dernid ar unwaith fel propaganda gan unrhyw adolygydd
digydymdeimlad.' Fel y gwelwyd, yr unig un i gael cynnig
ysgrifennu adolygiad – a hwnnw ar gais yr awdur ac yng
nghylchgrawn y blaid yr ysgrifennwyd y gwaith ar ei chyfer – oedd
Tegla. Yr ail amcan oedd ennill darllenwyr o'r tu allan i'r Blaid 'i
deimlo'n garedicach tuag at y syniad o Gymru Rydd.' Pwysig felly
oedd peidio â gorliwio. 'Bûm yn lled ofalus i beidio â gwneud y
Gymru Rydd yn berffaith. Os rhoddais gam gwag wrth awgrymu
hynny, da chwi, cofiwch ddweud.' Gan fod y gwaith i gyrraedd yr
argraffwyr erbyn 1 Mehefin, byddai'n anodd ymgorffori mân
newidiadau, ond yr oedd perffaith groeso i Gwynfor ddileu
'tudalennau cyfan' oes oeddynt yn tramgwyddo.

Mae'r llythyr yn ymarfer mewn ymwadiad llenyddol sy'n egluro'n
rhannol amharodrwydd Islwyn Ffowc Elis i arddel y gwaith wedi
hynny a'i hwyrfrydigrwydd, a rhoi'r peth ar ei ysgafnaf, i'w drafod.
Dengys hefyd ei awydd i fod yn uniongred ar faterion Pleidiol. Lawn
cyn bwysiced, mae'n cynnig cip cynnar, hefyd, ar natur y berthynas a
ddatblygai rhwng y ddeuddyn. Ceir enghraifft mor gynnar ag 1
Chwefror 1958, yn sgil ethol Gwynfor yn aelod o Gyngor Darlledu
Cymru, o Islwyn yn llunio memorandwm ar y pwnc i'w gyfaill, gan
gynnig sylwadau lled gyfrinachol iddo ar drefniadaeth a chyllid y
BBC ac yn awgrymu gwrth-ddadleuon i 'fwganod' prinder arian,

prinder doniau a phroblemau technegol darlledu yn Gymraeg. Ddeng mlynedd yn ddiweddarach, a Gwynfor yn Aelod Seneddol cyntaf y Blaid – gyda diolch nid bychan i weithgarwch Islwyn, fel y ceir gweld – sail y cyfeillgarwch a'r ymddiriedaeth rhyngddynt fyddai parch y llenor at ddyfalbarhad a gweledigaeth y gwleidydd, ac edmygedd y gwleidydd o ddawn y llenor i drosi'r weledigaeth honno'n frawddegau a pharagraffau cyfewin.

Daeth 1957 i ben gyda siom byrhoedlog. Ym mis Tachwedd, cynigiodd am swydd golygydd *Y Goleuad*, ond methodd. Ysgrifennodd Robin Williams lythyr hir a hwyliog ato ar y trydydd ar hugain, yn edliw iddo mai'r pum punt yr wythnos o dâl, rhagor y gwrthod gan ei enwad, a oedd wedi ei frifo ac yn gwneud yn ysgafn o addaster Islwyn i swydd beiriannol yn ysgrifennu adroddiadau ar 'Gyfarfod Cenhadol Chwiorydd Dosbarth Dyffryn Clwyd':

> Islwyn annwyl – dos yn ôl i Leifior i wneud llyfrau, ac achub Gymru a llawer enaid y ffordd yr wyt arni eisoes.

Ar ddiwedd y llythyr, ym mlwyddyn menter Yuri Gagarin i'r gofod, tynnodd lun roced yn dwyn yr arwyddair 'EGLWYS BRESPUTNIKAIDD CYMRU' a llaw yn dal matsien i'w thanio.

Yn iawn rhannol am y golled, ym mis Ebrill 1958, ymgymerodd Islwyn â cholofn wythnosol i'r *Cymro* ar y maes llafur Beiblaidd, yn olynydd i'w hen brifathro yn Aberystwyth, G.A. Edwards. Y testun a osodwyd i awdur *Wythnos yng Nghymru Fydd* oedd Proffwydi'r Hen Destament. Gallai edrych ar ei broffwydoliaeth yntau am ddyfodol y Cyfundeb yn wrthrychol erbyn haf 1958. Ar 18 Mehefin, ysgrifennodd at W. Llewelyn Williams, ar ddiwedd cyfnod hwnnw yng nghadair olygyddol *Y Drysorfa*, a gwneud sylwadau ar erthyglau ymfflamychol dechrau'r degawd mai 'dyna oedd fy nghomisiwn'.[14] Yr oedd neges i'r ddwy ochr ynddynt: '. . . nid yw dyn yn deilwng oni all oddef a bod yn faddeugar.' Daethai ei gyfraniadau i'r wasg enwadol i ben: 'Y mae gennyf gynulleidfa, ac yr wyf yn fwy na bodlon arni.'

A rhaid oedd porthi'r gynulleidfa honno. Prif weithgarwch y flwyddyn oedd ysgrifennu *Blas y Cynfyd* yn gyfres radio, cyn ei haddasu'n nofel, ar awgrym Wilbert Lloyd-Roberts, y cynhyrchydd dramâu a rhaglenni nodwedd. Fe'i cyhoeddwyd ym mis Rhagfyr, a'i chyflwyno i rieni Eirlys 'a roes eu merch imi'n wraig ynghyd â llawer caredigrwydd arall'. Roedd y ddau'n byw dan yr un to â'u merch a'u mab-yng-nghyfraith yn Irfon er 1956.

O safbwynt technegol, buasai'n well gan yr awdur fod wedi gweithio o'r nofel at y cyfaddasiad yn hytrach na fel arall, ac mae hynny i'w weld yn y penodau rheolaidd eu hyd a'r plot episodig. Fodd bynnag, nid yw'n ormodiaith ei ystyried y gwaith rhwyddaf a mwyaf gorffenedig i Islwyn ei gynhyrchu. Mae'r nofel, o leiaf, yn dangos Islwyn Ffowc Elis yn gwneud yr hyn a wna orau: adrodd stori afaelgar gan ei hydreiddio ag arwyddocâd ehangach. Y nofel hon yw ei faniffesto.

Er bod blas Maldwynaidd nofelau Lleifior arni, gellir ei dehongli ar yr un pryd yn nilyniant iwtopaidd/dystopaidd *Wythnos* ac fel rhagarweiniad i rywbeth mwy ei faint a mwy anturus ei ysbryd. Daw teitl y gwaith o delyneg Robert Williams Parry, 'Eifionydd', ond mae'r benthyciad yn lled-eironig. Ymgais yw hi i droi gwerthoedd *Cysgod* ben i waered drwy wneud Cymro oddi cartref, Elwyn Prydderch, yn ganolbwynt ac yn ddrych. Mae ugain mlynedd o alltudiaeth yn Llundain wedi taflu cwmwl euraid dros atgofion Elwyn am ei blentyndod. Ac yntau ar fin dioddef chwalfa nerfol, â ar fis o wyliau i Gwm Bedw, yn ffyddiog y bydd treulio cyfnod yn ei hen fro yn ei adfer. Dychwel yno i ddarganfod byd sydd wedi mynd yn baradocs 'dieithrwch anesboniadwy hen gynefindra'. Daw ei daith yn fenter i'w le yn y byd.

Peiriant y nofel yw dirgelwch arall yng ngorffennol Elwyn. Pam y gadawodd ei dad Gwm Bedw am Loegr? Mae stori trais, brad, cenfigen, twyll ac eiddigedd yn ymrolio, wedi ei chydblethu ag atyniad Elwyn at Llinos, merch dihiryn y nofel, Wil Bowen. Eithr dyfais yw'r plot i drafod pwnc a oedd, erbyn diwedd y pumdegau, wedi gafael yn ddyfnach.

Buasai nofelydd llai amyneddgar, efallai, wedi bedyddio'r gwaith yn *Anwireddau'r Tadau*. Mae'r teitl a ddewiswyd yn hoelio sylw'r darllenydd ar ddimensiwn cymdeithasol y gwaith, oherwydd yr hyn a bwythir i'r traethiad yw ymdriniaeth estynedig â'r ffin annelwig rhwng perthyn a pheidio â pherthyn – i deulu a thylwyth, i genedl a gorffennol. Yn yr wythfed bennod, sy'n rhoi ei theitl i'r nofel gyfan, caiff Elwyn wers gan yr hynafgwr Caleb Morris ar y cysylltiad rhwng cydlyniad cymdeithasol a lles meddyliol:

'Wyddoch chi pam mae niwrosis mor gyffredin? . . . Mae unigolyddiaeth, oedd yn ymddangos yn beth mor dda i ni bedwar ugain mlynedd yn ôl, wedi mynd yn rhemp. Wedi rhedeg yn wyllt. Mae dyn wedi'i dorri'i hun oddi wrth 'i gymydog, ac oddi wrth 'i wreiddiau. Mae'n debyg na fyddwch chi'n meddwl dim am ych taid a'ch nain. A fyddwch chi'n gwneud fawr ddim â'ch cefndryd, heb sôn am gyfyrder a cheifn a gorcheifn?'

Ni wyddai Elwyn ystyr y geiriau diarth. Aeth Caleb yn ei flaen.

'Roedd hi'n galed ar yr hen Gymry. Roedden'hw'n byw ar fin newyn, dan draed arglwydd ac uchelwr a mistar tir, heb ddigon o ddillad amdanyn' a heb do clyd uwch eu pen. Ond doedden'hw ddim yn niwrotig. Roedden'hw'n rhy brysur yn brwydro byw. Ac 'roedden'hw'n perthyn. Ydech chi'n deall? Yn *perthyn*.'

Yr oedd y ddau lygad bach yn filain olau.

'Nid lol oedd y nawfed ach. 'Roedd dioddefaint un yn fusnes i dylwyth cyfan, a llawenydd un yn llawenydd i'r lot. Oni bai am hynny fydden'hw byth wedi dal. 'Roedden'hw'n un â'u teulu a'u cymdogaeth a'r ddaear dan 'u traed. Mae'r dyn modern wedi'i dorri'i hun yn rhydd oddi wrth y cwbwl ac mae o'n mynd yn rec. A'r unig ffordd y meder y ffŵl feddwl amdani i ddianc ydi'r bom.'

Ysgriwtiodd Elwyn, a thynnu'n hir ac yn ddwfn yn ei sigarét.

'Yr ateb, y feddyginiaeth, yn ôl rhai,' ebe Caleb, 'ydi crefydd. Amen, meddwn inne. *Ond*,' A chododd ei fys yn fygythiol. 'Feder crefydd ddim gwreiddio ond mewn daear. Os nad ydi hi'n gosod yr unig mewn teulu, ac mewn tras, ac mewn bro, mi eith hithe'n ffliwt.'

Trodd at Elwyn eto, a rhythu arno.

'Mae arnoch angen rhywbeth i gydio ynddo 'machgen i. Neu rywbeth i lapio amdanoch. Mae isio ichi weled ych hun, nid yn ddyn gwael, unig, ar ddisberod, ond yn rhan o rywbeth mwy na chi'ch hun.'[15]

Yn 1958, hefyd, y cyfansoddodd y gerdd a ddeuai maes o law yn rhan
o gynhysgaeth partïon adrodd dirifedi, 'Perthyn':

> Rydw i'n gyndyn, mi wn, ac mae'n rhaid 'mod i'n ddwl,
>   Ond mae gwaed yn fy ngherdded i,
> Yr un gwaed ag a gerddodd fy nheidiau bwl,
>   Ac a wnaeth ein hiliogaeth ni.
> Mae'n siŵr 'mod i'n methu, ond mi awn ar fy llw
>   'Mod i'n gweld, fel y gwelais erioed,
> Y wyrth sy'n troi'r ddaear, yr hen, hen ddaear
>   Yn Gymru o dan fy nhroed . . .
>
> Ac yn y cyfanrwydd di-atom wn,
>   Y tawelwch diferol gwyrdd,
> Lle nad oes fyd ond y byd a wn
>   A hysbys gynefin ffyrdd,
> Rydw i gartre. Dyna'r unig ffordd o'i ddweud.
>   Rydw i'n perthyn i'r popeth di-ri'
> Sy'n cydio amdana i'n dynn, ac maen' nhwythau
>   Yn symud a bod ynof fi.

Fe'u dyfynnwyd yn helaeth am eu bod yn destunau allweddol.
Rhagflas ydynt o ymchwil a barhâi am y chwarter canrif nesaf. Tua'r
un pryd, ymgymerodd Islwyn â nofel newydd. Taith arall oedd hon,
nid i'r dyfodol y tro hwn, eithr i'r unfed ganrif ar ddeg, i gyfnod
Gruffudd ap Llywelyn, brenin Gwynedd. 'Mi benderfynais
ysgrifennu hon,' cyfaddefodd yn 1960, 'am reswm braidd yn od':

> Yr ydw i'n tueddu i sgrifennu'n rhy ddramatig bob amser, ac
> wrth ysgrifennu felly am fywyd gochelgar, rispectabl Cymru
> heddiw, mae dyn ar ei waethaf yn cynhyrchu melodrama.
> Oherwydd does dim cyffro mawr, agored yn ein bywyd ni. Felly
> mi droais at gyfnod yn hanes fy nghenedl pan oedd tywallt
> gwaed ac eisiau bwyd, ac ofn a phryder yn brofiadau naturiol,
> ac nid yn niwrosis gwneud fel y maen'hw heddiw.[16]

Yn wir, mae darllediad 1960 yn datgelu dyn ar fin menter
ddychmygus fwy ei maint na hynny: awdur wedi dechrau 'ers rhai

blynyddoedd'[17] ar drioleg o nofelau yn adrodd hanes ei dylwyth o
Ddiwygiad 1859 hyd yr Ail Ryfel Byd, a 'breuddwyd', ond nid
breuddwyd cwbl ffansïol chwaith, am gylch o nofelau hanes yn
trafod cyfnodau Caradog, Rhodri Fawr, Hywel Dda, y ddau Lywelyn,
Owain Gwynedd ac Owain Glyndŵr – yn ymestyn i gwmpasu
cymeriadau diweddarach megis John Penry a Williams Pantycelyn.
Rhagwelai ddilyniant o ddwsin o nofelau i gyd.

Os cymerwn Islwyn ar ei air, ymddengys ei fod, erbyn diwedd y
pumdegau, wedi mapio ei yrfa lenyddol am flynyddoedd i ddod. Yr
oedd rhesymau ymarferol digon dealladwy dros wneud, wrth gwrs.
Syniai am nofelau bellach fel buddsoddiad, cyfalaf i dynnu arno,
yswiriant rhag cyni – artistig ac ariannol. 'Yn fy marn i,' dywedodd
yn yr un darllediad, 'fe ddylai awdur fod â dwywaith gymaint o
waith heb ei gyhoeddi ag sy ganddo wedi'i gyhoeddi.'[18] Diau fod â
wnelo'r awydd i ysgrifennu am y gorffennol, hefyd, â'i ymdeimlad
dig a chywilyddgar o anwybodaeth am hanes Cymru. Nid dyna'r
cyfan chwaith. Roedd i'r nofel arfaethedig, fel y bu i *Wythnos yng
Nghymru Fydd*, ei hamcan gwleidyddol ymhlyg hithau, sef dychmygu
sut le oedd Cymru yn nyddiau ei hannibyniaeth gymharol. Ac ar ben
hynny, roedd am adrodd hunangofiant hyd braich drwy hanes
dychmygol teulu ei fam. 'Ac mae genny' bob lle i gredu,' haerodd yn
narllediad 1960, 'fod un o adar brith y cyfnod, Cynwrig ap Rhiwallon
o Faelor, yn hynafiad i mi.' O'r tamaid a ddyfynnir yn y darllediad,
gellir dyfalu mai math o fabinogi Cynwrig y bwriadai Islwyn i'r nofel
fod. Fe'i hysgrifennir yn y person cyntaf, trwy lygaid Cynwrig
deunaw oed, adeg goresgyn Powys gan fyddinoedd Llywelyn. Mae'r
fam yn gofidio rhag iddi golli ei mab yn y drin sydd ar ddod. Fe'i
disgrifiodd wrth Gwynfor Evans mewn llythyr ar 24 Mehefin yn yr
un flwyddyn fel 'nofel an-heddychol iawn, rwy'n ofni'.

Mae lle i amau hefyd fod Islwyn wedi gosod y dasg hon iddo'i hun
fel her artistig ehangach. Yn y llythyr at Tecwyn Lloyd ar 24 Ionawr
1957, lle bu'n trafod problemau technegol *Cysgod y Cryman*,
gofynnodd i'w brif ohebydd ar faterion llenyddol 'a oes modd
gwneud nofel yn gwbl ddarllenadwy i'r lliaws mawr o ddarllenwyr
heb bentyrru digwyddiadau?' Mae ateb Lloyd yn ddadlennol: 'Yr

ateb a roddai Walter Scott – a Saunders Lewis hefyd efallai – fyddai sgrifennu nofelau hanes am gyfnodau y Tywysogion, yr adegau pan oedd Cymru'n genedl gyfun ac annibynnol yng ngwir ystyr y gair.' Nid oedd yr un nofelydd wedi mentro yn Gymraeg, meddai, oherwydd 'y mae ymateb y darllenydd mor gwbl annigonol gan fod y cyfnod mor gyfangwbl y tu allan i'w wybodaeth . . . Fe geisiwyd yn y ffurf o ddrama, wneud hyn, ond ar wahân i Saunders, nid oes neb wedi llwyddo.' Heb gyd-destun, rhaid dyfalu ynghylch ystyr 'mawredd'; gall gyfeirio at fawredd llenor, mawredd cyfrwng y nofel neu fawredd hanes Cymru. Yr un yw'r casgliad pa un bynnag a ddewisir: yr oedd Islwyn am fentro gwneud rhywbeth o bwys. Roedd yn sicr am ysgrifennu nofel fawr ei chwmpas. Awgryma'r cyfeiriadau gwasgarog dros y blynyddoedd dilynol fod gan Islwyn Ffowc Elis waith 400 i 500 o dudalennau mewn golwg, sef rhywle rhwng 150,000 a 200,000 o eiriau, neu o leiaf ddwywaith maint *Cysgod y Cryman* – y nofel hwyaf yn yr iaith.

Yn sgil penrhyddid *Wythnos* a chyfoesedd ei nofelau eraill, roedd problemau technegol i'w goresgyn: prinder ffynonellau, gwahaniaeth barn haneswyr am y cyfnod a'r ymwybyddiaeth gyson fod bron popeth y credai y gallai ei gymryd yn ganiataol, yn anniogel. Mae ei restr rhwystrau yn un helaeth. Os bu *Ffenestri*'n 'nofel i'r beirniaid', ymddengys mai nofel i'r hanesydd misi fyddai hon:

> I ddechrau, doedd dim sôn am y siroedd. Rhaid sôn am gwmwd Iâl a chantref Arllechwedd, a gofalu *peidio* â sôn am gwmwd Coleshill, gan mai un diweddarach oedd hwnnw. Mae'n beryglus defnyddio Cyfreithiau Hywel Dda, a oedd yn byw ganrif o flaen Gruffudd, gan fod y cyfreithiau fel y maen'hw gennym ni wedi'u hail-bobi o leiaf ddwy ganrif *ar ôl* Gruffudd. Gwell peidio â sôn am dyfu ŷd yn Edeirnion rhag ofn mai fforest oedd yno, na hyd yn oed ym Môn, rhag ofn nad oedden'hw'n tyfu ŷd o gwbwl. Efallai nad oedden'hw *ddim* yn cael eu caethweision o Iwerddon, efallai nad oeddyn'hw *ddim* yn toi'u tai â thywyrch, ac efallai nad oedd y dynion i gyd ddim yn gwisgo mwstash ac yn glanhau'u dannedd, fel y darluniodd Gerallt Gymro.

Fel y gwelwch chi, tasg amhosibl yw sgrifennu'r nofel hon. Ond beth yw'r ots am fanylion, medd rhywun? Y stori sy'n bwysig. Rwy'n cytuno. Ond mae genny' ryw barch plentynnaidd tuag at ffeithiau, a dyna pam yr wyf ar y nofel hon ers dwy flynedd, ac wedi'i hail-ddechrau fwy nag unwaith. Ac os oes unrhyw hanesydd sy wedi cael gweledigaeth drawmatig o'r unfed ganrif ar ddeg, mi fydda i'n falch o glywed oddi wrtho.[19]

Ategir hyn gan y mapiau cain yn llaw Islwyn ymhlith ei bapurau, yn nodi cymydau a chantrefi a ffiniau.

Ar ben y rhain, roedd ganddo dair nofel gomig ar eu hanner a nifer amhenodol o straeon byrion. Cydnabyddai fod problemau gyda'r ddwy ffrwd nofelyddol, yn deillio o achos cyffredin a alwai'n 'ddiffyg dyfalbarhad'. Yn achos y gwaith comig, mater oedd hi o ganfod a chynnal y llais priodol:

> . . . mae pob un rywsut yn colli'i digrifwch i mi ar ôl sgrifennu rhyw ddeng mil o eiriau. Mewn nofel ddifrifol y mae lle i amrywiaeth, ac mae ambell olygfa neu gymeriad digri, yn hytrach na thynnu oddi wrth y difrifwch, yn rhoi mwy o fin arno ac yn help i greu pathos. Ond mewn nofel ddigri mae'n rhaid bod yn ddigri ar hyd y ffordd, ac mae hynny'n gryn straen, ac yn gwneud ysgrifennu nofel gomig yn fwy o gamp.[20]

Roedd yr anhawster gyda'r nofelau hanes yn fwy dyrys ac wedi ei wreiddio'n ddyfnach. Yn achos y nofel gyntaf arfaethedig, yr oedd wedi cychwyn arni deirgwaith yn ôl ei gyfaddefiad ei hun, mynnai Islwyn gywirdeb ffeithiol am gyfnod diarhebol o dywyll ac anghyffwrdd yn rhagamod i'w stori. Yn ail, ac ar waethaf ei agwedd bolisïol broffesiynol, lygad-agored, ymgymerodd â'r gorchwyl gyda'r uchelgais o wneud y stori honno'n fan cychwyn i gyfres o nofelau yn ymestyn i'r dyfodol annirnadwy. Yn drydydd, a barnu wrth y mymryn sydd ar glawr yn y darllediad, gellir bwrw amcan y bwriedid i'r gadwyn nofelau am ei dylwyth fod yn allwedd i'w ddeall ei hun ac yn feirniadaeth oblygedig ar y presennol. Yr oedd darnau tair nofel arall yn yr un dilyniant ar glawr, ond y cam cyntaf,

anosgoadwy – yn nhyb Islwyn – oedd torri'r garw trwy ddwyn
Cynwrig i'r byd:

> Wrth edrych weithiau dros yr holl ddarnau nofelau hyn, mi
> fydda i'n dweud: 'Wel, does dim dichon i ddyn wneud popeth.
> Os disgwylir iddo ddarlithio ac annerch a phwyllgora a
> chynadledda, ellir dim disgwyl iddo hefyd sgrifennu dwsin o
> nofelau hanes'. Dro arall, mi fydda i'n dweud, 'Wel pwy sydd
> eisiau darllen dwsin o nofelau hanes tebyg i'w gilydd, p'un
> bynnag? Gwell eu gadael nhw lle y maen'hw'. A thro arall
> wedyn, mi fydda i'n dweud – ac rwy'n siŵr mai dyma'r gwir –
> petai'r nofelau yma'n gweiddi am gael eu sgrifennu, fe'u
> sgrifennid nhw, hyd yn oed petai popeth arall yn gorfod aros'.
> Dyw llenor ddim yn llenor gwir os nad oes ganddo
> ddyfalbarhad.[21]

Nid oedd ryfedd, felly, i Robin Williams weld ei ffrind wedi
ymbellhau erbyn diwedd 1958, gan ysgrifennu ato ar 18 Rhagfyr:

> A meddwl ein bod yn gymaint cyfeillion ers blynyddoedd hir, y
> mae'r flwyddyn hon yn bechod o ddiarth. Yn bechod ... Dy
> drafod ar sgwrs, welsoch-chi-Islwyn-yn-ddiweddar, na-ddim-
> ers-sbel-rŵan; dy ddarllen mewn erthygl bapur; dy weld
> filltiroedd i ffwrdd o Ranada [sef cwmni teledu annibynnol
> Granada] yn tanio sigarét mor anghelfydd ag erioed; dy glywed
> mewn travodeutheu mor ystwyth ag erioed. Y mae pob rhyw
> ddull yn ein cyfnod dyfeisgar yn dy ddwyn ataf, ond, o damid,
> nid wyt yma, YMA, gyda ni fel yr arferet. Nid wyt namyn
> cysgod neu [annarllenadwy] neu sŵn neu destun sgwrs rhywun
> arall.

Rhan o'r rheswm, wrth gwrs, oedd prysurdeb yr hunanliwtiwr.
Rheswm arall, taerach, oedd fod Islwyn Ffowc Elis, yng ngeiriau
Caleb Morris, ar ganol chwilio am rywbeth i gydio ynddo a'i lapio
amdano: meddyginiaeth rhag 'niwrosis gwneud' canol yr ugeinfed
ganrif – a phrawf, wrth wneud, ei fod 'yn llenor gwir'.

FFYNONELLAU

[1] LlGC, papurau D. Tecwyn Lloyd, 1/3.
[2] 'Y Ddadl Rhwng y Ddau Fardd', *Baner ac Amserau Cymru*, 3 Chwefror 1954, t. 6.
[3] 'Yn Ôl i Leifior: Islwyn Ffowc Elis yn sgwrsio â R. Gerallt Jones', *Taliesin* 72, Gwanwyn 1991, t. 16.
[4] 'Holi Islwyn Ffowc Elis gan Dyfed Rowlands', *Y Traethodydd* CXLVII, Gorffennaf 1992, tt. 163-4
[5] *Mabon*, op. cit., t. 13.
[6] *Y Ddraig Goch*, Ionawr-Chwefror 1957, t. 4.
[7] *Y Ddraig Goch*, Mawrth 1957, t. 4.
[8] Gweler R. Alun Evans, *Stand By!* (Llandysul, 1998), tt. 231-2.
[9] *Naddion*, t. 240.
[10] *Y Dysgedydd* 137, Mai 1957, t. 137.
[11] 'Fy Nofel Aflwyddiannus' *Lleufer* 13, 1957, t. 55.
[12] 'Y Nofelydd: Dydd y Nofelau Bychain', *Yr Arloeswr* 1, Haf 1957, t. 5.
[13] Ibid, tt. 8-9.
[14] LlGC CMA H81/5.
[15] *Blas Y Cynfyd*, t. 143.
[16] Llawysgrifau Bangor 15392, 'Gwŷr Llên: Islwyn Ffowc Elis', darllediad radio 26 Hydref 1960, t. 10.
[17] Ibid, t. 16.
[18] Ibid, t. 6.
[19] Ibid, t. 11.
[20] Ibid, tt. 6-7.
[21] Ibid, tt. 16-17.

6

'Plygu heb dorri'
1958-63

Yr oedd y blynyddoedd a ddilynai, os rhywbeth, yn brysurach fyth. O dipyn i beth, oherwydd damweiniau hanes, cymwynasgarwch, chwilfrydedd, awydd i fod yn ddefnyddiol, ofn segurdod, anesmwythyd deallusol ac anallu cynhenid i ddweud 'na', fe dynnwyd Islwyn Ffowc Elis i sawl cyfeiriad yr un pryd. O safbwynt cofiant, mae'r prysurdeb gwyllt yn drysu unrhyw ymdrech i osod ei fywyd mewn trefn gronolegol bur. Mae'r galwadau'n baglu ar draws ei gilydd. Gwêl rhywun angen cyfystyron i'r geiriau 'yn y cyfamser'. Erbyn 1963, a'i ymadawiad am Gaerfyrddin, prin y gallai ei adnabod ei hun.

Sylfaenwyd cnewyllyn yr Academi Gymreig yn niwedd 1958 gan Kate Roberts, Gwenallt, Waldo, Aneirin Talfan Davies, Thomas Parry a Bobi Jones. Penodwyd Thomas Parry'n 'gynullydd' dros dro i geisio aelodau, a Bobi Jones yn ysgrifennydd. Y pedwar llenor cyntaf i dderbyn gwahoddiad i ymuno oedd Alun-Llywelyn-Williams, John Gwilym Jones ac Euros Bowen ac Islwyn – yr ieuengaf o ragor na deng mlynedd. Er nad oes cofnod i'r perwyl, mynychwyd y cyfarfod gan Islwyn Ffowc Elis.

Ysgrifennodd at Bobi Jones ar 7 Hydref, yn ymddiheuro am fethu dod i'r cyfarfod anffurfiol (a chyfrinachol) nesaf ym Mhantyfedwen ar 8 Ionawr 1959 ac yn gyrru ymateb trefnus i'r agenda yn trafod enw, nifer a natur yr aelodau, y tâl aelodaeth, posibilrwydd ceisio nawdd ac yn y blaen. Ar y cyfan, cytunai â'r braslun. 'Enw: Teimlaf y byddai *Yr Academi Gymraeg* [*sic*] yn cyfateb yn hyfryd i *L'Académie Française*. Byddai'n ddigon syml a di-ddiffinio i daro'r dychymyg ac i hawlio'i le mewn byr amser.' Cytunodd, hefyd, â'r syniad o gyfyngu'r aelodaeth i 24 – 'rhif traddodiadol Cymreig', chwedl yr agenda – ond

gan awgrymu mai gwell fyddai peidio â dewis rhagor na 20 i 21 am y
tro 'gan adael tri neu bedwar o leoedd gweigion y gellir eu llenwi'n
araf pan ddangoso rhai o'r rhai ansicr deilyngdod sydyn ac arbennig.'
Cynigiodd enwau W. Leslie Richards ' – ac efallai Meurig Walters
hefyd', (dau y bu'n darllen eu gwaith dros Nadolig 1956, fe gofir) am
eu bod yn nofelwyr. 'Gan eu bod wedi cyhoeddi dwy nofel bob un, ni
ellir eu hanwybyddu.' Awgrymodd ymhellach y dylid cynnig
aelodaeth anrhydeddus, 'Emeritus fel petae' i Saunders Lewis, D J.
Williams, T. H. Parry-Williams, Tegla a Chynan. Awgrymodd ddwy
gini'r flwyddyn yn dâl aelodaeth teg gan 'y dylai fod gan gorff mor
ddethol bapur ysgrifennu go urddasol gydag arfbais (anherodrol) neu
ryw fath o arwydd wedi'i gynllunio gan Gapper, a dyn a ŵyr beth
arall.' Ei sylw mwyaf diddorol – ac yntau'r unig ddarpar aelod heb
fod mewn swydd golegol neu wedi ymddeol – oedd mater nawdd:

> . . . dylid, fe ddylid ceisio nawdd. A'r nawdd mwyaf buddiol
> fyddai cael adeilad gan rywun i gyd-gyfarfod ynddo, lle y gallai
> llenorion hefyd gael ystafell i sgrifennu ynddi am rent rhesymol
> am rai wythnosau pan fo'r gwaith yn galw am lonydd a
> distawrwydd. Ni ddylid ceisio nawdd brenhinol.

Yr oedd, meddai i gloi, 'angen dybryd' am sefydliad o'r fath, ond:

> Gellir disgwyl peth beirniadaeth, sef bod wedi ffurfio clic
> newydd, neu 'Establishment' llenyddol yng Nghymru. Ond nid
> drwg o beth yw clic os bydd ei sylfeini'n ddigon llydain, ac nid
> drwg o beth yw 'Establishment' i'n llenorion ifainc gael cicio yn
> ei erbyn. Nid oes gennym fawr ddim i'w gicio ar hyn o bryd.[1]

Hwn, yn sicr, yw'r ymateb llawnaf o ddigon o'r rhai a gadwyd yn
archifau'r Academi. Ai o fwriad neu ynteu drwy anghofrwydd, ni
soniodd Islwyn o gwbl iddo goleddu uchelgais bur debyg bedair
blynedd cyn hynny. Ar 10 Tachwedd 1954, mewn llythyr at Tecwyn
Lloyd, roedd wedi amlinellu cynllun am gychwyn 'Cymdeithas
Lyfrau Cymraeg'. Er bod y manylion yn brin, ymddengys mai
cymdeithas i lenorion oedd ganddo dan sylw, i hyrwyddo eu gwaith.

Yr oedd wedi cysylltu â Thomas Parry, meddai, a chael ei gydsyniad i fod 'yn rhyw fath o gadeirydd arni'. Bu hefyd 'yn chwarae â'r syniad o gychwyn cylchgrawn' yn llais iddi, i olynu gylchgrawn W. J. Gruffydd, *Y Llenor*, lle y cyhoeddwyd rhai o'r ysgrifau a welai olau dydd yn *Cyn Oeri'r Gwaed*, fe gofir. 'Byddai'n gofyn cael arian ac amser, wrth gwrs, ond nid wyf yn meddwl ei bod yn gwbl amhosibl cael yr un o'r ddau.' Rhagwelai Islwyn gylchgrawn misol a phanel o ryw hanner dwsin yn cyfrannu iddo:

> Nofel-gyfres, dyweder, yn rhedeg am ryw 6 mis; un stori fer ac un ysgrif gan awdur go dda, ac erthygl feirniadol go helaeth ac adolygiadau a barddoniaeth. A chyfres o ysgrifau gan awduron gwadd ar gelfyddyd ysgrifennu.
>
> A thybiwn y gwnaet ti olygydd delfrydol, gyda'th nodiadau golygyddol a fyddai, mi wn, yn dreiddgar a phryfoclyd a sownd.

Yn awr, mae amgylchiadau cyfansoddi'r llythyr, yn dilyn swper a goginiodd iddo'i hun, na fyddai llawer o weinidogion Presbyteraidd wedi ei fwyta'r y noson honno, 'berdys [awgrymodd wrth Lloyd am edrych yng ngeiriadur Bodfan Anwyl os oedd yn ansicr o'r ystyr] ac olifiaid gyda sieri sych, cig oen a phastai Gernyw gyda bresych coch picl, ceirios coctel mewn maraschino, caws, bisgedi a choffi', yn awgrymu ei fod mewn hwyliau go dda. Er hynny, mae manylion pellach am y fenter yn dangos yn ddigon eglur nad chwiw'r funud oedd y syniad:

> ... i redeg am gyfnod o 6 mis, a chyfnod hysbysebu costus ond buddiol o 6 mis cyn i'r rhifyn cyntaf ddod allan. Hysbysebion llawn ym mhob papur Cymraeg, taflenni i ddosbarthwyr ac i bob awdurdod addysg ac i bob ysgol ganolradd.[2]

Gwireddwyd 'breuddwyd melys' Islwyn Ffowc Elis am weld Tecwyn Lloyd yn olygydd cylchgrawn llenyddol yn 1965, pan olynodd hwnnw Gwenallt i gadair *Taliesin*, swydd a ddaliai am y ddwy flynedd ar hugain nesaf, gydag Islwyn yn gydolygydd digon amharod.

Yr oedd Islwyn Ffowc Elis yn gywir yn ei ddarogan am yr ymateb i gychwyn yr Academi hefyd. Pan ddaeth y darpar aelodau at ei gilydd eto i 'rag-bwyllgor' yng Ngwesty'r Marine, Aberystwyth, ar 3 Ebrill 1959, gyda dim mwy na nodyn swta, dienw i'r perwyl hwnnw yn y wasg, a heb air am y darpar aelodau, yr oedd yr adwaith yn ddrwgdybus ar y gorau (cyhoeddodd Dyfed Evans 'Dirfawr Ddirgelwch yr Academi Gymreig' yn *Y Cymro* ar y nawfed o'r mis) neu'n agored o ddilornus. 'Os mai i'r doeth a'r deallus yn unig y mae hi,' wfftiodd 'Dyddiadur Daniel' yn *Y Faner* yr un diwrnod, '- rhowch i mi Ddaniel Owen nad oedd ganddo ddim ond dawn. A darllenwyr.' Unwaith eto, yr oedd Islwyn wedi methu bod yn bresennol, gan ysgrifennu at Bobi Jones ar 29 Mawrth i ymddiheuro ei fod 'wedi gorfod encilio i'r gwely heddiw dan ymosodiad o'r ffliw a hir flinder'.[3] Yr oedd yn amlwg erbyn trothwy'r trydydd cyfarfod, er hynny, pan lansiwyd yr Academi'n ffurfiol ac yn gyhoeddus (ac a gollodd Islwyn eto oherwydd gwyliau ar y Cyfandir), fod ei frwdfrydedd dros yr Academi fel sefydliad dethol, cenedlaethol wedi pallu. Ysgrifennodd at Bobi Jones eto ar 4 Medi:

> Yr wyf yn dal i gredu fod y syniad yn un da, a bod angen corff yng Nghymru a all siarad ar ran ein llenorion . . . Modd bynnag, gan i'r syniad o sefydlu Academi gael derbyniad mor anffafriol drwy'r wlad, rwy'n tueddu i feddwl mai da fyddai peidio â sefydlu unrhyw gorff ffurfiol am ryw dair blynedd, a rhoi amser felly i'r gwrthwynebiad cyffredinol waelodi ac efallai ddiflannu'n llwyr.[4]

Ei gynnig, fel mesur dros dro, oedd cychwyn cynulliadau rhanbarthol, agored eu haelodaeth, i'w cynnal ledled Cymru ddwywaith neu dair y flwyddyn:

> Mi fyddwn i'n barod i drefnu seiat felly ym Mangor, yn y tŷ hwn, a diau y byddai – dyweder – Rhuthun, Aberteifi neu Aberystwyth, ac Abertawe yn ganolfannau cyfleus i seiadau cyffelyb. Nid wyf yn awgrymu am funud y dylai'r seiadau hyn gymryd lle Academi, ond fe allent feithrin ysbryd Academi. Ymddengys i mi mai dyna sydd ar ôl ar y funud.[5]

Aeth trefniadau sefydlu'r Academi yn eu blaen. Yn y cyfamser, ailgydiodd Islwyn yng ngwaith y Blaid, neu efallai mai tecach fyddai dweud i'r Blaid ailafael ynddo yntau. Bu'n aelod o'r Pwyllgor Gwaith oddi ar 1957, fel rhan o'r hwrdd o ddyfalwch a ddaeth yn sgil ymadael â Niwbwrch, ac o dipyn i beth, fe'i hudwyd i wneud rhagor eto. Yr oedd y syniad am Islwyn Ffowc fel creadur gwleidyddol-ddefnyddiol mewn ystyr ehangach wedi gafael. Nid oedd yn fawr o syndod pan ddaeth cais (er mai amhosibl bellach yw dweud pa mor daer oedd y cais hwnnw) iddo fod yn ymgeisydd, ar drothwy etholiad cyffredinol 1959. Ysgrifennodd Gwyn Erfyl, yntau'n enedigol o sir Drefaldwyn, ato o Drawsfynydd, lle'r oedd yn weinidog gyda'r Annibynwyr, ar 19 Chwefror:

Annwyl Islwyn

Clywais si mai ti fydd darpar-ymgeisydd y Blaid ym Maldwyn. Ychydig iawn o hawl sydd gen i i ddweud dim am hyn, gan nad wyf erioed wedi gwneud na dweud dim yn wleidyddol ers amser, a gwn dy fod yn cyfrif hynny'n fai. Ond ni charwn dy weld yn ymladd y sedd ym Maldwyn. Nid oherwydd Maldwyn na Chymru – ond o'th herwydd di. Nid wyt yn wleidydd – ac ni fedri fod. Mae isio natur arbennig a rhaid defnyddio 'tactics' neilltuol i'r gwaith hwnnw – ac nid yw'r natur honno gennyt – ac ni fedri fyth ddefnyddio'r cyfryngau y disgwylir i wleidydd eu defnyddio. Rwy'n berffaith sicr fod dy wleidyddiaeth di yn aruthrol mwy grymus yn dy *lenyddiaeth* nag a fydd ar lwyfan etholiad. A Duw a ŵyr, yr wyt yn rhoi digon i'r Blaid eisoes. Yr wyt wedi cael un dadrithiad mawr yn dy fywyd yn barod – fe fedr colli etholiad – a hynny'n sylweddol – adael craith ddyfnach nag a dybiet ti ar natur sensitif. Rwyf wedi gweld peth fel hyn yn digwydd.

Efallai dy fod di'n teimlo mai canlyniad rhesymegol gwneud datganiadau gwleidyddol arbennig yw eu mynegi hefyd fel ymgeisydd mewn etholiad. Nid wyf yn credu hynny am funud. Roedd Harold Laski'n feddyliwr toreithiog ac yn athronydd gwleidyddol pwysig o fewn y mudiad Llafur, ond yn *fflop* mawr y tu allan i'w lyfrau a'i ystafell coleg. A pharadocs rhyfedd dy bersonoliaeth di yw dy fod yn gallu bod yn eirias o angerddol yn dy lenyddiaeth ond yn fwynaidd a gor-garedig ar lwyfan (hynny yw, os yw'r pulpud yn unrhyw arweiniad yn hyn o beth)!

Uwchlaw'r cwbl, mae perygl aruthrol i ni wasgu'n hegnïon i'r fath raddau ag i fethu gwneud na dweud dim yn iawn [aneglur], a thrwy hynny efallai golli ymddiriedaeth cenedl. A gwae ni os mai fel diletantiaid y'n cofir!

Erbyn hyn, nid yw Islwyn yn cofio na'r llythyr na'r amgylchiadau a'i cymhellodd. Ni safodd, ac nid ymladdwyd sedd Maldwyn gan y Blaid. Ond yr oedd, fel y ceir gweld, yn feirniadaeth graff o broffwydol.

Am y tro, cyfyngodd Islwyn ei weithgarwch i lenydda. Cychwynnodd golofn lyfrau yn *Y Ddraig Goch*, 'Sôn am Lyfrau' gyda rhifyn Ebrill 1959, ac yn yr un flwyddyn golygodd *Storïau'r Deffro*, a ymddangosodd dan argraffnod Plaid Cymru ym mis Mehefin ac a gyflwynwyd, yn annisgwyl braidd, i Augustus John: 'Arlunydd, Athrylith, Cymro'. Dewisodd llenor amlycaf y Blaid beidio â chynnwys stori o'i waith ei hun ymhlith y dwsin a gyhoeddwyd. Bodlonodd yn hytrach ar ysgrif o ragymadrodd yn dadelfennu hanfodion stori fer dda. Y gyfrol hon fyddai'r unig gasgliad o straeon byrion yn y Gymraeg nes cyhoeddi *Storïau'r Dydd* dan olygyddiaeth Islwyn Jones a Gwilym Rees Hughes bron ddegawd yn ddiweddarach yn 1968.

Ar 8 Chwefror 1960, ganed Siân. 'Eich TRI,' ysgrifennodd Robin Williams ato ar 4 Ebrill, yn sgil gweld Siân am y to cyntaf. 'Jiw-Jiw. Sefyllfa newydd ysbon a thrwm gan bosibiliâde a gobeithion mawr.' A thrwm gan gyfrifoldebau newydd hefyd. Cyn diwedd y mis, cynhaliwyd cyfarfod ffurfiol cyntaf yr Academi, y tro hwn yng Ngwesty'r Parc, Caerdydd: cyfarfod dros nos rhwng Gwener 22 a Sadwrn 23. Ymddiheurodd Islwyn wrth Bobi Jones eto na allai fynychu. Yr un fu hanes yr ail, yn Sain Ffagan, ar 30 Medi'r un flwyddyn. Erbyn iddo ymryddhau o ofalon eraill, i fynychu'r trydydd cyfarfod, yn y Wynnstay, Machynlleth, rhwng 14 ac 16 Ebrill 1961, yr oedd gan yr Academi ei chyfnodolyn newydd ei hun, *Taliesin*, dan olygyddiaeth Gwenallt, ac Islwyn ymhlith y cyfranwyr i'r rhifyn cyntaf.

Ysgrif gymysg, grwydrol braidd yw 'Y Nofelydd a'i Gymdeithas' gan awdur y buasai'n wella ganddo, fe ymddengys, fod wrthi'n creu na sôn am greu. Try'r ddadl ganolog o gylch deuoliaeth ei ddiffiniad ymhlyg o gymdeithas fel testun ei waith a'r gynulleidfa sy'n ei ddarllen. Am berthynas nofelydd â'r gymdeithas a ddarlunia, dywed hyn:

> Y mae gwrthrychedd llwyr yn amhosibl i nofelydd. Ond hyd yn oed petai'n bosibl, byddai'n anfantais iddo. Rhaid iddo wrthod hyd yn oed wrthrychedd y gohebydd papur newydd, fel y mae peintiwr yn gwrthod gwrthrychedd y camera. Hanfod celfyddyd yw ei goddrychedd, ei phersonolrwydd, ei bod yn ffrydio o graidd un bersonoliaeth gymhleth fel dŵr yn codi o graig, nid fel chwistrelliad o ffowntain goncrid sy fel cannoedd o ffownteiniau concrid eraill. Rhaid sianelu'r dŵr codi, bid siŵr, cyn gall fod o fudd i eraill. Y mae'n rhaid i artist dderbyn rhyw safonau cydnabyddedig cyn y gall ei gynulleidfa ei dderbyn ef. Ond safoni'r deunydd a'r dehongliad sy'n dod o du mewn eithaf yr artist ei hun ni ellir, mwy nag y gellir pennu llwybr y dŵr y tu mewn i'r graig.[6]

Perygl trosiad estynedig yw bod darllenydd yn rhoi mwy o sylw i gywirdeb y ffenomen ddaearegol a ddisgrifir nag i ddilysrwydd yr ymresymu. Dadl ramantaidd oesol ond pur ddeheuig sydd yma dros hepgor y gydwybod gaethiwus a deimlai'n fagl pan soniai yn ei ddarllediad radio flwyddyn ynghynt am y problemau anochel wrth lunio nofel am yr unfed ganrif ar ddeg:

> Os yw nofelydd yn camu'n glir allan o'i brofiad ef ei hun i gyfnod neu gymdeithas nas gwelodd erioed, rhaid iddo ddibynnu ar ddarllen neu ar glywed i wybod amdanynt. Mewn gair, y mae'n benthyca llygaid rhywun arall i'w gweld. Ac os yw'r hyn a wêl yn peri iddo deimlo o gwbwl, teimlad benthyg neu deimlad gwneud fydd ganddo, nid teimlad a gyneuwyd ynddo gan brofiad personol.
> . . . Y mae nofel hanes yn llwyddo neu'n methu yn ôl gallu'r awdur i'w drawsblannu ei hun i fyd na allodd ond darllen

amdano, ond yn fwy na hynny, ar ei ddawn i wneud y byd hwnnw'n fyw i'w gyfoeswyr ei hun.

. . . Wele wirionedd arall. Nid yn unig fe gyflyrwyd pob nofelydd gan y gymdeithas y magwyd ef ynddi; fe gyflyrir ei waith gan y gymdeithas y mae'n sgrifennu ar ei chyfer.[7]

Sylwer ar y newid cyfrifoldeb wrth newid amser y ferf yn y frawddeg glo. Braenaru'r tir sydd yma: ymgais i rybuddio'i gynulleidfa ymlaen llaw nad oes modd (ac na ddylai gan hynny fod disgwyl) i nofelydd draethu'n wrthrychol am y gorffennol fel llygad-dyst a bod gofyn iddi, felly, fod yn gyfrannog yng nghynllwyn y creu. Os yw'n feirniadaeth anargyhoeddiadol, deillia hynny o ddiffyg argyhoeddiad gwaelodol Islwyn Ffowc Elis ei hun, bron fel pe bai wrth ysgrifennu yn sylweddoli bod beirniadaeth hithau yn iswasanaethgar i gymdeithas a chynulleidfa gyfnewidiol.

Mae Islwyn ar ei orau wrth sôn am yr ysgogiad creadigol yn ôl ei reolau cyffesol ei hun, heb ymboeni am ddadlau achos. Yn yr un flwyddyn, cyfrannodd ysgrif i gyfrol dan olygyddiaeth R. Gerallt Jones, *Fy Nghymru i*, 'Nifer o agweddau personol,' chwedl yr is-deitl, 'ar Gymru a Chymreigrwydd Hanner Ffordd Drwy'r Ugeinfed Ganrif'. Er nad oes sôn penodol yn 'Y Rhaid Sydd Arnaf' am y gadwyn o nofelau hanes arfaethedig, dyma yn sicr oedd ym meddwl ei hawdur pan ryfeddodd at 'rywbeth yn od' yng nghyfansoddiad y Cymry neu mewn ffawd a fu'n gwarchod eu hiaith a'u diwylliant o gyfnod y Rhufeiniaid ymlaen, drwy ddiboblogi a cholledion milwrol: 'A hynny nid yn unigeddau didramwy Twrcestân neu ym mherfeddion coedwigoedd Affrica, ond yma yn llygad Ewrop, dim ond dau gan milltir o Lundain, dan drwyn cenedl fawr a fu am ddwy ganrif yn feistres y byd a'i hiaith yn ysgubo'r cyfandiroedd'[8]:

> Mae'n rhaid bod yn y genedl eiddil hon ryw athrylith i barhau, i osgoi, rhyw feddalwch gwydn sy'n plygu heb dorri, rhyw ireidd-dra twyllodrus sy'n blodeuo'n sioe o ddiwylliant wedi cyfnod maith o dwllwch, yn fflamio'n ddiwygiadau ar ôl paganeidd-dra hir, yn ffrwydro'n genedlaetholdeb ar ôl canrifoedd o beidio â meddwl fel cenedl.[9]

Fel *Blas y Cynfyd*, gellir darllen *Tabyrddau'r Babongo*, a gyhoeddwyd ym mis Tachwedd 1961 ac a gyflwynwyd 'er cof gogleisiol am Hogge, Delano a Gay' ei ddyddiau coleg, yng ngoleuni diddordeb cynyddol Islwyn Ffowc Elis yn y cysylltiad rhwng hanes, cyntefigrwydd a chenedligrwydd ac fel ymgais i beri i'w ddarllenwyr eu gweld eu hunain fel y mae eraill yn eu gweld. Y tebyg – a'r piti – yw na welir ei hailgyhoeddi am fod ei dychan mor anghydnaws, bellach, ag uniongrededd gwleidyddol-foesol cyfoes. Fe'i disgrifiodd fel 'ffefryn amhoblogaidd iawn' ganddo: '. . . tasa mwy o gynnwys iddo fo, mwy o athroniaeth, mwy o bopeth, mi fyddai'n llyfr da iawn.'[10] Yn sicr, dyma ei nofel fwyaf eironig. Yn Cadwaladr Ifans, creodd gymeriad sy'n troi'n stereoteip o Gymro yng nghanol stereoteipiau cenedlaethol eraill: Indiaid digychwyn, digyffro, Affricaniaid gwenog a'r Sais, y Gwyddel a'r Sgotyn y caiff 'Dwalad' ei hun yn byw yn eu plith ar blanhigfa de yn Mmbongo.

Yn ddiarwybod iddo'i hun, daw Cadwaladr Calfinaidd confensiynol, pendant o anarwrol yn eilun ac yn obaith rhyddid y brodorion, yn fab darogan am ddyn gwyn nad yw'n siarad iaith y goresgynwyr. Wedi dioddef cystuddiau profi ei statws, fe'i hachubir gan Olwen Preece, diddordeb rhamantus y gwaith. Try Cadwaladr ei olygon am adref. Ym marn Olwen 'practis' oedd helbulon Affrica. 'Falle taw yng Nghymru y ma'ch tynged chi. . . . Fe allech ryddhau'ch pobol ych hunan, y Cymry.' Deil Cadwaladr yn Brydeiniwr hyd y diwedd:

> 'Peidiwch â siarad lol botas, Olwen. Pobl wynion ydy'r rheiny. Does arnyn nhw ddim isio rhyddid.'
> 'Falle fod arnyn nhw'i angen, serch hynny . . .'

'Credwch neu beidio, myfi yw Ifans,' cyffesodd Islwyn Ffowc Elis wrth Gwynfor Evans ar 30 Rhagfyr. Dywedodd hynny, yn rhannol o leiaf, i sicrhau Gwynfor nad digriflun o arweinydd y Blaid oedd Ifans, ond yn gyhoeddus, ac mewn ffordd lai dramatig, bid sicr, yr oedd Islwyn wedi gosod tasg debyg iddo'i hun ar ddechrau'r flwyddyn. Yn Ionawr 1961, ar dudalen blaen *Y Ddraig Goch*, lansiodd apêl dan ei enw ei hun am arian i'r Blaid, y tro cyntaf i neb ond y Llywydd wneud hynny. Datgela'r ymgyrch wedd ar yr awdur a ddôi'n fwyfwy amlwg drwy weddill y degawd nes llyncu'i egni bron yn llwyr erbyn ei ddiwedd: y ddawn i berswadio, i lithio. Roedd cynsail yr apêl yn syml o effeithiol: gofynnodd am i fil o blith y pymtheng mil o'i haelodau gyfrannu punt y mis am flwyddyn i glirio dyledion y Blaid. Tyfodd yr ymgyrch dros y misoedd nesaf yn em o allu cynyddol Islwyn Ffowc Elis i reoli naratif ansicr ei chyfeiriad a'i chanlyniad. Cychwynnodd gyda rhifyddeg syml y peth: '. . . byddai punt y mis gan fil yn ddeuddeng mil y flwyddyn – ac yn ddiogelwch.' Pwysleisiodd nad oedd yn disgwyl i bensiynwyr na rhai gyda theuluoedd ifanc na rhai heb swydd sefydlog gyfrannu. Byddai ef, er hynny, yn arwain trwy esiampl gan roi gini'r mis, gan wahodd darllenwyr i yrru eu sieciau a'u gorchmynion banc yn uniongyrchol ato ef i Irfon. Nid oedd cyfrannu'n ddewr; roedd yn angenrheidiol:

> Yr wyf i'n penderfynu gwneud heb ryw bethau er mwyn rhoi hyn, os caf fil o'm cyd-Bleidwyr gyda mi. I mi, bydd yn golygu gwneud heb un galwyn o betrol neu un paced o sigaréts bob wythnos – dyna i gyd – oherwydd rhyw 4s 7c yr wythnos yw punt yn y mis. Chwerthinllyd yw sôn am aberth.

Er hynny, rhybuddiodd, 'Yr ydym yn ymladd am ein bywyd. Dim llai na hynny.'

Byddai'n chwarae â'r cyferbyniad rhwng cyffredinedd y weithred a phwysigrwydd cyrhaeddbell ei heffaith dros y misoedd i ddod. Yn rhifyn Chwefror, ar dudalen 6 y tro hwn, cyhoeddodd nad oedd yr ymateb wedi bod yn 'ysgubol' ond ei fod 'yn galonogol dros ben'. Caed 54 o addewidion, ac roedd pob un wedi derbyn ateb unigol. Dyfynnodd yn helaeth ac yn ddethol o'r llythyrau – gan ddyfynnu Pleidwyr o bob cefndir – cyn gwneud ail apêl. Roedd wedi trefnu gyda'r Pwyllgor Cyllid i gyfraniad o chwe gini sicrhau tâl aelodaeth am flwyddyn a thanysgrifiad i'r *Ddraig* ynghyd â dyrnaid o bamffledi'r Blaid. Y tro hwn, argraffwyd gorchymyn banc. Yr oedd codwr arian yn dysgu.

Roedd yn glir o nifer y llythyrau a'r addewidion erbyn diwedd yr ail fis nad oedd gobaith i'r ymgyrch lwyddo. 'Syndod – a Siom. Ai Methiant fydd yr Apêl?' oedd teitl cyfraniad Islwyn Ffowc Elis ar dudalen 7 yn rhifyn Mawrth. Dim ond 75 o addewidion newydd a ddaeth:

> . . . mae'n anodd iawn gennyf gredu mai dim ond 125 o genedlaetholwyr Cymru a all fforddio dwybunt neu dair yn rhagor bob blwyddyn i achub eu gwlad yn ei hargyfwng olaf.

Yr oedd yr awdur, meddai 'yn sobrach dyn'. Mae'n rhaid, meddai'n anghrediniol, fod pobl wedi gadael y ffurflen ar y silff-ben-tân neu mewn poced ac anghofio amdani. Yn lle disgwyl cyfraniadau, buasai wrthi'n eu mynnu, gan ysgrifennu 'rhai cannoedd o lythyrau personol' (amcangyfrifai wedi hynny iddo yrru tua 700 i gyd) at 'aelodau triw a chefnogwyr eiddgar y Blaid', gan gynnwys amlen â stamp arni ym mhob un.

I greu chwilfrydedd, cyhoeddodd bytiau dienw o lythyrau eto, a nododd iddo ddosbarthu'r cyfranwyr yn ôl galwedigaeth: 'Nid wyf am ddatguddio beth yr wyf wedi'i ddarganfod, ond mae'n ddiddorol iawn gweld ym mha ddosbarthiadau y mae'r rhai parotaf i aberthu.' Ddeufis ynghynt 'chwerthinllyd' fuasai sôn am aberth. Bellach, rhaid oedd codi'r apêl i statws galwad i aberth. 'Cyfle Rhagluniaeth' oedd hwn 'i ni Gymry ddangos fod arnom eisiau byw, fod gennym genhadaeth gerbron y byd.'

'Yr Apêl yn Ailgydio – dros 200 wedi ymateb' oedd pennawd tudalen 7 yn rhifyn Ebrill 1961. Roedd hanner dwsin a mwy o lythyrau'n cyrraedd Irfon bob dydd. Roedd y dyfyniadau o lythyrau'n helaethach y tro hwn, pob un â'i hanes cyffesol: un mewn dyled yn sgil cychwyn busnes, rhai di-Gymraeg, amaethwr gyda thri o blant, un heb fod yn aelod hyd yn oed. Cyhoeddai'r cylchgrawn erbyn mis Mai fod £5,500 yn y gronfa. Byddai ambell lythyr yn parhau i gyrraedd dros flwyddyn yn ddiweddarach, ac Islwyn yn eu gyrru ymlaen yn ddeddfol i swyddfa'r Blaid gyda nodyn.

Buasai'n ymgyrch rannol lwyddiannus ar y gorau, ac un y gellid yn hawdd anghofio amdani oni bai iddi fod yn baratoad allweddol i Islwyn ar gyfer y gwaith y'i câi ei hun yn ei wneud dros y Blaid ymhen pum mlynedd wedi hynny. Yn sicr, mae cywair mwy pendant yn llythyrau Islwyn at Gwynfor Evans yn ei sgil. '. . . rwy'n teimlo'n weddol fodlon arno,' ysgrifennodd am yr ymateb ar 13 Mai, 'a chofio mor amharod yw'n cenedl ni, ac aelodau'r Blaid ei hunan, i ymegnïo â dim.' Roedd, er hynny, credai, yn arwydd o 'anfodlonrwydd' ehangach ymhlith aelodau'r Blaid oddi ar etholiad 1959. Roedd methiant y Blaid i dorri drwodd, wedi 'gyrru rhai i wylltineb anghyfrifol, ac eraill i ddiflastod a diogi'. Soniwyd uchod am bendantrwydd, a dyma danseilio'r haeriad ar ei ben. Mae'r llythyr yn gythruddol o amhendant ei fanylion ond digamsyniol ei naws. Roedd Islwyn Ffowc Elis yn ymboeni. Ysgrifennodd ar nodyn tebyg at Kate Roberts bedwar mis yn ddiweddarach, eto heb leisio union natur ei bryder:

> Er nad wyf yn bersonol yn cytuno â'r feirniadaeth ar yr arweinwyr, rwyf innau'n teimlo fod y meddwl Pleidiol wedi colli ei ffrwt a'i fin, ac mae'n rhaid inni adnewyddu'n hymresymu a'n hagwedd meddwl ar unwaith.[11]

Daeth y flwyddyn i ben gyda phrysurdeb cwblhau *Tabyrddau*, cyflwyno'r rhaglen drafod *Llafar* o stiwdio Bangor (lle gwnaeth ei orau i gyfweld Gwynfor Evans mewn ffordd mor ddiduedd â phosibl), cyhoeddi ei drosiad o Efengyl Mathew i Gymraeg cyfoes fel gwaith comisiwn gan yr Eglwys Bresbyteraidd, a gofalon tad.

Agorodd 1962 gyda gwaith i'r Academi, yn trefnu lletyi bymtheg o aelodau ar gyfer cyfarfod ym Mangor, yng Ngwesty'r British: '. . . nid wyf yn hoffi enw'r lle, wrth gwrs,' cyfaddefodd wrth Bobi Jones mewn llythyr ar 16 Ionawr, 'ond mae'n debyg mai hwn yw'r gwesty gorau ym Mangor ei hun.' Gyda phenwythnos 13 a 14 Ebrill, a chynnal y gynhadledd, mynnai byd arall ymyrryd.

Bu pwysau arno o fewn dyddiau wedi marw Clement Davies, Aelod Seneddol Rhyddfrydol Maldwyn, ar 23 Mawrth 1962, i ymladd yr isetholiad – y tro cyntaf i'r Blaid ymgiprys am y sedd. Er bod Gwynfor Evans yn awyddus iddo sefyll, gwerthfawrogai ei fod yn llenor ac nid gwleidydd, ond roedd Trefnydd y Blaid, J. E. Jones yn ddiwyro. I'r neb a chanddo lygaid i weld, cyhoeddodd Islwyn Ffowc Elis ei wrth-faniffesto yn *Y Ddraig Goch* ym mis Ebrill, dan y teitl 'Llenydda – Er Mwyn Cymru'. Mae'n gri o'r galon sy'n dwyn i gof nid yn unig eiriau Gwyn Erfyl yn 1959 ond hefyd ysgrifau digofus 1955:

... mae'r meddwl gwleidyddol – fel y meddwl enwadol – yn
ddamniol i sgrifennu drama neu storïau. Nôd amgen dramaydd
neu nofelydd yw tosturi a goddefgarwch tuag at bawb, gan
gynnwys gelynion ei wlad ac yn enwedig ffyliaid. Ac nid oes lle
mewn gwleidyddiaeth gyfoes i oddefgarwch.

Ymbiliodd am yr un goddefgarwch:

Yr wyf i'n dewis ysgrifennu yn lle brwydro – nid am mai
ysgrifennu yw fy mywoliaeth; gallwn gael bywoliaeth arall –
ond yn syml ac yn onest am fy mod i'n llwfr. Mae'n wir y dof
o'm hogof ar adeg lecsiwn i dawelu tipyn ar fy nghydwybod,
ond gan fod yn rhaid dewis rhwng gwleidydda a llenydda fel
ffordd o fyw, fy llwfrdra sy'n gwneud imi ddewis yr olaf.

Yr oedd yn llond tudalen o nodyn yn gofyn am gael ei esgusodi
rhag chwarae'r gêm a dychwelyd at ei deipiadur: 'Dihangfa ydyw
rhag y frwydr, y gorchwyl caredicaf wrth fy nerfau.'

Hyn ym mis Ebrill. Ar dudalen blaen rhifyn Mai o'r un
cyfnodolyn, cyhoeddwyd llun o Islwyn hunanfeddiannol a chetyn yn
ei law, yn gwenu i lygad y camera, o dan y pennawd bras: IS-
ETHOLIAD MALDWYN – ISLWYN FFOWC ELIS – YMGEISYDD Y
BLAID. 'Ni ellir meddwl am neb sy'n annhebycach nag ef i'r
gwleidydd proffesiynol,' meddai Gwynfor Evans mewn teyrnged
ddiplomyddol ar yr un tudalen; 'ond yn hynny y mae ei gryfder,
oblegid gwleidyddiaeth broffesiynol sy'n dinistrio Cymru.'

Bwriodd Islwyn iddi gyda hynny o frwdfrydedd a allai, gan adael
Eirlys a Siân ym Mangor a symud i Faldwyn i aros drwy gydol yr
ymgyrch. Gyda gweddill y teulu'n ymuno ag ef yno drannoeth y
pleidleisio. Cynhaliodd ei gyfarfod cyhoeddus cyntaf (o bedwar y
noson honno a thros ddeg a thrigain yng nghwrs y tair wythnos i
ddilyn) yn neuadd ysgol gynradd Llansantffraid ym Mechain nos Iau
26 Ebrill. Tystiodd ei bapur enwebu, uniaith Saesneg, mai 'author' oedd.

Arhosodd ar aelwyd Arthur Thomas, ei enwebydd a gweinidog
gyda'r Annibynwyr, yn Tegfan, Llanfair Caereinion, gan deithio
ledled y sir yn hen Volvo ei gyfaill. Calon yr ymgyrch, er hynny, oedd
cartref ei asiant, Trefor Edwards a'i wraig, Mair, yn Windsor House.

Yno, yn ystafelloedd niferus yr hen dŷ tafarn, mewn gwelyau dros dro ac ar loriau, yr ymgynullodd y cefnogwyr cymysgryw: J. E. Jones, R. E. Jones, Pennar Davies, Trefor Morgan, Elwyn Roberts, Glyn James, Dafydd Orwig, Harri Webb, Chris Rees a Dafydd Wigley. Teithiodd Elystan Morgan o Sir Ddinbych a Gwynfor o Gaerfyrddin i annerch cyfarfodydd.

Am i is-etholiad Maldwyn ddilyn yn dynn ar sodlau buddugoliaeth ysgubol a hanesyddol Eric Lubbock dros y Rhyddfrydwyr yn Orpington ym mis Mawrth enynnodd sylw papurau newydd Llundain (cyhoeddwyd llun Islwyn yn *The Times* ar 5 Mai) a chymariaethau gobeithiol ymhlith selogion y Blaid. 'Montgomeryshire can become the Orpington of the Welsh National Revival,' ysgrifennodd Dafydd Orwig mewn llythyr at yr aelodau.[12] Mewn etholaeth Ryddfrydol i'r carn, a ofnai golli'r sedd i'r Torïaid drwy ildio pleidleisiau i'r Blaid, trodd yn ymgyrch flin a blinderus. Mewn llythyr i'r *Rhondda Leader* yn 1967 (nas cyhoeddwyd), soniodd Islwyn am y bygythiadau corfforol yn y stryd a'r hwtian ar noson y cyfrif. Bu sawl cyrch hefyd ar gartref Trefor Edwards. Paentiwyd llun draig a 'The Dragon's Lair' ar dalcen y tŷ, a thrannoeth yr ymgyrch dygwyd torch o flodau o gofeb y dref a'i gosod ar garreg y drws.[13]

Rhwng y sôn am ddiboblogi gwledig, diarfogi niwclear a galw am sefydlu bwrdd trafnidiaeth i Gymru, ynghyd â Bwrdd Dŵr Cenedlaethol, rhedodd y Blaid ymgyrch fwriadol o addfwyn, bron na ddywedid domestig ei naws ac mae personoliaeth Eirlys bron cyn amlyced yn llenyddiaeth yr ymgyrch ag eiddo ei gŵr. Mewn datganiad i'r wasg, er enghraifft, sonnir am ei 'charm and quiet unassuming manner' a'i chefnogaeth i'w 'famous husband':

> She runs her home unaided and takes domestic chores, and looking after young Siân, her husband, and the two maternal grand-parents happily in her stride. Despite these responsibilities, her home, Irfon, Garth Road, Bangor, is a welcome haven for all callers.[14]

Yr un oedd natur ei hapêl at y pleidleiswyr Cymraeg. 'Fel un sy'n adnabod llawer ohonoch yn dda,' ysgrifennodd ar gefn taflen yn cyflwyno'r ymgeisydd, 'gwn y bydd pobl fwyn Maldwyn, a fu mor garedig wrthym pan oeddym yn byw yn y sir, yn gwrando'n garedig ar yr hyn sydd gan fy mhriod i'w ddweud.'[15]

Cafodd wrandawiad gwell na'r disgwyl, a chefnogaeth cant o ganfaswyr ddiwrnod yr etholiad ei hun ar 15 Mai. Roedd y *Daily Mail* wedi proffwydo hanner mil o bleidleisiau a'r *Express* 1,100. Pan gyhoeddwyd y canlyniad, yr oedd ar waelod y rhestr, ond gyda phleidlais uwch na'r disgwyl o 1,594. Yr oedd yn fuddugoliaeth o fath – i'r Blaid ac i ddyfalbarhad yr ymgeisydd anfodlon. Ysgrifennodd Robin Williams i'w longyfarch naw niwrnod yn ddiweddarach:

> F'annwyl Is-etholiad . . . Fe'th welais di ar DFî yn cetyna dy ffordd drwy'r frwydr, ac yn codi papur ar hwn ac arall ac yn siarad mewn Saesneg ystwyth . . . Buaswn wedi toddi'n llymaid ymhell cyn cyrraedd Sycharth ac wedi nythu yn nhin clawdd mewn torcalon a phenbleth. Gwyn fyd dy weledigaeth.

Ddiwrnod yn ddiweddarach, ysgrifennodd Islwyn at Gwynfor Evans i ddiolch iddo am ei gefnogaeth ac i gyfaddef ei fod 'yn dra bodlon' ar y canlyniad, er gwaethaf ei obeithion y gallasai ennill pleidlais uwch. Ni chredai fod y bleidlais bersonol wedi bod yn ffactor ond yn hytrach 'natur yr etholaeth, yr hinsawdd wleidyddol ar y pryd, a delw gyfan y Blaid yn ystod yr ymgyrch'. Ei lawenydd mwyaf, er hynny, oedd bod 'brwydr Maldwyn wedi mynd ymhell tuag at uno'r Blaid mewn adeg anodd yn ei hanes'. Nid oedd gair yn gyhoeddus, wrth gwrs, am adegau anodd i'r Blaid; yr oedd ei ddatganiad ar 'Wersi Is-etholiad Maldwyn' yn *Y Faner* ar ddiwrnod olaf y mis yn orfoleddus:

> Fe droes y Blaid etholiad di-liw a di-destun yn etholiad Cymreig. Fe drowyd goleuni llachar ar broblemau Canolbarth Cymru. Fe wnaed Cymru'n destun siarad am y tro cyntaf er y Ddeddf Uno . . .
>
> Ymhen dwy flynedd bydd cannoedd a ddeffrowyd ym Mai 1962 yn barod i droi eu cydymdeimlad amlwg yn bleidleisiau dros Gymru.

Wrth iddo ysgrifennu'r geiriau, gwyddai mai ef fyddai'r ymgeisydd eto – wedi ei ailfabwysiadu gan gangen ddiolchgar gyda sêl bendith y Pwyllgor Gwaith. Roedd yr ymgyrch gyntaf wedi costio'n ddrud iddo. Oherwydd Deddf Cynrychiolaeth y Bobl, canslwyd ei ddrama-gyfres deledu (y gyntaf yn Gymraeg) am fywyd mewn coleg diwinyddol, *Rhai yn Fugeiliaid*, gan y BBC ar ei hanner – a hynny er mai darn gogledd-orllewin Maldwyn yn unig a allai dderbyn rhaglenni Cymraeg ar y pryd. Byddai'r ail ymgyrch, gellid dadlau, yn costio'n ddrutach fyth.

Dychwelodd Islwyn i Fangor i ailafael yn ei waith, gan gyfaddef wrth ei gynulleidfa mewn darllediad *Awr y Plant* ar 10 Gorffennaf, ei fod 'ar ganol nofel am frenin Cymreig o'r enw Gruffudd ap Llywelyn . . . dydi'r nofel hanesyddol ddim yn dwad yn rhwydd iawn. Efallai na ddaw hi ddim o gwbwl.' Yn ôl ei arfer, fe'i llygad-dynnwyd gan ddiddordebau eraill. Erbyn diwedd y flwyddyn yr oedd yn cynnal cyfarfodydd rhieni yn Irfon gyda golwg ar sefydlu ysgol feithrin Gymreig yn y dref, ac yn neilltuo boreau Sadwrn i ddysgu dosbarthiadau Cymraeg fel ail iaith. Yr oedd, ysgrifennodd at Gwynfor ar 16 Tachwedd, yn 'esgus o lywydd' hefyd ar gangen leol y Blaid. Yn yr un mis daeth yn golofnydd rheolaidd yn y cyhoeddiad newydd *Barn*. Mae tôn yr ysgrifau hyn, 'Siopa', 'Siarad' a'r gweddill, a ymddangosodd bob mis rhwng hynny a Gorffennaf 1963, yn benderfynol o wrthwleidyddol a gwrth-ddadleuol: dyn lled-gomig, Pooteraidd, piwis-ddiniwed yn ymgodymu â throeon trwstan a rhwystredigaethau bywyd pob dydd. Cuddliw oeddynt ar rwystredigaeth fwy i ddod. Ar 3 Ionawr 1963, ysgrifennodd at Gwynfor Evans i ddweud ei fod 'braidd yn annedwydd':

Nid wyf wedi llwyddo i sgrifennu dim byd gwreiddiol er is-etholiad Maldwyn . . . Nid yw'r meddwl yn ymlacio ac ymlonyddu at y gwaith, yn enwedig gan fod rhaid edrych ymlaen at yr Etholiad Cyffredinol.

Y tad hwn, yn cadw wyneb, oedd atgof cynharaf Siân, a'i cofiodd yn ei chario i'w gwely yn Irfon pan oedd hi 'tua dwy oed':

Roedd gennym ni risiau hir ac roedd rhyw chwech neu saith darlun ar y wal. Byddem yn enwi'r lluniau ar y ffordd i fyny ac ryw'n cofio mai fy ffefryn oedd y Mona Lisa.[16]

Anesmwythyd yn ogystal â phryder am ei statws hunangyflogedig, gellir tybio, a yrrodd Islwyn Ffowc Elis i gynnig am swydd ym mis Chwefror 1963, ar ddiwedd gaeaf ymddangosiadol ddiddiwedd. Yr oedd ceisio am ddarlithyddiaeth yng Ngholeg y Drindod – coleg hyfforddi athrawon yn unig ar y pryd – yn od a dweud y lleiaf. Nid oedd ganddo unrhyw brofiad dysgu ffurfiol ac yr oedd Sir Gaerfyrddin yn wlad ddiarth. Un atyniad oedd cael cydweithio â Dyddgu Owen; rheswm arall oedd awydd pennaeth yr Adran Gymraeg yno, Norah Isaac, am gael llenor cydnabyddedig ar y staff.

Yr oedd y syniad o symud, fel y byddai bob amser, yn hwb ac yn antur iddo. Ysgrifennodd at Gwynfor ar 18 Chwefror i'w hysbysu mai 'un o'm breuddwydion ers blynyddoedd yw treulio cyfnod yn y Deheubarth, i gael nabod ei bobl a meistroli'i dafodiaith.' Yr oedd apêl neilltuol, ychwanegodd, mewn byw yn 'Shir Gâr': 'Mae'r cyfan a ddywedsoch am y lle wedi bod yn galondid ac yn ysbrydiaeth i mi.' Mater cymharol syml oedd gwerthu'r tŷ ym Mangor; 'problem wirioneddol' fyddai cael cartref addas arall. Yr oedd blynyddoedd Bangor wedi ei wneud yn godwr gwael, felly byddai'n rhaid prynu rhywle o fewn cyrraedd hwylus i'r coleg, gyda chwech ystafell wely er mwyn cael stydi ac ystafell i ymwelwyr a rhieni Eirlys. '. . . peidiwch â rhoi dim o'ch amser i fod yn "estate agent" i ni! Mae rhywbeth yn sicr o ddod.' Byrdwn ei lythyr, er hynny, oedd tawelu ofnau Gwynfor am sedd Maldwyn. Trwy 'ddadlau gweddol ofalus' yr oedd wedi cael caniatâd gan y Prifathro a'i Ddirprwy – y Canon Halliwell a John Humphreys – i ailsefyll. Yr amod oedd y câi bythefnos o'r gwaith, heb dâl, pan ddôi etholiad.

Datryswyd problem y lleti erbyn dechrau'r mis nesaf. Cynigiodd Dyddgu Owen ei chartref, byngalo o'r enw Nant y Pandy yn Ffordd y Coleg, Caerfyrddin i'r teulu, 'am ychydig ddyddiau,' fel yr eglurodd wrth Tecwyn Lloyd ar 4 Mawrth[17] ac yr oedd tŷ addas o ran maint os nad o ran lleoliad, 'Strathmore', ar werth yn Llansteffan. Symudodd

Islwyn Ffowc Elis a'r lleill yno ar ddiwedd y mis. Am fod rhieni Eirlys wedi gwneud Islwyn ac Eirlys yn gyd-berchnogion ar Irfon, talodd Islwyn y gymwynas yn ôl. Prynwyd y tŷ newydd yn eu henwau ill pedwar. Am y trydydd tro, mynnodd Islwyn newid yr enw ar gartref iddo. Cymreigiodd Strathmore yn 'Garth Môr'. Hwn fyddai eu cartref hyd Orffennaf 1965.

Mae cyfeiriadau Islwyn at ei waith yn y Drindod yn nodedig o brin, hyd yn oed yn ei ohebiaeth. Yn ei gyfweliadau a'i ysgrifau hunangofiannol, cefnlen dywyll yw'r coleg i ddigwyddiadau pwysicach. Cyrhaeddodd yno ar drothwy chwyldro tawel yn y gyfundrefn hyfforddi athrawon, yn rhan o garfan o ddarlithwyr a benodwyd i gyflenwi angen cynyddol. Daethai'r straen yn amlwg erbyn Ebrill 1963. Yn seithfed gynhadledd yr Academi rhwng y pedwerydd a'r chweched, fe'i hetholwyd – er syndod iddo – yn ysgrifennydd i olynu Bobi Jones. Rhuthrodd yn ôl i Fangor i bacio, ond nid cyn ysgrifennu llythyr maith at Gwynfor ar y degfed. Daeth yn bryd lleisio'r ofnau a oedd ganddo ddwy flynedd ynghynt. Ceir y copi gwreiddiol ym mhapurau Gwynfor, a chopi ohono yn ffeiliau'r Blaid[18] – arwydd sicr fod ei dderbynnydd yn ei weld yn ddogfen a haeddai sylw ehangach.

Ar ôl rhagymadroddi drwy ymddiheuro y byddai'n rhaid iddo golli Pwyllgor Gwaith y Blaid yn Llandudno (y trydydd iddo'i golli yn olynol), aeth at ei fater. Yr oedd am weld dim llai na chwyldro yn holl strategaeth y Blaid. Yr unig ffordd o ddilyn yr ymresymu a blasu cyflwr y meddwl y tu ôl iddo yw drwy ei ddyfynnu yn helaeth:

> Rwy'n cwbl gredu mai peth da fu ymladd etholiadau seneddol hyd yn hyn, ond ni allem fod wedi ennill cymaint o dir mewn unrhyw ffordd arall. Ond yn awr mae'r sefyllfa wedi newid. Fe gawsom rybudd go ddifrifol yn etholiad cyffredinol 1959, yn enwedig ym Meirionnydd [lle daeth Gwynfor ar waelod y rhestr gyda 22.9% o'r bleidlais] – profiad a gostiodd yn ddrud i chi'n bersonol fel i'r Blaid i gyd, er y gallesid gwneud yn well yno petae gwell cynrychiolydd a pheirianwaith, a phetai Pleidwyr Meirion wedi *gweithio*. Ond hyd yn oed wedyn, ni allasech ennill y sedd o gryn dipyn – dyna 'marn i erbyn hyn.

Wedyn, fe ddaeth is-etholiad Maldwyn. Bûm yn fy nghysuro fy hun ei bod hi'n bleidlais go lew mewn etholiad denau'i phoblogaeth, a ninnau'n ymladd am y tro cyntaf. Ond fel y gwyddoch chi'n iawn, pleidlais sâl oedd hi, oherwydd roedd pobol Maldwyn yn fy 'nabod i gystal â'r un o'r ymgeiswyr eraill, ac fe wnaed gwaith aruthrol gan oreuon y Blaid yno mewn amser byr . . . Sut bynnag yr esboniwn hi, a ph'le bynnag y rhown ni'r bai, rhaid wynebu'r ffaith mai 1600 sy'n barod i bleidleisio i ni mewn etholiad seneddol yn yr etholaeth yna pan fo dewis cyflawn o bleidiau o'u blaen.

Y casgliad noeth yw hwn: ein bod yn awr wedi cyrraedd *impasse*, ac i ble yr awn oddi yma? Mae un peth yn weddol sicir: fe gawn gurfa yn yr etholiad cyffredinol nesaf a fydd yn waeth ac yn fwy difäol i'n hysbryd na honno a gawsom yn 1959. Nid oes dim ond gwyrth a all ein harbed rhag hynny, ac ni all gwleidyddiaeth realistig obeithio am wyrthiau.

Ei awgrym, yn fyr, oedd ymatal rhag ymladd etholiadau seneddol:

'Wel, wel.' Meddwch, 'dyma hwn eto wedi mynd drosodd at y garfan ddigalon sy'n ymdroi mewn rhwystredigaeth barlysol, ac yn ceisio 'nigalonni innau.' Yn rhyfedd iawn, dydw i ddim yn teimlo'n ddigalon. Yn wir, rydw i'n fwy gobeithiol am Gymru'n awr nag y bûm i ers llawer dydd. Gymaint felly nes 'mod i o'r diwedd wedi gallu edrych ar y sefyllfa yn ei hwyneb a myfyrio arni. Ac wrth wneud hynny, rwy'n gweld ein bod wedi cyfystyru twf Cymreictod â llwyddiant mewn etholiadau seneddol, a phall Cymreictod â'i fethiant. Ond nid felly o gwbl, mae'n ymddangos i mi yn awr.

Er bod y Blaid, meddai, wedi magu 'delw ddymunol, resymol, wâr' dan arweiniad Gwynfor, daliai heb 'y nerth a'r aeddfedrwydd a'r profiad i gyfiawnhau anfon ei chynrychiolwyr i'r Senedd' yng ngolwg yr etholwyr. Yr unig ateb, fyddai peidio ag ymladd o gwbl yn yr etholiad nesaf: 'Newid ei chwrs yn ddramatig, syfrdanu'r wlad â thacteg gwbwl annisgwyl – a ffrwythlon, mi greda' i, yn y man.' Byddai cyfyngu nifer yr ymgeiswyr, credai, 'yn gamgymeriad enbyd, Byddai'n dangos i'r wlad ein bod wedi cydnabod ein trechu, ac yn torri'r brethyn yn ôl y defnydd.' Gwell o lawer fyddai ymatal yn llwyr, 'peth mor annisgwyliadwy, ac ar yr wyneb mor afresymol, nes codi chwilfrydedd mawr.'

Aeth rhagddo i ddadlau ei achos yn fanylach: byddai curfa arall yn digalonni'r aelodau ac yn arwain 'efallai' at alw ar Gwynfor i ymddiswyddo o'r llywyddiaeth, gan 'chwalu'n derfynol' unrhyw undod a greodd. Byddai peidio ag ymladd yr ugain o seddau arfaethedig yn arbed rhwng £12,000 i £14,000 i goffrau'r Blaid, arian y gellid ei ddefnyddio i benodi tri threfnydd amser llawn. Prysurodd i sicrhau'r llywydd na fyddai'r Blaid yn 'rhoi diofryd' ar ymladd etholiadau seneddol am byth – ond awgrymodd gyfnod o ddeng mlynedd, sef hyd etholiad cyffredinol 1974 (neu pa bryd bynnag y bydd)':

> Yn fy marn i, yr ydym wedi bod yn rhy ddiniwed onest o ddim rheswm. 10 mlynedd o gyfrwystra yw'r unig obaith yn awr . . . Rwy'n credu mai ymryddhau o hud San Steffan *yn unig* a all ein galluogi i roi ein holl fryd ar y cynghorau. O gael cynrychiolaeth gref arnynt hwy drwy Gymru – ac rwy'n credu fod yr awr yn aeddfed i hyn – *yna* fe allem ail-godi'n golygon tua Llundain – petai angen erbyn hynny!

Byddai cam mor feiddgar yn 'chwyldroi Cymru . . . ei hanesmwytho drwyddi draw'. Yr unig broblem oedd pryd i wneud y 'datganiad syfrdanol':

> Rwy'n ofni mai *nawr* yw'r amser. Rwy'n credu na bydd etholiad cyffredinol eleni, a byddai digon o amser wedyn i'n gweithred ryfedd fod wedi hau amheuon ym meddyliau'r A'au S ac ymgeiswyr y pleidiau Seisnig, a'r cwestiwn mawr yn eu meddyliau fyddai sut i ennill y bleidlais genedlaethol Gymreig? Dyna un ffordd arall o gael etholiad Cymreig ei naws.

Yr oedd 'posibiliadau diderfyn' yn ymagor o ddilyn y cynllun hwnnw, meddai. Ei ddiddordeb mwyaf oedd 'gwneud astudiaeth ddofn (*depth motivation research*) o'r meddwl Cymreig, ac yna gwerthu'r syniad o Gymru â phob rhyw ddyfais gyfrwys o Fôn i Fynwy':

Yr wyf wedi cynllunio nifer o bosteri *mawr* at y pwrpas, ond ni ellir eu gwneud a'u defnyddio nes bydd y gwaith MR wedi'i wneud drwy gymryd samplau dethol o'r werin ym mhob haen a galwedigaeth . . . Hyn – a'r cynghorau lleol – dyna ddigon am y 10 mlynedd nesaf.

Yr oedd 'bron â gweddïo' y byddai Gwynfor yn cyd-weld. Ac yna, yn groes i bob disgwyl bron, clodd gyda'r nodyn hwn:

Mi ddylwn ddweud un peth. Rwy'n eitha parod i sefyll eto ym Maldwyn. Mi gefais ganiatâd Coleg y Drindod i wneud hynny. Ond ni allaf f'ystyried fy hun na'm hetholaeth. Yr unig bethau o bwys yw'r Blaid, a Chymru, ac ieuenctid Cymru.

Ac uwchben y llofnod, y geiriau hyn: 'Yn ffyddlon fel bob amser'.

Nid yw syniad canolog y llythyr mor ecsentrig ag yr ymddengys. Fe'i hysgrifennwyd, cofier, yn sgil darlith *Tynged yr Iaith* Saunders Lewis, yn y cyfwng hwnnw cyn sefydlu Cymdeithas yr Iaith, ac o fewn cof etholiad trychinebus 1959, pan oedd anniddigrwydd cyffredinol ymhlith yr aelodau hynny o'r Blaid a welai wleidyddiaeth gyfansoddiadol yn amherthnasol, onid yn beryglus i barhad y Gymraeg. Bu Saunders Lewis yn dadlau peth tebyg fis yn ddiweddarach mewn llythyr at Kate Roberts.[19] Y ddau beth diddorol amdano yw fel mae Islwyn yn clensio ei ddadl cyn ildio'r cyfrifoldeb i Gwynfor i weithredu, yn griddfan am gael cefnu ar ail frwydr seithug ym Maldwyn ond yn amharod i dynnu'n ôl, ac yn ail fod yma lawer mwy na gwag siarad. Yr *oedd* gan Islwyn gynllun. Union wythnos yn ddiweddarach, ar 17 Ebrill, ysgrifennodd yr un llythyr o chwith, fel petai, gan sicrhau Gwynfor eto ei fod 'yn barod i fentro'ch dilyn drwy'r etholiad nesaf er gwaethaf fy nheimlad,' cyn troi eto at ei genadwri:

Ar yr un pryd, rwy'n dal i gredu bod yn rhaid inni ddefnyddio mwy o ddychymyg a chyfrwystra o hyn allan, mae angen mwy na gwleidyddiaeth noeth i ddyfnhau a miniogi'r ymwybod Cymreig . . . ac mae'r hyn sydd gen i i'w wneud yn ymffurfio yn fy meddwl yn gliriach nag y bu.

Am y tro, rhaid oedd ildio – ac ymladd Maldwyn eto. Câi Gwynfor weld ystyr 'dychymyg a chyfrwystra' Islwyn ymhen dwy flynedd a hanner eto.

Yng nghanol Tachwedd y flwyddyn honno, yn ernes o'i ffyddlondeb i'r achos, trodd Islwyn Ffowc Elis am y sir, gan annerch cyfarfod o aelodau Undeb Amaethwyr yn Y Trallwng. Teimlai nad oed wedi disgleirio, a da oedd dal ar y cyfle i ddianc dros y ffin i Nantyr ac i Aberwiel at ei fam a'i dad, am noson o orffwys cyn troi'n ôl am y de. Cawsai Catherine Ellis strôc dair blynedd cyn hynny, ond cafodd y mab hi mewn hwyliau arbennig o dda, ac yn ddigon atebol i baratoi pryd o fwyd iddo. Ganol nos fe'i deffrowyd yn ei wely gan ei dad. Yr oedd ei fam wedi ei tharo'n wael.

Cafodd Islwyn Ffowc Elis hyd iddi yn gorwedd yn ddiymadferth yn y bath. Fe'i cododd a'i rhoi yn ei gwely, gan alw'r meddyg. Ail strôc oedd y dyfarniad: un drymach y tro hwn nag o'r blaen. Arhosodd y mab wrth ei gwely am dridiau. Bu farw Catherine Ellis ar 17 Tachwedd, pen-blwydd Islwyn yn 39 oed. Ar 5 Rhagfyr, talodd deyrnged i'w Chymreictod ymwybodol mewn llythyr at Tecwyn Lloyd:

> Roedd ei threigladau a rhai o'i chystrawennau'n chwithig hyd y diwedd, ond roedd ganddi falchder mawr yn ei medr i siarad yr iaith, a fyddai hi byth yn siarad Saesneg – a oedd yn llawer rhwyddach iddi – oni bai fod rhaid.[20]

'Roedd yn dda calon gen i weld cynffon 1963,' cyffesodd wrth ddarllenwyr ei golofn yn *Barn* ym mis Ebrill 1964. 'Mi ffarweliais â hi â llawenydd mawr dros ben.' Buasai, meddai, yn 'hen flwyddyn anodd, drafferthus, groes'. Ymholai, rhwng difrif a chwarae yn yr un darn, a oedd ei fywyd yn dilyn patrwm. 'I mi, roedd 1956-63 yn saith mlynedd o hawddfyd tirion – er gwaetha ambell broblem a phryder. Ond roedd y saith mlynedd blaenorol yn artaith. Er cael llawer o garedigrwydd personol, saith mlynedd o ing. Y saith mlynedd cyn hynny: gwynfyd . . . Ydi bywyd yn wir yn ymbatrymu o'r newydd bob saith mlynedd.?Ac, os ydyw, a fydd y saith mlynedd 1963-70 . . .?'[21]

Yr oedd dyfaliad Islwyn Ffowc Elis, am ei werth, yn llygad ei le.

Ffynonellau

1 LlGC, papurau'r Academi Gymreig, CSG1/1/11.
2 LLGC, papurau Tecwyn Lloyd, 4/1.
3 LlGC, papurau'r Academi Gymreig, CSP1/1
4 Ibid, GSG1/2/37.
5 Ibid.
6 'Y Nofelydd a'i Gymdeithas, *Taliesin* 1, 1961, 79-80.
7 Ibid, 81-2, 83.
8 Yn Gerallt R. Jones (gol), *Fy Nghymru i* (Dinbych, 1961), t. 40.
9 Ibid, t. 41.
10 Cyfweliad gyda Glyn Evans, *Y Cymro*, 8 Mawrth 1973.
11 Islwyn Ffowc Elis at Kate Roberts 16 Medi 1961, LlGC, papurau Kate Roberts 352.
12 LlGC, papurau Plaid Cymru J116.
13 Sgwrs rhwng yr awdur a Trefor Edwards, 1 Hydref 2001.
14 LlGC, papurau Plaid Cymru, C143.
15 Ibid.
16 Gohebiaeth bersonol, d.d., ond marc post 12 Gorffennaf 2002
17 LLGC, papurau D. Tecwyn Lloyd, 4./1.
18 LlGC, papurau Plaid Cymru B1165
19 Dafydd Ifans (gol), *Annwyl Kate, Annwyl Saunders* (Aberystwyth, 1993), t. 193: 'Mater politicaidd yw status [*sic*] a dyfodol yr iaith a Phlaid Cymru a ddylai fod yn ymladd y frwydr hon drwy ei changhennau, a thrwy bolisi ymosodol di-ball i orfodi'r iaith ar yr awdurdodau lleol a swyddfeydd y llywodraeth yn yr ardaloedd Cymraeg. Ysywaeth, ymgeisio mewn etholiadau seneddol yw unig neu agos at unig bolisi Plaid Cymru . . .'
20 LLGC, papurau Tecwyn Lloyd, 4/1.
21 *Naddion*, t. 54.

7

'. . . lle croch, llachar, di-stop'
1964-6

Treuliodd Islwyn ei Nadolig cyntaf yn Sir Gaerfyrddin yn cyfieithu *Julleballet* o waith y nofelydd Norwyeg Evi Boenegaes, ar sail cyfieithiad llythrennol i'r Saesneg gan Dilys Price o gyfieithiad blaenorol i'r Almaeneg. Daeth *Noson y Ddawns* o Wasg Gomer yn 1965. Roedd yn gychwyn gwaith i'r Cyngor Llyfrau a ddatblygai'n swydd amser llawn ymhen chwe blynedd eto. Dengys gohebiaeth rhwng Islwyn Ffowc Elis a threfnydd y Cyngor ar y pryd, Alun R. Edwards, mor bell yn ôl â Chwefror 1965, fod sôn am gynnig swydd barhaol iddo gyda'r Cyngor – ond roedd y darlithydd newydd yn anfodlon mentro mudo eto.

Ymlusgodd y llywodraeth Dorïaidd tua'i thranc anochel drwy wanwyn a haf 1964, tra ceisiai Islwyn Ffowc Elis ddygymod â dihoeni araf ei dad gweddw gartref yng Nglynceiriog ac ymdopi â bywyd Coleg a'r criw o Gymry ifanc amlwg y câi ei hun bellach yn eu plith: Dafydd Rowlands, John Rowlands, Carwyn James, T. James Jones ac Ifan Dalis-Davies. Mae'r rheini a oedd yno ar y pryd yn cael trafferth i gofio dim yn benodol am y newydd-ddyfodiad enwog, bron fel petai wedi gwneud ymdrech i ddysgu bod yn ddisylw. 'Dyna'r argraff sy'n dal i aros yn fy meddwl rywsut,' ysgrifennodd un o'i gydathrawon o ddyddiau'r Drindod, ' – ei barodrwydd i blesio a pheidio â chynhyrfu'r dyfroedd: person hoffus a didramgwydd, hael ei ganmoliaeth bob amser. Er bod ganddo ef ei hun ei argyhoeddiadau (ynglŷn ag iaith, cenedlaetholdeb a chrefydd) prin y byddai'n herio neu brocio myfyrwyr. Mynd gyda'r graen a wnâi wrth drafod llenyddiaeth.'[1] Ategir yr argraff gan gynfyfyrwraig: '. . . ei lais sy'n aros yn y cof fwyaf. Medraf glywed ei oslef dawel yn awr. Meddai hefyd ar wên dyner ac osgo tadol a oedd yn gwneud merch fach o ganol Ceredigion yn gartrefol ar unwaith.'[2] Er bod Llansteffan yn anghyfleus ac yntau'n gynyddol bryderus ynglŷn â'r addysg uniaith Saesneg a gâi Siân pe gorfodid hi i fynychu ysgol y pentref, yr oedd yn hafan rhag gwleidyddiaeth fewnol y Coleg. Di-Gymraeg yn bennaf oedd ei gydnabod yn y pentref: Raymond Garlick a'r arlunydd John Petts, a bwysodd arno i ysgrifennu bob dydd, ni waeth beth, fel disgyblaeth. I lenor y buasai llenydda'n wynfyd ac yn fraint iddo, anodd oedd ei drin fel ymarferiad.

Bu sïon am etholiad cyffredinol ym mis Ebrill 1964, ond nogiodd y llywodraeth. Rhaid oedd disgwyl cyn wynebu curfa anochel arall. 'Rhaid imi gyfaddef,' ysgrifennodd at Elwyn Roberts, Trefnydd y Blaid, ar yr unfed ar bymtheg o'r mis, 'fod gohirio'r etholiad yn siom imi'n bersonol (er imi ddweud yn wahanol wrth y Wasg). Mae 6 mis arall o ddisgwyl yn mynd i drymhau'r baich. Ond rhaid ceisio ymwroli.'[3] Yr un oedd tôn llythyr arall ar yr un diwrnod at Gwynfor, ynghyd ag addewid i adolygu *Rhagom i Ryddid* Gwynfor i'r *Ddraig Goch*. 'Gollwng ochenaid a wneuthum i, 'rwy'n ofni . . . ac nid ochenaid o ryddhad.' Treuliasai dri diwrnod a thair noson dros wyliau'r Pasg yn yr etholaeth, gan aros ar aelwyd Arthur Thomas, 'a chael cyfarfodydd bach da yn Llanfyllin, Llanbrynmair a Llandinam.' Os rhywbeth, cawsai ei siomi ar yr ochr orau gan y derbyniad. Ei argraff oedd bod hyd yn oed Y Drenewydd 'wedi cynhesu'n ddirfawr tuag atom' er 1962, ac yr oedd agwedd meddwl gweithwyr rheilffyrdd Machynlleth, lle'r oedd pryderon ynglŷn â cholli swyddi, yn addawol. 'Yn wir,' ychwanegodd rhwng cromfachau, 'mae rhai o'r gweithwyr braidd yn rhy benboeth i 'mhlesio i, yn bygwth rhoi Epsom Salts yn Llyn Llanwddyn, etc! Ond fe ellir tawelu penboethni yn haws na chodi brwdfrydedd.' Yr oedd diweddglo'r adroddiad bron yn llawen er ei waethaf. 'Da y gwyddom bellach na ellir dibynnu ar unrhyw sôn na siarad am arwyddion o frwdfrydedd, ond pwy a ŵyr pa bryd y try'r llanw?'

Treuliasai ddyddiau cyntaf mis Ebrill yn nawfed gynhadledd yr Academi yn Neuadd Gilbertson, Coleg y Brifysgol, Abertawe, lle y bu, yn rhinwedd ei swydd fel ysgrifennydd, yn gyfrifol am y trefniadau. 'Fe gadwyd y rhaglen yn weddol ysgafn am fod rhai'n teimlo bod

Cynhadledd y llynedd yn rhy lwythog,' eglurodd mewn nodyn at yr aelodau ar 5 Mawrth. Yr oedd yn sicr yn rhaglen amrywiol o ran ystod ac oedran y cyfranwyr: Gwyn Thomas, Derec Llwyd Morgan a Jane Edwards ifanc yn darllen eu barddoniaeth; Kate Roberts yn trafod chwaeth; a Menna Gallie, Glyn Jones a Tecwyn Lloyd yn bwrw golwg dros lenyddiaeth gyfoes Eingl-Gymreig. Uchafbwynt y gynhadledd oedd sgwrs D. J. Williams 79 oed ar 'Fy Mhererindod Lenyddol', a ddarlledwyd gan y BBC. Y bodlonrwydd personol mwyaf i Islwyn Ffowc Elis, er hynny, oedd mabwysiadu ei gynnig yng nghyfarfod mis Medi i lansio Gwobr Goffa Griffith John Williams i'r llyfr gorau (ym marn yr aelodau) i'w gyhoeddi yn y flwyddyn honno gan un nad oedd yn aelod o'r Academi. Fe'i henillwyd, er llawenydd y sawl a'i dyfeisiodd, gan gyfrol Alun Jones, *Cerddi Alun Cilie*.

Erbyn Mai 1964 ildiai Islwyn Ffowc Elis i'r posibilrwydd mai Llansteffan fyddai ei gartref am fisoedd, os nad blynyddoedd, i ddod. Nid oedd olwg am dŷ addas. 'Rwy'n ceisio manteisio ar bob cyfle i gael fy mhig i mewn i fywyd y pentref yma a'r cylch,' ysgrifennodd at Gwynfor ar y trydydd, 'er mwyn yr "achos" a phosibiliadau dylanwadu.' Ar yr ochr lenyddol hefyd, blinai ar ddal ei wynt. Yr haf hwnnw, yn rhifyn Mehefin *Y Gwyddonydd* o bob man, ar gais ei olygydd Glyn O. Phillips, cyhoeddwyd 'Y Golau Estron'.

Y stori fer hon oedd yr unig ryddiaith greadigol iddo'i hysgrifennu yn y flwyddyn a hanner a dreuliai yn Garth Môr. Mae'n stori sydd, fel ei hawdur, yn gwingo dan y cyfyngiadau sydd arni. Yn yr un mis ag yr ymddangosodd, bu farw Ivor Ellis yn Ysbyty Maelor yn Wrecsam. Wedi methu dygymod â cholli ei wraig, gwrthodasai fwyta. Am yr eildro o fewn ychydig fisoedd, cafodd Islwyn ei hun ar yr hen aelwyd ac mewn angladd ym mynwent Tregeiriog. Erbyn mis Medi – a chyhoeddi'r etholiad cyffredinol yn ffurfiol – trodd y mab amddifad ei gefn ar y teulu unwaith eto er mwyn ymladd ym Maldwyn.

I Islwyn, y cysur mwyaf, o'i gymharu â phrofiad 1962, oedd mai un etholiad dibwys o blith cannoedd oedd hwn, gyda miloedd o ymgeiswyr yn mynd drwy'r un felin flinderus. 'Mae'r etholiad hwn,' ysgrifennodd yn ei anerchiad i'r etholwyr, heb hyd yn oed enw'r Blaid ar ei gloriau, '. . . yn llifo heibio i Faldwyn fel afon fawr, sy'n cario naill ai Dorïaid neu Lafurwyr i fuddugoliaeth, ac ni fydd llais etholwyr Maldwyn yn cyfrif dim.' Fe'i hysgrifennwyd gan un yn gwaredu at y frwydr a'i hwynebai. Ar 9 Medi, cyn cychwyn am Faldwyn ac aelwyd Arthur Thomas, ysgrifennodd at Gwynfor i ofyn am gopi o'i anerchiad etholiadol i'w ddefnyddio'n batrwm, ar ôl 'methu'n lân â chasglu fy meddwl at ei gilydd'. 'Yn wir,' cyfaddefodd, 'nid wyf yn gallu meddwl am yr etholiad o gwbl.' Llenwid ei feddwl gan ystyriaethau mwy cydnaws. Ar yr un diwrnod, lluniodd femorandwm helaeth i Tecwyn Lloyd yn rhinwedd ei swydd fel golygydd *Taliesin*, yn amlinellu ei gynlluniau i sefydlu Cymdeithas Awduron Cymru dan nawdd yr Academi. Yr oedd cyfansoddiad drafft, 'Perthynas yr Academi â'r Gymdeithas', yn arwydd nad oedd y syniadau a goleddai yn 1957 wedi llwyr ddiflannu, a hefyd fod y darlithydd yn dal i synio amdano'i hun fel llenor yn gyntaf oll. Fe'i disgrifiodd fel 'corff busnes i raddau helaeth', a ddatblygai maes o law yn annibynnol ar yr Academi:

> Fe allai'r Academi lansio'r Gymdeithas fel un arall o'i chymwynasau i lên Cymru, ond wedi i'r Gymdeithas fagu adenydd fe ddylai'r Academi ymadael â hi. Mae'n amlwg, wrth reswm, y byddai llawer yn aelodau o'r Academi ac o'r Gymdeithas, a byddai hynny'n ddigon o gysylltiad rhwng y ddeugorff.

Gyda'i fanylder dychmygus nodweddiadol, trafododd gyfansoddiad y corff newydd (pwyllgor llywio o bump, gyda hawl gan yr Academi 'i weithredu ar unwaith i wahodd aelodau'), tâl aelodaeth o bum gini'r flwyddyn (i gynnwys copi rhad o fwletin y Gymdeithas ddwywaith y flwyddyn a chyngor rhad ar broblemau cyfreithiol neu fasnachol), a ffurflen ymaelodi ar gyfer 'unrhyw un sy wedi cyhoeddi o leiaf un gyfrol o unrhyw fath (yn Gymraeg neu yn Saesneg)'. Byddai delwedd y corff arfaethedig yn bendant o wrth-Academaidd: rhagwelai benodi ysgrifennydd ('heb fod o anghenraid yn llenor ei hunan, er y byddai ganddo ddiddordeb, wrth gwrs, mewn llenyddiaeth'), trysorydd, cyfrifydd, cyfreithiwr a golygydd i'r bwletin. Ei weithgarwch pennaf fyddai bara menyn bywyd awduron: marchnata a hysbysebu, hawlfraint, yswiriant a phensiynau:

. . . o'r Cyfarfod Blynyddol Cyffredinol cyntaf fe allai'r Academi ystyried bod ei chyfrifoldeb am y Gymdeithas ar ben, a'r gymwynas arall hon â llên Cymru wedi'i chyflawni.

Anodd darllen y manylion hyn, yn wir, heb amau fod eu hawdur am greu swydd iddo'i hun.

Yn y cyfamser, rhaid oedd wynebu'r cyfarfod mabwysiadu, ar 26 Medi (lle'i dewiswyd yn ddiwrthwynebiad), a'r etholwyr, dair wythnos wedi hynny ar 15 Hydref. Y trefniant oedd y câi bythefnos o ryddhad o'i swydd (heb gyflog) i ymladd yr ymgyrch – ac er i'r Blaid gynnig talu ei dreuliau, am yr ail dro gwrthododd y cynnig. Am yr eildro, hefyd, dibynnai drwy gydol y bythefnos honno ar dabledi cysgu i gadw rhyw lun ar gydbwysedd.

Yr oedd y canlyniad yn fuddugoliaeth bersonol amodol. Cododd ei bleidlais i 2,167 a'i ganran oddi ar 1962 o 6.2% i 8.5%: unig ymgeisydd y Blaid (ac eithrio Gwynfor yng Nghaerfyrddin) i sicrhau cynnydd. Dychwelodd i Lansteffan i gael y teulu dan y frech goch, a llwyth o waith marcio yn ei aros. Teimlai, ysgrifennodd at Tecwyn Lloyd ar 29 Hydref, yn 'debyg i feipen wedi'i chicio . . . affwysol flinderus a phur flin yr ysbryd hefyd'. Gallai ymgysuro mewn tri pheth: ei fod wedi cadw ei addewid i ymladd; ei fod wedi llwyddo cystal mewn 'lecsiwn deledu' lle ni chaniateid darllediadau i'r Blaid oherwydd lleied ei chyfran o'r bleidlais; ac yn y boddhad chwerw o wybod bod ei ddarogan wrth Gwynfor flwyddyn ynghynt wedi cael ei wireddu. Er bod gan y Blaid 23 o ymgeiswyr yn 1964 o'i gymharu ag 20 yn etholiad cyffredinol blaenorol 1959, yr oedd ei phleidlais wedi gostwng o 77,571 i 69,507, a'i chanran o 5.2% i 4.8%. Cawsai Islwyn Ffowc Elis fod yn flaenllaw mewn ymgyrch a welsai'r gostyngiad cyntaf yn ei hanes. Ysgrifennodd at Tecwyn Lloyd fel rhywun a'i teimlai ei hun eisoes ar gyrion y frwydr ond eto heb allu ymryddhau'n llwyr:

Mae Pleidwyr ac eraill wrthi nerth esgyrn eu pennau ran yn y Wasg yn dweud pethau heilltion am bawb a phopeth, fel ar ôl pob lecsiwn o'r blaen, ond wedi i'r dyfroedd ymlonyddu a chlirio ac i'r pennau poethion oeri, fe welir nad yw'r sefyllfa ddim gwaeth – a dim gwell, yn sicr – nag o'r blaen. Efallai y byddai'n well i'r Blaid fod wedi gwrando arnaf a'm tebyg, a llwyr ymwrthod â'r lecsiwn am y tro, ond ar y llaw arall, mae gweld Cymry di-Gymraeg mewn hen sir adfeiliedig fel Maldwyn yn deffro i Gymreictod am y tro cyntaf ers canrifoedd yn dweud fod rhywfaint o werth mewn lecsiwn, wedi'r cyfan.

Byrdwn y llythyr, er hynny, oedd trafod mater arall. Roedd Euros Bowen wedi ysgrifennu ato union bythefnos ynghynt, ar drothwy pleidlais Maldwyn, i'w hysbysu ei fod wedi torri ei ddosbarth nos yng Nghwmllinau yn unswydd i fynd i'w glywed ym Machynlleth '. . . ac roedden ni i gyd yn teimlo ein bod wedi cael ysbrydoliaeth wedi bod yno'. Ei gwestiwn oedd tybed a allai Islwyn ddangos yr un ysbrydoliaeth fel cydolygydd *Taliesin* gyda Tecwyn Lloyd.

Ar yr olwg gyntaf, yr oedd yn bopeth a ddymunasai Islwyn Ffowc Elis iddo'i hun union ddeng mlynedd ynghynt, yn nyddiau anesmwyth, creadigol Niwbwrch. Y demtasiwn reddfol oedd derbyn. Ond dechreuai Islwyn ddysgu drwgdybio ei frwdfrydedd ei hun. Ar yr un diwrnod ag yr ysgrifennodd at Tecwyn, 'wedi blino'n affwysol wedi'r etholiad', atebodd lythyr Euros Bowen:

> . . . y peth gorau 'nawr, rwy'n credu, yw imi gytuno i fod yn is-olygydd dros dro, ac i Tecwyn fod yn olygydd. Wn i ddim am ba hyd y bydda i yma yng Nghaerfyrddin – mae'n bosibl y bydda i'n symud cyn bo hir – ac felly, gwell imi beidio â 'nghlymu fy hun i'r gwaith yn llwyr. Ond mi wna i bopeth yn fy ngallu i helpu Tecwyn megis gohebu, casglu defnyddiau, etc.

Mae tôn y llythyr yn dwyn i gof ei ohebiaeth â Gwynfor ar fater ymladd etholiadau seneddol: dadlau ei achos, ac ildio wedyn – bron fel petai gwrthod yn anfoneddigaidd. Felly hefyd ail hanner llythyr yr un diwrnod at Tecwyn, yn ceisio cadw hyd braich rhyngddo a'r swydd, ond yn methu peidio â derbyn. Megis yn achos ei ateb i Euros Bowen, honnodd (neu gobeithiodd) na fyddai yn y Drindod, ond cynigiodd ei wasanaeth. Ni fynnai weld ei enw ar glawr y cylchgrawn, ond addawodd geisio cyfraniadau:

Fe wna i hefyd olygu *iaith* y teipysgrifau, os mynni di. Nid bod
fy Nghymraeg i'n berffaith – dydi Cymraeg neb yn gwbwl
berffaith – ond gan fod dysgu gramadeg a chystrawen a sbelio,
etc, yn rhan o 'ngwaith i, a 'mod i wrth fy swydd yn cywiro
gwallau Cymraeg myfyrwyr, efallai 'mod i mewn cyfle [*sic*] da i
ymgydnabod â chywirdeb mecanyddol, heb fod yn bedantig,
gobeithio.

Ac yna, fel rhywun wedi ei argyhoeddi ei hun nad oedd yn
gymaint o orchwyl â hynny wedi'r cyfan, cynigiodd ragor eto:

Pe digwyddai 'mod i'n anghytuno'n gryf – peth go annhebygol
– â'th sylwadau di mewn unrhyw rifyn, fe allwn i chwanegu
nodyn – rhyw fath o 'adroddiad lleiafrif' – ar fy mhen fy hun.
Ond dim ond hynny. A go brin y cyfyd y fath achlysur.

Mae'n debyg nad oedd fawr o garn i'w haeriad na fyddai'n aros yn
y Drindod. Gwir ei fod wedi cael hanner cynnig swydd olygyddol
gyda'r Cyngor Llyfrau mor bell yn ôl ag 1962; ond tuedd dyn yw
credu ei bod ym mryd Islwyn, gwta flwyddyn ar ôl cyrraedd
Caerfyrddin, i fentro byw ar ei fara ei hun unwaith eto. Eironi pethau,
yn dilyn hirlwm cymharol 1963 a dechrau 1964, oedd bod cynigion
gwaith yn cyrraedd o bob cyfeiriad: yn gyfresi radio a theledu, yn
golofnau papurau newydd – ac yr oedd drws Gwasg Gomer ar agor
iddo o hyd.

O'i ran yntau, ofnai Euros Bowen golli ei gyd-olygydd enwog.
Dengys gohebiaeth helaeth yn archifau'r Academi fel yr oedd dyfodol
Taliesin yn y fantol drwy 1964: y gwerthiant yn isel (rhyw 700 ar y
gorau), nifer y tudalennau'n lleihau o flwyddyn i flwyddyn, a'r
cyhoeddwyr, Llyfrau'r Dryw, yn amharod i barhau i gyhoeddi ar
golled. Erbyn canol y flwyddyn, chwilid am argraffwyr eraill ac
ystyrid cwtogi ei faint. Islwyn, fe ymddengys, oedd gobaith olaf y
cylchgrawn o ran gwella cylchrediad a newid delwedd. 'Ar fater yr
olygyddiaeth,' ysgrifennodd Bowen at Islwyn ar 9 Tachwedd, 'ni allaf
ddweud fy mod yn hoffi'r syniad o'ch galw'n Is-olygydd, o leia nid o
ran gosod hynny'n argraffedig ar y clawr.' Ei gyfaddawd oedd rhoi'r
ddau enw ar y clawr, gydag enw Islwyn yn isaf. Ni chadwyd ateb

Islwyn, os bu ateb o gwbl, ond dridiau'n ddiweddarach, ysgrifennai Bowen at Alun Talfan Davies, perchennog Llyfrau'r Dryw, i'w sicrhau bod popeth yn ei le. Câi *Taliesin* ei ail-lansio ar ei newydd wedd, ar fformat y *London Magazine*, gyda hysbysebion, gyda'r degfed rhifyn erbyn Eisteddfod Genedlaethol 1965 yn y Drenewydd 'dan gyd-olygyddiaeth D. Tecwyn Lloyd ac Islwyn Ffowc Elis. Mae'r ddau eisoes yn dechrau cynllunio ar gyfer y gyfres newydd.'[4]

Yn y cyfamser, ceisiodd Islwyn ymddihatru mor raslon ag y gallai o hualau'r Blaid. Ysgrifennodd at Gwynfor ar 5 Tachwedd, yn ymddiheuro am golli cyfarfodydd, yn bennaf oherwydd niwritis. Daliai, sicrhaodd ei arweinydd, yn ffyddlon i 'weledigaeth' cenedlaetholdeb, '[o]nd mi ddylwn ychwanegu 'mod i'n ofni na allaf fod yn ymgeisydd eto am y rheswm syml fod y dreth gorfforol yn ormod.' Nid oedd wedi hysbysu Pleidwyr Maldwyn eto, a oedd wedi cymryd yn ganiataol y safai eto yn yr etholiad nesaf, 'rhag oeri ar eu brwdfrydedd', a phrysurodd i ychwanegu ei fod 'yn awyddus i wasanaethu'r Blaid mewn unrhyw ffordd arall, fel arfer'. Clodd drwy ddychwelyd at bwnc llythyr Ebrill 1963: 'Rhaid inni ddysgu cyfrwystra bellach, neu roi'r gorau i wleidydda.'

Treuliodd Islwyn wanwyn 1965 yn ceisio cyfraniadau, yn darllen proflenni ac yn cynllunio clawr newydd at lansiad *Taliesin*. Ei syniad gwreiddiol oedd patrwm o gylchoedd, yn cynrychioli 'canol llonydd' Morgan Llwyd, ond yn y diwedd trawodd ar flociau o liw ar draws ac ar led i wahaniaethu rhwng rhifynnau: cynllun a ddaliai'r un peth i bob pwrpas hyd ganol y saithdegau. Erbyn mis Ebrill daethai 13 o gyfraniadau i law, yn storïau, yn ysgrifau ac yn erthyglau ar feirniadaeth lenyddol, celf a cherddoriaeth.

Yr oedd bron yn anochel y dôi rhywbeth i dorri ar y diwydrwydd, ac fe ddaeth yn niwedd mis Ebrill ar ffurf swydd fel golygydd sgriptiau gydag Uned Ddrama Deledu'r BBC ym Mangor, gyda chyfrifoldeb am hyfforddi dramodwyr teledu ifanc. Mewn llythyr at Gwynfor Evans ar 1 Mai, yn dwyn y teitl 'cyfrinach bersonol', soniodd Islwyn am y demtasiwn. Roedd y cyflog, meddai yn 'rhagorol' a'r gwaith 'yn waith pwysig gan rymused y teledu'. Er hynny, pan grybwyllodd y mater wrth Halliwell, pwysodd hwnnw arno i aros, a chynnig codiad cyflog iddo. Teimlai Islwyn i'w neges gael ei chamddehongli fel ystryw, ac nid oedd yn sicr chwaith a dderbyniai'r swydd am y rhesymau iawn pe bai'n dewis symud yn ôl i Fangor. 'Os gallwn gael tŷ yng Nghaerfyrddin, efallai mai aros y gwnawn. Rhaid symud o Lansteffan; bu'n llethol ers blwyddyn a hanner.' Bum niwrnod yn ddiweddarach, setlwyd y mater. Daeth tŷ pwrpasol ar y farchnad o fewn cyrraedd hwylus i'r Drindod: Ucheldir, Penymorfa, Llangynnwr. Rhaid oedd symud eto, y tro hwn er mwyn aros yn yr un swydd. Erbyn 30 Mehefin ysgrifennai at Tecwyn Lloyd rhwng 'hyrddiau gwyllt o bacio' a 'sbeliau o farcio papurau arholiad', gyda phroflenni rhifyn Gorffennaf *Taliesin*. Daliai'n anfodlon ar gynllun y clawr – 'llawn iawn' – ac ar ei waith cywiro ei hun. Rhaid fyddai bodloni, 'a gobeithio'r gorau'. Symudodd i Benymorfa ar 3 Gorffennaf.

Yn y cyfamser, cawsai ei lithio i ymgymryd â dyletswydd arall, fel ysgrifennydd Cronfa Cae'r Gors, sef ymgyrch i godi £1,500 i brynu hen gartref Kate Roberts yn Rhosgadfan. Mae'r ohebiaeth rhyngddo ac Elwyn Roberts yng Nghasgliad Plaid Cymru yn y Llyfrgell Genedlaethol, yn dysteb i weithgarwch a dyfai dan ei ddwylo rhwng y cyfarfod agoriadol yng Nghaerfyrddin ar 12 Rhagfyr 1964 a Mehefin 1966, pan roddodd y gorau iddi yn derfynol, i fod yn saga hunllefus o lythyru a pherswadio. Am flwyddyn a hanner fe'i tynnwyd ar ei waethaf i fyd caniatâd cynllunio, ceisiadau (aflwyddiannus) i'r Ymddiriedolaeth Genedlaethol, Cyngor Gwyrfai a Chyngor Sir Gaernarfon, sgyrsiau gyda Syr Grimmond Phillips, Arglwydd Raglaw Sir Gaerfyrddin, llythyrau at athrawon Cymraeg ysgolion uwchradd, athrawon adrannau Cymraeg y Brifysgol, ysgrifenyddion y Cymdeithasau Llyfrau sirol, apeliadau yn *Y Faner* a'r *Cymro*, *Barn* a *Llais Llyfrau* a datganiadau i'r wasg a gamddehonglwyd – a hyn oll yn wyneb anniolchgarwch ymddangos-iadol ac annealltwriaeth Kate Roberts ei hun fod y cyfan yn cymryd amser mor hir. Erbyn 9 Medi 1965, yr oedd £1,171 a phedwar swllt yn y Gronfa, a phob ystryw i godi rhagor wedi methu. 'Mae'n siŵr y byddem i gyd wedi gadael llonydd i'r busnes yma o'r cychwyn pe gallasem ragweld y trafferthion!' ysgrifennodd at Elwyn Roberts ar 17 Tachwedd, ei ben-blwydd yn 41 oed. 'Yn sicr ddigon, fe ddylid bod wedi cael ysgrifennydd mwy trefnus na mi, ac un yn byw mewn lle mwy canolog.'

A rhwng hyn i gyd, ymddangosodd degfed rhifyn *Taliesin* – heb enw'r Academi arno: cryn embaras i Islwyn, a oedd wedi 'gobeithio'r gorau' wrth ei ryddhau i Tecwyn Lloyd fis ynghynt. Geiriau gŵr wedi blino – a lled ofnus – a gaed uwchben nodiadau Islwyn Ffowc Elis. Bu golygu a darllen gwaith to newydd o lenorion yn ysgytwad i'r golygydd deugain oed. Fe'i câi ei hun yn adweithiwr ymhlith radicaliaid, yn ddigon llygadog i resymu ei anesmwythyd ond heb yr hunanhyder i wneud yn fach ohono:

> Mae'r ymgyndynnu yn ein dyddiau ni yn erbyn ceisio deall arlunio haniaethol a cherddoriaeth ddigyweirnod a barddoniaeth ddiystyr-ar-yr-wyneb yn rhywbeth mwy na cheidwadaeth reddfol, oesol, y canol oed yn nannedd campus brawychus pob to ifanc yn ei dro. Mae'n fwy na'r dirmyg a fu'n groeso i artistiaid ifanc mewn oesoedd eraill. Math o fraw ydyw, wrth weld yr holl fyd cyfarwydd yn ymddatod.
>
> . . . mae'r byd wedi mynd yn lle croch, llachar, di-stop. Mae awyr y dyn cyfoes yn chwibanu ac yn ffrwydro uwch ei ben, ei ddaear yn dirgrynu dan ei draed, ei gaeau'n troi'n drefi dros nos, ei wrychoedd a'i barwydydd yn arwyddion a hysbysebion hyll, a'i blant yn estroniaid iddo. Yn ei arswyd – diarwybod yn ddiau – mae'n naturiol ei fod yn cydio'n dynnach yn yr ychydig dealladwy sy'n weddill o fywyd a fu.
>
> Ond pan yw'n troi at gelfyddyd, mae'n gweld yno hefyd yr un dieithrwch. Fe aeth y tebygrwydd o'r llun, y melodedd o'r miwsig, y synnwyr o'r gerdd.

Ceir trafod arwyddocâd y nodiadau hyn yn y man; am y tro, digon nodi na soniodd Islwyn Ffowc Elis ddim am unrhyw gyfnewidiad cyfatebol ar y nofel. Dihangfa i noddfa, er hynny, oedd beirniadu casgliadau o ysgrifau ar gyfer y Fedal Ryddiaith yn Eisteddfod Genedlaethol Maldwyn y mis Awst hwnnw. Nid oedd sôn y tro hwn am wendidau 'ysgrifol'. Yn hytrach, troes y feirniadaeth yn ddatganiad estynedig ar beth mor hawdd, er mor anniffiniol, y dylai rhyddiaith greadigol fod:

Swyddogaeth rhyddiaith greadigol, yn syml, yw creu. Nid cofnodi, nid disgrifio, nid traethu, nid gwyntyllu syniadau, ond creu. Creu cyfanbeth newydd, wrth gwrs, fel ysgrif neu stori, ond creu'n fanach na hynny hefyd: creu trosiadau a chyffelybiaethau newydd, hwyrach, delweddau newydd, priodasau geiriol sy'n gyffrous o newydd, er eu bod yn unol â theithi'r iaith; os cofnodi, cofnodi'n arwyddocaol; os disgrifio, disgrifio'n awgrymog; os traethu, traethu fel na thraethodd neb ar y pwnc o'r blaen.

. . . Fe wna 'geiriau yn y drefn orau' ddiffiniad eithaf boddhaol o ryddiaith ddefnyddiol. Ond mewn rhyddiaith greadigol mae gennym hawl i ddisgwyl yr ychwaneg rhiniol. Ac er fy mod wedi cynnig enghreifftiau o'r 'ychwaneg' hwnnw, rhaid cyfaddef ei fod yn y bôn yn anniffiniol. Ond fe ellir ei adnabod. Fe ellir hefyd adnabod ei absenoldeb. (*Naddion*, tt. 97-8)

Treuliodd ddiwedd Awst a dechrau Medi yng Ngwlad Groeg a Chreta, yng nghwmni Tecwyn Lloyd, ei wyliau cyntaf er chwe blynedd, taith a ddisgrifiodd mewn ysgrif i *Barn* yn Ebrill 1974 dan y teitl 'I Fro'r Gogoniant'. Bu'n fwriad ganddo gadw dyddiadur i'w droi'n llyfr taith, ond digon am y tro oedd cael gwared ar 'lwch llyfrau a llychau eraill' yn sgil mudo a dod dros y bronchitis a'i plagiai yn achlysurol am y ddwy flynedd flaenorol.

Dychwelodd i Langynnwr i ailafael yn ei waith coleg ac i wynebu'r cais blynyddol gan Elwyn Roberts, Ysgrifennydd Cyffredinol y Blaid, iddo lunio'r apêl flynyddol i Gronfa Gŵyl Dewi. Am y tro cyntaf, er 1961, ac er gofid amlwg iddo, gwrthododd wneud. Mewn llythyr helaeth at Roberts ar 8 Hydref, eglurodd pam mewn geiriau sy'n dangos nad mympwy oedd ei ohebiaeth â Gwynfor ddwy flynedd a hanner cyn hynny, ac nad oedd ei enciliad o restr yr ymgeiswyr yn arwydd o anniddordeb chwaith:

. . . yr wyf yn *hollol* argyhoeddedig na ddylem ymladd yr etholiad cyffredinol nesaf, ac nid oes neb na dim yn mynd i newid fy meddwl. Fe allwn sefyll o'r neilltu'n anrhydeddus – fel y gwnaethom bron yn llwyr yn 1951 – am resymau derbyniol, ac adennill llawer o barch ac ewyllys da ein gwrthwynebwyr mwyaf Cymreig, fel y gwnaethom y tro hwnnw. Mae gennym nifer o resymau y gallem eu rhoi i'r cyhoedd dros beidio ag ymladd dros dro, ond mae'n amheus gen i a fyddent o unrhyw ddiddordeb i'r Pwyllgor Gwaith.

Pe ceid nifer o Bleidwyr i gynyddu eu gorchmynion banc yn awr, fe fyddai etholiad arall yn llyncu'r arian hwnnw eto. A byddai i'r Blaid ymladd yr etholiad hwnnw, *yn yr awyrgylch gwleidyddol presennol*, yn hunanladdiad noeth. Dim ond teyrngarwch dall sy'n cadw llawer o Bleidwyr da yn y Blaid y dyddiau hyn, a byddai un gnoc enbyd eto yn ergyd farwol i'r teyrngarwch hwnnw. Does gen i ddim calon i wneud apêl newydd nes bod y Blaid wedi ailfeddwl ei holl swyddogaeth yn y Gymru gyfoes.

Yr oedd yn barod, meddai, i feddwl eto pe bai'r Blaid yn penderfynu ymladd, neu pe ceid cynrychiolaeth gyfrannol – ac yn wir, gobeithiai am rywbeth o'r fath, oherwydd:

Pe bai newid sylfaenol yn y sefyllfa, mi garwn i weld sefydlu pwyllgor propaganda bychan, yn cynnwys rhai meddyliau cwbwl ffres, i ailystyried holl gwestiwn cyhoeddusrwydd a chodi arian . . . *ond rhaid i'r sefyllfa gyffredinol fod yn llawer mwy gobeithiol cyn y byddai'n werth dechrau ar waith o'r fath*. Ni allwn ni ddim creu'r sefyllfa honno ohonom ein hunain; dyrnu'n pennau yn erbyn y wal yr ydym wrth ddal i ymladd etholiadau dan y drefn bresennol, a'n niweidio ein hunain yn y fargen.

Erbyn gwanwyn 1966, yr oedd ei ddadrithiad â'r Blaid bron yn llwyr. Teimlai fod ei safiad egwyddorol wedi cael ei gamliwio fel annheyrngarwch a bod y berthynas a flodeuai rhyngddo a Gwynfor Evans yn neilltuol wedi gwywo. Daeth yn ymwybodol hefyd ei fod yn cyflawni pechod anfaddeuol y llenor drwy ei ailadrodd ei hun. Roedd mwy o flas tristwch na sêl ar ei lythyr at ei gyn-asiant Trefor Edwards ar 1 Ebrill, drannoeth etholiad cyffredinol 1966. Yr oedd canran y Blaid wedi llithro eto oddi ar 1964, o 4.8% i 4.3% a'i phleidlais drwy Gymru wedi gostwng o bron i wyth mil a hanner:

Efallai fod angen delw newydd ar y Blaid – rydw i'n siŵr o hynny *os* ydym i ddal i ymlaed yn etholiadol ac os ydym i

symud o'n rhigol. Yr ydym wedi mynd i edrych ac i swnio'n
stêl, ac wedi colli'r ffresni oedd gennym yn 1955 – yr etholiad
gorau un i mi ar y cyfan. Nid bai unrhyw ymgeisydd yw hwn –
tôn gron sydd gen innau ym '62 a '64 – ond blinder gwleidyddol
a methu gweld ein hymgyrch yn wrthrychol. 'Cha i ddim cyfle i
godi'r mater yng nghynghorau'r Blaid, ond fe fyddwn yn falch
iawn pe gallech chi . . .

Roedd rhywfaint o ryddhad cathartig yn y dweud, er hynny. Am y
tro, canolbwyntiai ar bethau lle teimlai y gallai fod yn ddylanwad. Ar
9 Ebrill lluniodd adroddiad i Alun Talfan Davies ar ddyfodol *Taliesin*
dan benawdau trefnus: ansawdd y cylchgrawn; cyhoeddi'n brydlon;
dosbarthu effeithiol; casglu hysbysebion a dosbarthwyr yn y colegau.
Roedd rhifynnau Gorffennaf a Rhagfyr 1965 wedi gwerthu tua 800 yr
un, cynnydd o gant, ac roedd lle i wella eto, yn enwedig drwy
hysbysebu effeithiol. Os na allai werthu'r Blaid, teimlai y gallai roi
cynnig ar werthu cylchgronau:

Nid oes gennyf ddim profiad o'r gwaith hwn, ond yr wyf yn
fodlon ymgymryd ag ef, dim ond imi fod yn siŵr nad oes neb
arall yn ei wneud hefyd. Bydd yn rhaid imi argraffu papur
arbennig at y gwaith. Ofer sefydlu 'pwyllgor' bychan o'r
Academi i'w wneud. Cymdeithas o wŷr llên yw'r Academi.

Ymddengys fod Islwyn Ffowc Elis yn cael blas ar fod yn ŵr llên y
gwanwyn hwnnw. Fe'i dewiswyd, ynghyd â Gwenallt, yn feirniad ar
ail Wobr Goffa G. J. Williams, a'i ddewis personol, *Gwaed y Gwirion*
Emyr Jones a roddwyd ar y rhestr fer gyda *Lleian Llan Llŷr* Rhiannon
Davies Jones: dwy nofel hanes, yn arwyddocaol ddigon. Am fod
Rhiannon Davies Jones erbyn hynny yn aelod o'r Academi ni ellid
ystyried ei gwobrwyo, a bwriodd Islwyn iddi i ysgrifennu'r
feirniadaeth at yr haf hwnnw.

Ac yna, ar 14 Mai 1966, bu farw Ledi Megan Lloyd George, Aelod
Seneddol Caerfyrddin. Rhaid fyddai cyhoeddi is-etholiad yn yr
etholaeth lle'r oedd Gwynfor Evans eisoes wedi ei fabwysiadu'n
ymgeisydd, a lle'r oedd Islwyn Ffowc Elis yn byw.

Wynebodd Islwyn Ffowc Elis gyfyng-gyngor. Ni chaniatâi ei iechyd na'i dueddfryd naturiol iddo ganfasio, ond cydsyniodd i fod yn swyddog cyhoeddiadau. Aeth ymgeisydd dryslyd Maldwyn 1964, a oedd wedi gofyn am gael benthyg llenyddiaeth Gwynfor i'w defnyddio'n batrwm, fe gofir, yn gyfrifol am ledaenu delwedd plaid ymddangosiadol amhoblogaidd mewn sedd anobeithiol.

Daeth buddugoliaeth Plaid Cymru yng Nghaerfyrddin ar 14 Gorffennaf yn rhan o chwedloniaeth y Blaid: Gwynfor yn fwy na dyblu'i bleidlais mewn tri mis a hanner, yn esgyn o drydydd sâl i fwyafrif o ddwy fil a hanner.

Yn rhifyn Awst 1975 o'r *Ddraig Goch*, yn dathlu pen-blwydd y Blaid yn hanner cant oed, pryd y gwahoddwyd rhai o'r aelodau amlycaf i ddewis uchafbwynt y blynyddoedd hynny, gorchest 1966 oedd dewis Islwyn Ffowc Elis:

> Dim ond deirgwaith yn ystod f'oes yr arhosais i ar fy nhraed heb fynd i'r gwely. Y tro cynta, o flaen arholiad Groeg pan oeddwn i'n fyfyriwr (cysgu yn yr arholiad, gyda llaw, a'i fethu); y ddau dro arall, o flaen etholiad isetholiad Caerfyrddin 1966 yn llunio taflenni i'w rhuthro i'r wasg drannoeth. Yn ffodus, fu dim methu y tro hwnnw . . .
>
> Unwaith erioed y gwelais i'r wawr yn torri am un o'r gloch y bore: ar Sgwâr Caerfyrddin. Ac wedi bod yno mi fedra i ddweud, fel asyn Chesterton, 'mi gefais innau f'awr'!

Daw'r cyfeiriad, yn briodol, o benillion G. K. Chesterton, 'The Donkey':

> 'The tattered outlaw of the earth,
> Of ancient crooked will;
> Starve, scourge, deride me: I am dumb,
> I keep my secret still.
>
> 'Fools! For I also had my hour;
> One far fierce hour and sweet:
> There was a shout about my ears,
> And palms before my feet.'

Yn y darlun enwog o Gwynfor yn cyfarch torfeydd Caerfyrddin o falconi neuadd y dref y noson honno, rhaid craffu i weld Islwyn ar y cyrion, ei wyneb main wedi ymdoddi'n driongl o ddu a gwyn. Bu yno, yn allweddol i'r gamp, yn ymfalchïo'n dawel fach yn ei gyfran, ond eto heb fod yn ganolbwynt y sylw. Yn sicr, y safle lled-neilltuedig hwnnw – yn ogystal ag ymwybyddiaeth o ddyled ac o'i allu diamheuol at y dasg – a'i denodd i neilltuo'r blynyddoedd a ddilynai i weithio i'r Blaid.

Y demtasiwn barod yw casglu i gamp Gwynfor ladd yr awydd yn Islwyn i synio amdano'i hun fel llenor. Nid yw pethau byth mor dwt ac esboniadwy â hynny. Bu'n sicr yn gyfraniad at ei ymbellhau oddi wrth lenydda cyson, ond yr oedd yn gyfraniad hynod gyfleus hefyd. Yn sgil buddugoliaeth Gwynfor, ymroddodd Islwyn Ffowc Elis i weithio dros y Blaid – yn rhannol am ei fod yn ei ystyried yn bwysig a diddorol; ac yn ail, rhaid addef, am ei fod yn llenwi gagendor a oedd eisoes yn ymledu.

Pam y mudandod ymddangosiadol? Mae'r awdur wedi ceisio – a methu – ei esbonio'n foddhaol iddo'i hun. Yn ei gyfweliad â Derec Llwyd Morgan, ceisiodd loches mewn anocheledd. Efallai, meddai, ei fod wedi ysgrifennu gormod cyn hynny; efallai hefyd fod i'r cyfnod creadigol ei rawd benodedig. Ar 4 Mawrth 1973, mewn llythyr at Tecwyn Lloyd, cyn cael llawdriniaeth am swigen yn y bustl, rhoddodd y bai ar salwch:

> Mi wn yrwan fod yr organ grin oddi mewn wedi bod yn gwenwyno'r cyfansoddiad ers o leiaf 10 mlynedd a bod llesgedd a chysgadrwydd yn un o symptomau'r clefyd . . . Ac roeddwn i wedi mynd i dderbyn y farn gyffredin mai wedi 'chwythu 'mhlwc' yr oeddwn, ac nad oedd dim i'w wneud bellach ond sgrifennu nofeletau clawr papur *à la* Barbara Cartland neu Violet Winspear *et al.*[5]

Ailadroddodd yr un stori wrth Glyn Evans, mewn cyfweliad a gyhoeddwyd bedwar diwrnod wedi hynny:

> Mae ysgrifennu yn beth ofnadwy mwy o straen arna i rŵan nag oedd o . . . Ond rwy'n gwybod erbyn hyn, ac mae'n dda gen i

gael gwybod, bod yna reswm meddygol am y peth, ac rwy'n gobeithio cael gwared ar y diffyg yn fuan.[6]

Rheswm argyhoeddiadol ar yr wyneb, nes cofio i Islwyn Ffowc Elis ysgrifennu mwy o ran swmp – yn erthyglau a chyfieithiadau a llythyrau a memoranda – rhwng 1966 a diwedd y degawd nag a wnaethai drwy gydol y deng mlynedd flaenorol. Ar fras amcangyfrif, diau iddo ysgrifennu dwy filiwn o eiriau ar gyfer rhyw gynulleidfa neu'i gilydd rhwng 1966 ac 1968, sef dwywaith maint ei holl waith cyhoeddedig cyn hynny. Nid diffyg egni sydd i gyfrif, yn bendant. Nid diffyg hyder chwaith; gwelir Islwyn yn ddyn yn ei fan yn ei waith propaganda. Craidd y cwestiwn yw pam yr esgorodd diflastod Niwbwrch, er enghraifft, ar y fath doreth o ysgrifennu creadigol tra bod Coleg y Drindod wedi ei fferru.

Deillia'r esboniad amlycaf o'r ffaith fod Islwyn ddeng mlynedd yn hŷn. Rhan o'r symbyliad yn ei waith cynnar oedd awydd i'w ddilysu ei hun iddo'i hun fel llenor. Rhwng diwedd y pumdegau a dechrau'r chwedegau, pallodd yr awydd hwnnw yn rhinwedd ei gyflawni; nid oedd yr un wefr mewn gweld ei enw ar glawr llyfr na'i glywed ar ddechrau rhaglen radio. Ar ben hynny, yr oedd y berthynas a fodolai rhwng llenydda a swydd 'go-iawn' wedi cael ei throi ben i waered. Buasai ysgrifennu amser llawn yn ddihangfa rhag ei fethiant tybiedig fel gweinidog; daeth Coleg y Drindod yn symbol iddo o'i anallu – yn nhyb eraill ar y cychwyn ac yn ei olwg ei hun wedi hynny – i ennill ei damaid fel awdur. Bwriodd ei benodiad i'r Drindod amheuaeth ar werth ymhlyg yr hyn a'i rhagflaenodd. Daeth y swydd yn her hunanosodedig i'w hunaniaeth. Dechreuodd beidio â synio amdano'i hun fel llenor, bron fel petai am greu lle i bersonoliaeth arall, ac yn yr un modd ag y tynnodd sylw at ei anghymhwysedd i'r weinidogaeth yng nghanol y pumdegau er mwyn profi iddo'i hun ei fod yn llenor, gwnaeth beth tebyg gyda llenydda, yntau, ddeng mlynedd yn ddiweddarach er mwyn cael ei gymryd o ddifrif mewn cyswllt arall. Felly ei eiriau wrth Tecwyn Lloyd ar 4 Medi 1967, pan oedd ei weithgarwch dros y Blaid ar ei fwyaf brwd: 'Gan fod y beirniaid cyfoes yn fy rhoi'n dwt yn y 3ydd neu'r 4ydd dosbarth o nofelwyr, rydw i wedi cael digon o wyleidd-dra i ymostwng.'[7] Gallasai eraill dderbyn deuoliaeth cyd-fyw'r llenor a'r propagandydd yn yr un croen – a Gwynfor Evans yn amlwg yn eu plith – ond nid felly Islwyn. Yr oedd ganddo bwynt i'w brofi y gellid gwneud y Blaid yn rym ym mywyd Cymru. I un y daethai'r byd llenyddol yn lle lled ddiarth iddo, fel y tystia nodiadau golygyddol gofidus *Taliesin* Gorffennaf 1965, ymgynigiai cyfle di-ail a oedd yn gydnaws â'i ddyhead, yn gyraeddadwy ac yn gyffrous. Dyna'r elfennau; mater i eraill fydd mesur eu pwysigrwydd cymharol yng nghwrs y blynyddoedd rhwng 1966 a throad y degawd. Gellir mentro dweud cymaint â hyn: aeth Islwyn Ffowc Elis o fod yn llenor a ddigwyddai ymddiddori mewn gwleidyddiaeth i fod yn llenor achlysurol, damweiniol bron. Cyn buddugoliaeth Caerfyrddin, ysgrifennai gan synio bod popeth a gynhyrchai yn ddolen mewn cadwyn ddi-dor a diderfyn; gyda champ Gwynfor, chwalwyd y ddolen yn deilchion. Ceir y dystiolaeth rymusaf am hyn, fe ddichon, yn y ffurf lenyddol a aeth â'i fryd erbyn diwedd y chwedegau. Er nad yw storïau byrion ail hanner *Marwydos* – o 'Y Polyn' (1967) hyd 'Hunandosturi' (1973) – yn uniongyrchol hunangofiannol, maent yn dynodi tuedd yn eu hawdur i drin ei fywyd ei hun, ei chwiwiau a'i ofnau, yn gloddfa deunydd storïol ac fel gwrthrych sylw artistig dilys. Ailgydio y maent, mae'n wir, yn llinyn abswrdaidd ei storïau cynharach megis 'Gryffis' a 'March Caligwla' (a rhoi iddi ei theitl arfaethedig), ond mae'r cymhelliad a'r cyflawniad ynddynt am y pegwn arall. Mewn gair, aeth ei gelfyddyd yn hunangyfeiriadol, yn llenyddiaeth a ymborthai arni ei hun.

Nodwedd amlwg arall y straeon diweddar yw eu hieithwedd. Cofnodir perthynas gymhleth Islwyn Ffowc Elis â Chymraeg Byw yn llawnach yn y bennod nesaf. Digon nodi am y tro iddo sôn amdano yn y Rhagair i *Marwydos* fel ymgais i 'ymbalfalu am iaith storïol ystwythach'. Pan fydd llenor yn penderfynu newid ei iaith, dywed gryn dipyn, gellir casglu, am ei agwedd at ddigonolrwydd yr adnoddau yr ymddiriedai ynddynt cyn hynny.

Yn goron ar y cyfan rhaid cofio uchelgais barlysol y nofel hanes. Ymdrech barhaus fyddai'r blynyddoedd i ddod i greu hamdden – ac i fagu nerth – i wynebu'r frwydr honno.

'Pedwarawd Caereinion' 1953. O'r chwith i'r dde: Alun Jones, Aled Jones, Glanfor Griffiths, Allen Williams

Islwyn Ffowc Elis gydag Emyr Thomas, cyfeilydd Pedwarawd Caereinion, 1953.

Priodas Islwyn Ffowc Elis ac Eirlys Rees Owen, 28 Hydref, 1950

Cefnamberth, Tonfannau, sir Feirionnydd, cartref Eirlys Ellis. Yn y ty hwn y
cychwynnodd Islwyn ysgrifennu *Cysgod y Cryman* dros wyliau'r Nadolig, 1952 –
yn yr ystafell gornel, y gwelir ei ffenestr ar agor yn y llun.

Gydag Eirlys, ei wraig, yng Nghefnamberth yn ystod y pumdegau

Islwyn ac Eirlys, gyda'u rhieni, yng Nghefnamberth.

Gyda Dyfnallt Morgan, yn gwneud rhaglen radio yn Nyffryn Ceiriog.

Staff y BBC ym Mangor, tua 1958. Sam Jones sy'n eistedd yn y canol.

Criw y Noson Lawen answyddogol; o'r chwith i'r dde: Ellen Ellis (neé Roberts), J. R. Owen, Robin Williams, Huw Jones, Wil Sam, Islwyn Ffowc Elis.

Cyfarfod mabwysiadu Islwyn yn ddarpar-aelod seneddol dros blaid Cymru ym Maldwyn. Rhes gefn: Mair Edwards, Trefor Edwards, David Lewis, Arthur Thomas, Elystan Morgan. Rhes flaen: W. J. Jones, Eirlys Elis, Islwyn Ffowc Elis, Gwynfor Evans.

Islwyn Ffowc Elis, ymgeisydd Plaid Cymru, gyda'i asiant, Trefor Edwards, cyn iddynt gyflwyno'r papurau enwebu yn Swyddfa'r Sir, y Trallwng, Medi 1964.

Lansio ymgyrch y Blaid yn Llanfair Caereinion. O'r chwith i'r dde: Geraint Lloyd Owen; Harri Roberts, Llanerfyl; ? Jones, Llanymawddwy; Mair Edwards; ? Morgan, (chwaer Trefor Morgan).

Islwyn, Eirlys a Siân, eu merch; portread adeg lecsiwn, a dynnwyd yng Nghaerfyrddin.

8

'. . . cael rhywbeth i'w ddweud'
1966-7

Collodd Islwyn ysgol haf orfoleddus y Blaid ym mis Awst 1966; yr oedd baich y gwaith etholiadol eto i'w wneud. Ysgrifennodd at Elwyn Roberts ar 26 Gorffennaf i ddweud ei fod ar ganol ateb dwy fil o lythyrau ar ran Gwynfor at rai a oedd wedi ysgrifennu i'w longyfarch, ynghyd â gohebu â'r wasg ac ateb ceisiadau o bob cwr o'r byd am hanes plaid wleidyddol na wyddai neb fawr ddim amdani cyn hynny. Rhaid oedd teipio pob llythyr ar wahân, meddai, oherwydd y cyfeiriadau gwahanol. Ar ben hyn, roedd gwaith paratoi i'w wneud ar feirniadaeth y nofel antur at Eisteddfod Genedlaethol Aberafan. 'Wn i ddim sut ar y ddaear yr ydych *chi*'n dal ynghanol eich prysurdeb llethol parhaus. Rydw i fy hun bron â disgyn ar ôl rhyw bum wythnos o hyn. Y fuddugoliaeth sy'n cynnal rhywun, am wn i.'[1] Mae naws y feirniadaeth a draddododd Islwyn Ffowc Elis ar hanfodion y nofel antur yn Aberafan yn cyfleu'n bur dda antur ei hanes yntau dros y ddwy flynedd i ddod:

> Fe luniwyd y patrwm i chwarae yn y modd mwyaf effeithiol ar ddwy reddf (gair hen-ffasiwn bellach) sylfaenol mewn gwrandawr neu ddarllenydd: ei chwilfrydedd a'i ofn. Y gamp yw ennyn ei chwilfrydedd hyd yr eitha', ac wedyn ei barlysu ag ofn, llacio'r ofn, ailennyn y chwilfrydedd; dôs arall o ofn – ac felly ymlaen . . .[2]

Yn sicr, deublyg oedd adwaith Islwyn i ddigwyddiadau penodol yr haf hwnnw: bodlonrwydd personol ynghyd ag ymwybyddiaeth yr un mor daer bod angen ffrwyno'r teimlad hwnnw rhag colli golwg ar arwyddocâd ehangach yr hyn a ddigwyddodd. Ysgrifennodd at Gwynfor ar 30 Awst, gan ddisgrifio'r isetholiad fel 'un o brofiadau dwfn-foddhaol fy mywyd', cyn mynd rhagddo i alw am 'chwyldro dwbwl' o fewn y Blaid, o ran 'trefniadaeth a phropaganda'. Cydnabu – neu'n hytrach, atgoffodd Gwynfor – mai achos 'cwbwl eithriadol' oedd camp Caerfyrddin, na ellid gobeithio ei hailadrodd 'heb yr awyrgylch cyffredinol ffafriol a grëir gan ddelwedd dda a phropaganda crefftus . . . fe olygai foderneiddio holl ddelwedd y Blaid ar bapur a phoster – ei phamffledi, ei thaflenni, golwg y *Ddraig* a'r *Nation*, hyd yn oed ei phapur ysgrifennu.' Mae gweddill y llythyr yn dangos fel y bu'r syniadau yr oedd wedi brith-gyfeirio atynt ddwy flynedd ynghynt wedi bod yn ffrwtian. Roedd yn rhaid wrth beirianwaith. Byddai gofyn creu tair adran, meddai wrth Gwynfor: ymchwil, polisi a chyhoeddusrwydd. Yr oedd eisoes wedi archebu *Hansard* i swyddfa'r Blaid yn Heol y Dŵr a bu'n darllen *Communication and Political Power* o waith yr Arglwydd Windlesham, yn disgrifio buddugoliaeth y Torïaid yn etholiad cyffredinol 1959.

Cychwynnodd y moderneiddio ar dudalennau blaen ac ôl *Y Ddraig Goch* ym mis Awst, mewn ysgrif faith gan Islwyn Ffowc Elis ar 'Etholiad y Ganrif'. Unwaith eto, gwelir yr un ddeuoliaeth. Mae'r agoriad yn orawenus:

> Ble arall y dewisai cenedlaetholwr fyw yn y dyddiau cyffrous hyn ond yn Sir Gaerfyrddin? Hi yw'r sir fwyaf yng Nghymru; hi hefyd, ar hyn o bryd, yw'r orau.

Yr oedd 'Deheuwyr hengall' Sir Gâr wedi dewis 'un ohonyn nhw' i'w cynrychioli. Tâl Islwyn deyrnged i D. Cyril Jones, cydweithiwr yn y Drindod a threfnydd Gwynfor, i'r pwyllgor etholiadol – 'dynion a merched y dylid argraffu'u henwau mewn aur ar lyfr bywyd Cymru' – ac i D. J. Williams 80 oed, a weithiodd dros y Blaid yn ei hen fro yng ngogledd y sir, 'am ddyddiau cyfain, o fore gwyn tan nos, yn argyhoeddi ac yn bugeilio'i dylwyth niferus yn ogystal â dieithriaid'. Neges ganolog yr ymdriniaeth fanwl, fesuredig yma, er hynny, yw nad ymchwydd o wladgarwch eneiniedig a ddug Gwynfor i'r Senedd rhagor gwaith caled a threfnu gofalus.

Yn gyntaf, rhannwyd y sir yn gylchoedd, gyda Phleidwyr de Ceredigion yn gyfrifol am ogledd Sir Gaerfyrddin, rhai Sir Benfro am y gorllewin ac yn y blaen. Yn ail, canfasiwyd pob cartref yn yr etholaeth ddwywaith o leiaf, gan ddefnyddio ffurflenni canfasio priodol am y tro cyntaf. Fodd bynnag, yr allwedd, er na ddywed yr awdur mo hynny'n agored, oedd cyhoeddusrwydd effeithiol a graddedig: pedair taflen: un gyffredinol at y canfasio cyntaf, un arbenigol (ar amaeth, diwydiant, trafnidiaeth ayb, gan ddibynnu ar yr ardal), taflen am yr ymgeisydd ei hun, a phamffledyn dridiau cyn y bleidlais yn hysbysebu cyfarfod agored yn sinema'r Lyric yn y dref ar drothwy'r bleidlais. At hynny, defnyddiwyd hysbysfyrddau cyhoeddus am y tro cyntaf yn hanes y Blaid: saith o rai deg troedfedd wrth chwe throedfedd a hanner a 30 o rai llai. Gwnaed defnydd helaeth hefyd o'r wasg, yn enwedig y wasg leol:

> Rydyn ni wedi edrych ar y Wasg fel gelyn marwol ac wrth gwrs mae yna olygyddion sy'n wenwynig eu hagwedd tuag at y Blaid. Ond tybed ydyn ni wedi ymdrechu digon i ennill eu cydymdeimlad a'u porthi â newyddion am ein gweithgarwch? Mae gwerth mawr mewn llythyrau i'r Wasg, yn enwedig rhai byrion a chall, ond mae un darn da o newyddion am y Blaid y gellir ei gael i mewn yn werth deg o lythyrau pigog.

Dyna a wnaed 'bob wythnos yn ddi-ffael' rhwng yr etholiad cyffredinol ym Mawrth a'r isetholiad bedwar mis yn ddiweddarach, yn y *Western Mail*, y *Swansea Evening Post* a thri phapur lleol. 'Faint bynnag yw ei wrthwynebiad i'r Blaid,' barnai Islwyn, 'ni all unrhyw olygydd droi ei drwyn yn hir ar ddeunydd parod.' Yr oedd y neges yn glir: daeth yn bryd i'r Blaid gyfundrefnu gweithdrefnau Caerfyrddin:

> Fe ddylai pob pwyllgor rhanbarth benodi gohebydd i'r Wasg rhag blaen, rhywun sy'n barod i ymlafnio i ysgrifennu adroddiad byw, bachog, am ryw weithgarwch Pleidiol o leiaf unwaith bob mis, ac unwaith bob wythnos fel y bo etholiad yn agosáu.

Mae'r newid iaith – o Gymraeg llenyddol safonol i rywbeth yn ymylu ar ffurfiau mwy llafar a chwmpasog Cymraeg Byw – yn dynodi newid cyfeiriad yn agwedd Islwyn tuag at ei swyddogaeth ei hun a lanwai weddill y degawd. Rhaid casglu mai ei uchelgais ddiffuant a chwbl ddifrifol oedd ennill hunanlywodraeth i Gymru.

Erbyn hydref y flwyddyn honno, fe'i dewiswyd gan y Blaid yn gyfarwyddwr cyhoeddiadau amser llawn – gyda threuliau a chyllideb o £400 y flwyddyn. Yr oedd nodyn diamheuol yn llythyr Islwyn at Elwyn Roberts yn derbyn y cynnig ar 23 Hydref:

> Os ca i ddweud hynny'n garedig, fyddai gen i ddim diddordeb mewn gweld *ambell* gyhoeddiad drwy'r Wasg yn ddrib-drab fel y deuai'r syniadau i'r Pwyllgor Gwaith. Mae'r cyfle o'n blaen yn awr yn rhy bwysig i fyw o'r llaw i'r genau felly.[3]

Nid oedd dim yn 'ddrib-drab' yn y Memorandwm deuddeg tudalen o bapur ffwlsgap 'Ar Gyhoeddusrwydd', a bostiwyd at aelodau'r Pwyllgor Gwaith ar 6 Hydref ac a gyflwynwyd yn ffurfiol gan Islwyn fis wedi hynny. Mae'r copïau mynych ym mhapurau'r Blaid yn awgrymu iddo gael cylchrediad ehangach fyth.

Ymhelaethodd Islwyn Ffowc Elis, i gychwyn ar y neges am y wasg, ac yr oedd ei dôn, y tu ôl i ddrysau caeëdig, dipyn yn fwy di-flewyn ar dafod nag y buasai yn *Y Ddraig*:

> Rhaid bod yn hynaws â'r Wasg, er mor anodd yw hynny weithiau. Camgymeriad dybryd yw bod yn ddiamynedd â nhw neu golli tymer . . . nid yw byth yn talu. Fe all gohebyddion fod yn ddialgar ar yr esgus lleiaf, a drygu'r achos . . .

Os teimlid bod papur yn neilltuol o wrthwynebus, gellid bob amser geisio cyhoeddusrwydd yn anuniongyrchol drwy'r Press Association – ac i wneud hynny, roedd angen newyddion:

> Y wers bennaf a ddysgais i yw fod y werin yn darllen colofnau *newyddion* y papurau lleol yn bur drwyadl, a bod unrhyw newyddion diddorol am y Blaid yn y rhanbarth yn cadw'r cyhoedd yn ymwybodol ohoni ac yn ennyn eu diddordeb ynddi. Yr ydym wedi esgeuluso'r papurau lleol ormod; mae'n bryd mynd ati o ddifri i'w troi nhw o'n plaid.

Am y safleoedd posteri – tri yng Nghaerfyrddin, dau yn Llandeilo ac un yr un yn Llandybie a Brynaman – 'ergyd effeithiol yn y frwydr' oedd eu llogi a'u llenwi'n gynnar. 'Fe'n dynwaredwyd wedyn gan y tair plaid arall gyda phosteri tebyg, ond roedd y dynwared yn rhy amlwg! Ac yn rhy hwyr.'

Teilwriwyd y posteri yn ôl yr ardal: FOR A BETTER WALES yng ngorllewin yr etholaeth; FOR WORK IN WALES, yn y dwyrain. Newidiwyd y slogan erbyn pythefnos olaf yr ymgyrch: yn gyntaf i lun llaw yn gwneud croes gyda'r geiriau YOUR HAND CAN MAKE HISTORY. 'Amcan y poster hwn oedd gwneud i'r etholwr deimlo'n bwysig, awgrym bod ganddo allu a chyfle oes mewn etholiad hanesyddol.' Mae braslun ym mhapurau Islwyn Ffowc Elis yn dangos fel y newidiodd COULD yn CAN i sodro'r neges. Ac yna, yn ystod yr wythnos olaf, llun Gwynfor a'r geiriau CARMARTHENSHIRE NEEDS HIM NOW. Unwaith eto, ymuniaethu oedd yr amcan:

> Roedd hwn yn cyffwrdd ag ymdeimlad yr etholwyr â maintioli Gwynfor, yr angen am ddyn cryf i sefyll dros y sir yn nydd ei hangen, ac am ddyn onest, unplyg i lanhau llywodraeth leol y sir o bydredd y cawcws Llafur.

Nid oedd yn gwbl fodlon ar bopeth a wnaed:

> Ein gwendidau yng Nghaerfyrddin, fel bob amser, oedd defnyddio gormod o sloganau gwahanol (*Fragmentation of the Image* yw term yr arbenigwyr am hyn). Fe ddylai fod un brif slogan yn canu drwy'r ymgyrch i gyd ac yn ymddangos ym mhobman . . .

Ymfodlonai, er hynny, ar lwyddiant yr egwyddor ganolog, sef tynnu sylw at yr ymgeisydd fel y nesâi'r diwrnod pleidleisio, yn y posteri a'r taflenni fel ei gilydd:

> Fe wyddem mai ein herfyn cryfaf o ddigon oedd cymeriad a phersonoliaeth Gwynfor ei hun, ac mai'r peth doethaf yn yr amgylchiadau oedd pysgota pleidlais bersonol fawr.

Trodd wedyn at oblygiadau ehangach y fuddugoliaeth. Rhaid oedd bod â 'pholisi parod' ar bopeth bellach: '. . . mae cael rhywbeth i'w ddweud cyn bwysiced â'r gallu i'w ddweud yn effeithiol.' Disgwyliai'r cyhoedd hynny: 'Mae ganddyn nhw ddiddordeb ym marn y Blaid ar *bopeth* – yn awr.' Daeth cyfle di-ail i 'bropaganda graddedig':

> Enw arall ar bropaganda yw addysg wleidyddol. Meddylier am y Blaid fel athro, a'r cyhoedd fel dosbarth o blant. Ni fyddai athro da byth yn ceisio dysgu popeth ar unwaith; ni fyddai byth yn breuddwydio am roi'r cwrs i gyd mewn un flwyddyn, lai fyth mewn un wers. Fe fyddai'n graddio'i addysg.
>
> Fe fyddai hefyd yn dechrau yn y pwynt sy bwysicaf a mwyaf diddorol i'w ddosbarth. Wedi cael eu sylw a'u diddordeb a'u hymddiried felly, fe allai fynd wedyn ar hyd y llwybrau a ddewisai ef . . .
>
> Fy mhwynt yw y byddai cymryd un brif thema bob blwyddyn, a'i gyrru adre mewn slogan a phoster a phamffled a hysbyseb, yn gwneud delwedd y Blaid yn gliriach a chadarnach ac yn gwneud cyhoeddusrwydd effeithiol yn fwy trefnus ac yn haws ymhob ffordd . . .
>
> Nid digon yw gofyn i arlunydd lunio clawr pamffled neu deitl ein mudiadau. Rhaid wrth wybodaeth arbenigol o'r mathau o deip sy nid yn unig yn fwyaf darllenadwy ond hefyd yn cyfleu cynhesrwydd a chadernid a modernedd, a'r math o gydberthynas rhwng teip a gofod sy'n denu pobl i ddarllen.
>
> Fel yr awgrymwyd, gan ailadrodd yr arbenigwyr, fe ddylai holl gyhoeddiadau'r Blaid o hyn allan fod ar batrwm tebyg, nes bod pobol ar unwaith yn nabod ein delwedd, yn ei hoffi, ac yn dod i ymddiried ynddi. Enw'r arbenigwyr ar hyn yw 'corporate identity scheme', ac ac mae byd masnach yn gyfarwydd iawn â'r peth ac yn dibynnu fwyfwy arno.

Rhaid dweud dau beth. Er gwaethaf y sôn am hunaniaeth gorfforaethol a'r slicrwydd ymddangosiadol an-Islwynaidd, syniai am gyhoeddusrwydd fel peth i'w ddrwgdybio. Yn *Efrydiau Athronyddol*, o bob man (a'i unig gyfraniad i'r cyhoeddiad hwnnw erioed), soniodd yn yr un flwyddyn am gynnydd 'brawychus' cyfathrebu torfol, a'r angen am wastrodi ei ddylanwad. Drwy ysgwyddo baich pennu delwedd gyhoeddus y Blaid, ei nod oedd milwrio yn erbyn y cyfrwng ei hun:

Amod cadw'r cyfryngau torfol yn weddol iach yw eu hamlhau, neu'u cadw mewn cynifer o ddwylo ag y mae modd . . . Gwae ni os gadawn i'r pwerau nerthol hyn gyflynu'i gilydd yn un gyfundrefn famoth, neu lefaru â'r un llais. Y mae gennym ryw gymaint o amser a chyfle i ymarfogi rhag hynny.[4]

Yn ail, sylwer mai memorandwm llenor sydd yma – a llenor poblogaidd at hynny. Nid gwerthu'r Blaid fel nwydd oedd ei genadwri ond ei gwerthu fel *stori*, gan drin yr etholwyr fel darllenwyr. Roedd yn rhaid wrth blot syml, cymeriadau cofiadwy a diweddglo gobeithiol, a'r ymdeimlad fel llinyn drwyddi o ymuniaethu a chyfranogi. Lle cynt y ceisiai'r Blaid apelio at Gymreigrwydd fel grym moesol cynhenid ym mhob Cymro twymgalon neu at ddadleuon economaidd dros hunanlywodraeth, ceisiai Islwyn Ffowc Elis ddysgu iddi apelio at chwilfrydedd y darllenydd i gael gwybod beth a ddigwyddai nesaf.

Yn y cyfamser, âi'r Blaid, i bob golwg, o nerth i nerth. Cadeiriodd Islwyn Ffowc Elis gyfarfod sefydlu cangen yng Ngholeg y Drindod ar 2 Tachwedd, ac roedd sôn am gangen newydd sbon yn Llangynnwr. Ar draws Cymru, cynyddodd yr aelodaeth o 15,000 i 40,000. Gwelai Islwyn fygythiad yn y berw. 'Mae'r ewfforia hunanfodlon sydd i'w deimlo ym mhobman yn beryglus,' rhybuddiodd Gwynfor ar 3 Tachwedd. Yr oedd, meddai, wedi gofyn i'r swyddfa yng Nghaerdydd dorri ar y ffigurau aelodaeth 'rhag porthi'r diog'. Y dasg fawr oedd sefydlu'r peirianwaith. Cyn diwedd y mis, roedd Islwyn wedi hurio cwmni cysylltiadau cyhoeddus – Eccleston a Glossop – i ofalu am ddelwedd y Blaid, gan dalu £100 am lawlyfr o ffontiau a logos addas, a thriban newydd 'y triban Glossopis', chwedl Islwyn, yn eu plith. Roedd wedi etifeddu rhaglen gyhoeddi helaeth. Lluniodd Elwyn Roberts restr o 45 o gyhoeddiadau arfaethedig ar gyfer 1967, gan ymddiheuro wrth y cyfarwyddwr newydd mewn llythyr ar 23 Tachwedd am y gwaith a oedd yn ei aros: 'Os ydych yn fy melltithio –

wel, mae gennych ddigon o le i hynny!'[5] Aeth ati hefyd i ffurfio panel cyhoeddiadau, ac Ifan Dalis-Davies yn ysgrifennydd. Barnodd mai'r trefniant hwylusaf fyddai cyfyngu aelodau'r panel i rai'n byw yn y de: Robat Gruffydd, J. E. Jones, Bill Meilen, Meic Stephens, Clem Thomas a Harri Webb. Gwahoddwyd Dafydd Orwig o'r gogledd, ei swyddog cyhoeddusrwydd yntau adeg isetholiad 1962, i fod yn aelod mygedol.

Os mai creu disgwylgarwch am yr hyn a ddigwyddai nesaf oedd polisi Islwyn, digwyddodd pethau'n llawer cynt nag a dybiai neb. Ar 3 Rhagfyr, bu farw Iorwerth Thomas, AS Gorllewin y Rhondda. Wynebodd cyfarwyddwr cyhoeddusrwydd y Blaid ei brawf cyntaf mewn sedd lle daethai'r Blaid yn ail yn yr etholiad cyffredinol, gyda 2,172 o bleidleisiau o'u cymharu â 19,060 i'r Blaid Lafur.

A'i harweinydd yn San Steffan, dryswyd y Blaid gan y tro annisgwyl. Cymerwyd yn ganiataol y byddai ymgeisydd y gwanwyn cynt, Vic Davies, yn sefyll eto, ond fe wrthododd. Greddf Gwynfor oedd dewis Harri Webb ond, rywsut neu'i gilydd, cyhoeddwyd yn y *Western Mail* erbyn canol y mis mai Wynne Samuel a safai dros y Blaid, a lledaenwyd yr un stori ar *Good Morning Wales*. Ni fynnai Samuel sefyll chwaith. Gwnaeth Islwyn hynny a allai i osod trefn ar yr annibendod. Ar frys gwyllt, ar 14 Rhagfyr, gyrrodd ddatganiad i'r wasg yn egluro na ddewiswyd ymgeisydd eto; yr oedd y Blaid yn cymryd amser i ddewis 'because Rhondda West is a key constituency and deserves the best . . . and we have to decide who, out of several excellent men, can best represent the special needs of the Rhondda in Parliament and, in fact, do for the Rhondda what Gwynfor Evans has already done for Carmarthen.' Cuddliw oedd y cyfan, wrth gwrs; ond roedd hefyd yn ddatganiad gan swyddog a deimlai'n gwbl hyderus y gallai ddwyn y maen i'r wal am yr eildro. Amgaeodd gopi o'r datganiad mewn llythyr at Gwynfor ar 21 Rhagfyr, ynghyd â chais ganddo i ymarfer ychydig ffydd:

A gaf i erfyn arnoch chi godi'ch calon? Mae gwaith mawr a phenderfynol ar gerdded. Fe wnawn yn dda yn y Rhondda hyd yn oed gyda mwnci'n ymgeisydd.

Busnes yr Adran Gyhoeddusrwydd newydd – pwy bynnag fo'r ymgeisydd; boed ef yr asyn diarhebol – yw ei adeiladu nes ei fod yn ŵr o'r pwys mwyaf yng Nghymru a thu hwnt. Busnes Adran Ymchwil a Pholisi Chris [Rees] yw ei borthi â'r ffeithiau a'r dadleuon perthnasol a dysgu iddo'u llefaru'n effeithiol nes ei fod yn *swnio*, o leiaf, fel AS newydd y Rhondda.

Heb ymgeisydd yn ei le, bwriodd Islwyn iddi i gychwyn ar yr ymgyrch. Mewn llythyr at Harri Webb ar 28 Rhagfyr, dan y pennawd 'SLOGAN I ORLLEWIN RHONDDA', ceisiodd ei farn ar restr o sloganau priodol (nas cadwyd): 'O gwmpas y slogan hon yr adeiledir y cyhoeddusrwydd, ac fe fydd y slogan yn ymddangos ar bopeth, gan ddechrau â'r hysbysfyrddau mawr.'[6] Peth da, addefodd Islwyn, fyddai 'cael aros nes bod ein gweithwyr wedi plymio teimlad yr etholaeth', ond rhaid oedd gweithredu erbyn 5 Ionawr am fod 'CAG Publicity yn gofyn am eiriad'.

Daeth y flwyddyn newydd, a mater yr ymgeisydd heb ei benderfynu. Mewn llythyr diddyddiad, blêr at Gwynfor, ar bapur *Taliesin*, penderfynodd Islwyn ei bod yn bryd gweithredu. 'Yn *swyddogol*, doedden ni ddim wedi penderfynu ar Wynne, ac fe allem ddweud ein bod wedi perswadio Vic i ailystyried.' Amgaeodd gyda'r llythyr ddatganiad arall i'r wasg: 'Exclusive to the *Rhondda Leader*' y tro hwn:

A dramatic, persuasive midnight phone call could well change Plaid Cymru's prospects in the Rhondda West by-election . . .
Late on Saturday night, using the hotline technique, Plaid Cymru President Gwynfor Evans – calling from his Carmarthenshire home – put pressure on Mr Vic Davies to stand for the post.
Yesterday, in an exclusive interview for the LEADER, Mr Gwynfor Evans MP, admitted making his midnight appeal.

Safodd Vic Davies.
Ar ganol yr ymgyrch, rhwng cyfieithu areithiau Gwynfor i'r *Cymro* a'r *Faner* a'r *Ddraig Goch*, a llunio taflenni at yr isetholiad, torrodd iechyd Islwyn: 'y gowt' i gychwyn, a'i cadwodd yn orweiddiog am ddeng niwrnod, a bronchitis yn ei sgil. Ysgrifennodd at Elwyn Roberts ar 24 Chwefror 1967 i ddweud ei fod 'yn teimlo'n euog iawn'[7]

na allai ganfasio yn y Rhondda, ond y gwnâi bopeth a allai yn Llangynnwr i hybu'r achos. Yr un oedd tôn llythyr at Gwynfor ar yr ugeinfed. 'Mae'r arswyd eich gollwng chi i lawr yn y Rhondda yn fy nghadw i ar ddi-hun y nos . . .'

Mae'n amhosibl mesur effaith afiechyd Islwyn Ffowc Elis ar ganlyniad peth mor amlweddog ag isetholiad. Cwynodd amryw mai embaras oedd canfasio gyda deunydd uniaith Saesneg; sylwodd eraill ar y prinder deunyddiau a'r trefniant amaturaidd. Yn y cyfrif ar 9 Mawrth, daeth Vic Davies o fewn 2,306 o bleidleisiau i ddisodli'r ymgeisydd Llafur, Alec Jones: canlyniad trawiadol, ond siomedig er hynny i blaid a ddechreuai ddisgwyl yr annisgwyl. Yr oedd yn sicr yn siom personol i'r cyfarwyddwr.

Nid Elwyn Roberts oedd yr unig un i dderbyn llythyr ymddiheuriol oddi wrth Islwyn Ffowc Elis ar 24 Chwefror. Ysgrifennodd at Tecwyn Lloyd ar yr un diwrnod i'w hysbysu 'bod yn RHAID imi roi'r gorau i gyd-olygyddiaeth *Taliesin*.' Ar gais ei feddyg, 'bûm yn mynd drwy fy rhestr ymrwymiadau (sy'n feithach nag yr ofnwn) ac yn ceisio chwynnu'n rhesymol.' Yr oedd, meddai, 'wedi llwyddo i garthu nifer go lew'[8] Daliai'n ffyddiog y gallai drosglwyddo'r olygyddiaeth i Tecwyn heb i hynny amharu ar ansawdd y cylchgrawn; yn wir, gallai fod ar ei ennill. Ar ddiwrnod yr isetholiad ei hun ysgrifennai Tecwyn yn ei dro at ysgrifennydd yr Academi, Euros Bowen, i ddweud nad oedd hyn yn syndod: 'Roedd wedi sôn am hyn yr haf dwaetha ond yn awr mae'n bendant . . . Nid yw wedi bod mewn hwyl ers misoedd . . . I bob pwrpas, nid yw wedi gwneud nemor ddim â *Thaliesin* am y ddau rifyn dwaetha.'[9]

Ar 8 Mai 1967 daliai Islwyn Ffowc Elis o hyd 'in indifferent health'.[10] Mewn llythyr diddyddiad, yn sgil ymgyrch y Rhondda (tua chanol Mai, a barnu wrth y cyfeiriad at etholiadau lleol), cyfaddefodd wrth Harri Webb fod y gwaith yn mynd yn drech nag ef. Buasai'n holi Robert Hunter, Pennaeth Adran Gelf y Drindod am arlliwiau coch a gwyrdd a gydweddai i'w defnyddio ar bapur y Blaid. Awgrymodd Forest Green a Mansell Red, meddai, ond cafodd Islwyn wybod gan yr argraffwyr wedyn mai lliwiau paent oedd y rhain ac nid lliwiau inc. Gellid datrys y broblem, meddai, drwy hurio asiantaeth am £1,000 y flwyddyn, ond yr oedd y Blaid yn amharod i wario. Teimlai fod 'this job I've taken on is a FULL-TIME one' ac yn un amhosibl bron i neb ei gwneud: 'It is the sheer drudgery, the technicalities, of trying to get work done properly that gets one down. The work itself would be such fun otherwise . . . We must all be patient. Everything takes time – especially in Wales.' Yr oedd, meddai, wedi ystyried ymddiswyddo, ond ofnai broblemau mwy pe gwnâi hynny: '. . . I find all sorts of personal feuds – so-and-so is not persona grata with so-and-so – so that if I let it go at this stage everything may collapse. PAZIENZA, then!'[11]

Pallodd amynedd Islwyn ryw fis yn ddiweddarach. Roedd Gwynfor wedi cysylltu ag ef drwy lythyr ar 21 Mai, yn awgrymu 'blwyddyn "sabothol" neu ddwy' o waith y Blaid i Islwyn ar ôl 'gosod seiliau cyhoeddusrwydd cadarn', gan ychwanegu fod 'yr amser enfawr a roddwch i Blaid Cymru ar fy nghydwybod'. Ymddengys i hyn droi'r fantol. Ar 17 Mehefin 1967, cysylltodd ag Elwyn Roberts. Buasai, meddai, wedi ymgadw cyhyd ag y gallai rhag rhoi'r gorau i fod yn gyfrifol am gyhoeddiadau'r Blaid, gan 'anufuddhau yn y dirgel' i orchymyn y meddyg i beidio â gwneud mwy na'i waith coleg. Ni allai ddal ymhellach. 'Fe welais y meddyg echdoe, ac roedd o'n anfodlon iawn. Felly, heb wneud dim o'r pethau yr oeddwn wedi gobeithio eu gwneud, does gen i ddim dewis ond ymddiswyddo.' Yn ei ffordd nodweddiadol, ni fynnai doriad cyfan gwbl. Parhâi i olygu llyfr o anerchiadau Cymraeg Gwynfor a chyfieithu darnau o *Rhagom i Ryddid*. Cymerai gyfrifoldeb hefyd am ad-dalu'r dyledion argraffu a achosodd. 'Efallai y gallaf sgrifennu llyfr neu ddrama radio neu rywbeth i'r pwrpas.' Ffarweliodd â'r swydd hon, fel y canodd yn iach i gydolygyddiaeth *Taliesin*, gan adael cil y drws yn agored:

Fe gefais lawer o fwynhad, cofiwch, wrth wneud y gwaith ers blwyddyn. Fy ngofid yw fy mod wedi gwneud cyn lleied ac wedi achosi cymaint o gost. Fe fyddaf wrth gwrs yn barod i roi unrhyw help hyd y gallaf ac yn ôl y cyfle.[12]

Cyhoeddodd Tecwyn Lloyd fod Islwyn Ffowc Elis 'wedi gorfod ymneilltuo dros dro beth bynnag' o fod yn gydolygydd' *Taliesin* yn nodiadau golygyddol Gorffennaf 1967. 'Ni bu Islwyn erioed yn un i osgoi gwaith, nid oes rhaid dweud, ond mae ceisio cyfrannu i gynulleidfa letach ar ben darlithio rhyw ugain i ddau ddwsin o weithiau bob wythnos mewn coleg hyfforddi yn dreth ormodol ar nerth unrhyw un.'[13] Rhwng cychwyn y cylchgrawn yn 1961 ac ymddiswyddo, roedd Islwyn wedi cyfrannu un erthygl, un stori fer, dwy golofn olygyddol a thri adolygiad. Os rhywbeth, daeth ei gyfraniadau'n fwy sylweddol a chyson yn y blynyddoedd i ddilyn. Arwydd ei fod yn 'ymadfer', chwedl colofn olygyddol Lloyd, oedd stori yn rhifyn Gorffennaf 1967 ei hun, 'Y Polyn'. Ar un ystyr, yn ei swrrealaeth brudd, â yn ôl o ran arddull at odrwydd stori fel 'Gryffis' ddeunaw mlynedd ynghynt. Gellir ei darllen hefyd, yng nghyd-destun yr ymryddhau a lanwodd 1967, fel ple dros anghyfrifoldeb fel peth iachusol, adferol, angenrheidiol. Mae'n cynnig golwg ehangach i ni, efallai, ar swyddogaeth y storïau achlysurol sy'n britho gyrfa Islwyn Ffowc Elis, fel sylwebaeth ar gyflwr meddwl yn hytrach na darnau hunangofiannol pur. Stori yn yr un olyniaeth yw 'Marwolaeth Fechan', a ysgrifennodd ar drothwy ei ymadawiad â'r Drindod ac na welodd yn dda ei hatgynhyrchu yn *Marwydos*.[14] Edrydd hanes Geraint Gurnal (trawslythreniad o'r Rwseg am 'bapur newydd'), cyflwynydd teledu, sy'n cerdded allan o'r stiwdio yng nghanol darllediad ar ei ben-blwydd yn ddeugain oed. Wedi dianc i fyw dros dro mewn carafán, caiff ei fod wedi ffeirio caethiwed swydd am gaethiwed segurdod – a bod cydweithwyr a chydnabod yn ddall i arwyddocâd y weithred.

Daeth ymateb Gwynfor ar 22 Mehefin. Canmolodd gyfraniad 'enfawr' Islwyn Ffowc Elis 'i waith ac ysbryd y Blaid' a chydsyniodd â'r penderfyniad. 'Teg iawn yw ichi ymadael â'r gwaith hwn am sbel – o leiaf am ddwy neu dair blynedd. Byddwn yn parhau i elwa ar eich gwaith a'ch penderfyniad i godi safonau ein cyhoeddiadau.' Bum niwrnod wedi hynny, derbyniwyd yr ymddiswyddiad yn ffurfiol gan Elwyn Roberts, a soniodd fod Islwyn Ffowc Elis wedi 'gweddnewid popeth a chodi gobeithion ynom am weld y gangen hon o'n gwaith yn cymryd arni wedd broffesiynol.'

Nid oedd dianc i fod, er hynny, rhag *Taliesin* na'r Blaid. Ar 15 Mai, a'r cylchgrawn yn dal i wynebu problemau ariannol (yr oedd Alun

Talfan Davies wedi mynd mor bell ag awgrymu ei gyhoeddi ddwywaith y flwyddyn fel atodiad i *Barn* i'w gadw i fynd), cylchlythyrai Tecwyn Lloyd yr aelodau mwyaf gweithgar, yn cynnig rhestr o ddwsin o aelodau a ddylai dderbyn dwsin copi'r un o *Taliesin* i'w dosbarthu, gan dalu am y copïau hynny ymlaen llaw. Y trydydd enw ar y rhestr oedd 'Islwyn Ffowc'. Am y Blaid, a barnu wrth yr ohebiaeth a ddaliai i lifo rhwng Caerfyrddin, Caerdydd a Llundain, prin y gellir gweld gwahaniaeth yn lefel gweithgarwch Islwyn Ffowc Elis cyn canol Mehefin a thrwy weddill y degawd. Yr unig newid ymarferol oedd ffeirio treuliau am waith gwirfoddol. Ar 9 Awst, ysgrifennodd y cyn-gyfarwyddwr at Gwynfor, gan bwyso ar y Blaid 'i ymaflyd yn ei chyfle yn Aber-fan', yn dilyn trychineb y tirlithrad yno ar 21 Hydref y flwyddyn gynt ac ymdrechion y trigolion i geisio ymchwiliad cyhoeddus ac iawndal gan y Bwrdd Glo. Ar 6 Medi, tra'n petruso 'oherwydd llyfrdra ac amgylchiadau personol' uwchben cynnig gan Gwynfor i fynd yn gwmni iddo ar daith i Ogledd Fietnam dros y Nadolig i ddod, crybwyllodd y syniad o gychwyn 'Cymdeithas Cenedlaetholwyr Cristnogol Cymru', sef cant i ddeugant o aelodau a fyddai'n fodlon rhoi 5% o'u hincwm at achosion dyngarol yn enw'r Blaid, gyda thraean o'r incwm hwnnw'n mynd yn uniongyrchol i'w choffrau. Union wythnos yn ddiweddarach, cododd syniad arall a oedd eisoes yn ffaith. Yr oedd Islwyn Ffowc Elis wedi cychwyn colofn Gymraeg ddienw i'r *Carmarthen Times* dan y teitl 'O Sir y Deffro'. Er y cymerai arni fod yn golofn anwleidyddol, byddai ei naws yn ddigamsyniol genedlaetholgar. Fe'i disgrifiodd fel 'ymarfer therapiwtig . . . yn fwy na dim, gan nad oedd amser eleni i orffen y nofel.' Yr oedd wedi trefnu i'r golofn ymddangos hefyd yn *Y Dydd*, a gyhoeddwyd yn Nolgellau a'r *Cloriannydd* ym Môn gan ei bod 'cyn hawsed gwneud tri chopi ag un'. Y drafferth fwyaf oedd darparu cyfieithiad o'r darn 750 o eiriau bob wythnos er mwyn y golygydd di-Gymraeg.

Roedd wedi crybwyll y mater wrth Elwyn Roberts ar y pedwerydd o'r mis, gan nodi bod 'fformiwla' y tu ôl i'r fenter: 'un hysbyseb? tudalen mewn papur newydd = canfasio 500 o dai.'[15] Ar yr un diwrnod, rhoddodd wybod hefyd i Tecwyn Lloyd. Yr oedd wedi 'herio' golygydd y *Carmarthen Times* i gynnwys colofn Gymraeg, gan addo ei gwneud am ddim. 'Yn ddistaw bach, roeddwn i'n gobeithio y byddai'n gwrthod,' ychwanegodd 'gan y golygai'r peth fwy o waith nag sydd arna i'i eisiau, a minnau wedi gollwng pethau eraill . . .'[16]

Gellir dyfalu ynghylch rhesymau Islwyn dros ddweud wrth ei gyn-gydolygydd am y gweithgarwch newydd a di-dâl hwn: neges ymhlyg, yn rhannol, ei fod yn gweld gwleidydda'n bwysicach na llenydda. Mae'n werth sylwi hefyd i Islwyn oedi am dros wythnos – gan ysgrifennu llythyr arall ato yn y cyfamser – cyn rhoi gwybod i Gwynfor. Yr oedd y cymhelliad yma yn wahanol eto. Gweithiai i'r Blaid erbyn ail hanner 1967 yn nannedd gwrthwynebiad Gwynfor am resymau iechyd. Mae'r ohebiaeth rhwng y ddau yn frith gan rybuddion y naill wrth y llall am ymochel rhag gorweithio, i orffwys, i gymryd pethau'n ysgafnach. Daeth ymateb Gwynfor i fenter y golofn ar 15 Medi: 'Ofnaf nad oeddwn wedi sylweddoli gymaint o waith sydd yn mynd ymlaen yn y sir. Mae'n odidog iawn. Un peth pryderaf [*sic*] dipyn amdano yw y cewch eich temtio i roi gormod o'ch amser iddo.'

Nid 'O Sir y Deffro' oedd teitl y golofn pan ymddangosodd ar 8 Medi ac nis ysgrifennwyd yn ddienw chwaith. Mae'r teitl a ddewiswyd iddi, 'Tamaid i Brofi', er hynny, yn dweud cryn dipyn am gymhelliad ehangach ei hawdur. Cynigiai flas wythnosol ar gynnwys Cymraeg mewn papur Saesneg drwyddo – a phapur nad oedd ganddo fawr o gynnig iddo fel arall, fel y dengys llythyr at Tecwyn Lloyd ar 24 Hydref 1970:

> Os wyt ti'n gweld y *Carm. Times* weithiau, fe weli mai un o'i eiriau amlycaf yw *loo*; fe rydd gyhoeddusrwydd mynych ac amlwg i gyflwr loos tre Caerfyrddin . . . Ac os bydd rhyw achos o *sexual assault* gerbron un o'r llysoedd, fe gaiff hwnnw'r tudalen blaen, gyda chynifer o fanylion ag sy'n bosibl.[17]

Er gwaethaf ambell bwt o bropaganda digon diniwed, roedd naws y gwaith yn llawer mwy cynnil – 'pedestraidd' oedd enw Islwyn Ffowc Elis arno. Neilltuwyd colofn 15 Medi i ddathliadau Undeb y Bedyddwyr, 22 Medi i broblemau trafnidiaeth, 29 Medi i Dafydd

Iwan: 'trwbadwr rhyddid Cymru'. Ar 6 Hydref traethodd ar harddwch merched a'i hoffter o wasanaethau'r Eglwys yng Nghymru – 'eu trefnusrwydd a'u hamrywiaeth a'u defosiwn lliwus, tawel' y daethai'n gyfarwydd â hwy drwy ei waith yn y Drindod. Cymreigio enwau oedd pwnc 13 Hydref, ac wythnos yn ddiweddarach, ysgrifennodd am golli Tegla, 'llym fel ei Arglwydd ar bob ffug a rhagrith a stwatwseitus mewn byd ac eglwys'. Ar 27 Hydref dywedodd air o blaid addysg uwchradd ddwyieithog ac, wrth basio bron, yn fwriadus-hamddenol, am lwyddiant tebygol Gwynfor yn yr etholiad cyffredinol nesaf. Adolygiad o gynhyrchiad Cwmni Theatr Cymru o *Cymru Fydd* Saunders Lewis oedd testun 3 Tachwedd; buddugoliaeth Winnie Ewing i'r SNP yn isetholiad Hamilton a chlwy'r traed a'r genau a fynnodd sylw ar y degfed. Ac felly ymlaen. Daeth y golofn i ben ar 26 Ionawr, gyda newid cyfeiriad a galwadau eraill, fel y ceir gweld.

A bob yn ail â'r cyfraniadau hyn, daliai i ohebu â Gwynfor. Ysgrifennodd yr aelod seneddol ato, yn apelio am gymorth 'doethineb' Islwyn 'i osgoi trafferth i'r Blaid' ar fater Arwisgiad Tywysog Cymru a'i arhosiad yng Ngholeg Aberystwyth pan ddaeth y newydd yn hysbys yn Hydref 1967. Mewn llythyr ar y 31ain rhagwelai drafferthion i ddelw'r Blaid pe ceid ymateb byrbwyll o du cenedlaetholwyr yno, a hynny ar drothwy etholiad cyffredinol arall:

> Ymhen dwy flynedd gall teimladau fod yn uchel iawn o blaid yr arwisgo. Cynllunnir llawer o jolihoetian trwy Gymru gan gynnwys taith wythnos i Charles trwy'r wlad pan geir miloedd o blant ysgol pob sir allan wrth ochrau'r ffyrdd i chwifio baneri; a cheir coelcerthi ar bennau'r mynyddoedd.

Daeth ateb Islwyn Ffowc Elis ar 16 Tachwedd: 'Asgwrn politicaidd yw'r peth,' meddai am yr Arwisgiad,' wedi'i daflu i fysg y cŵn i godi cyfarth a brathu.' Mewn geiriau eraill, un o amcanion uniongyrchol Croeso 69 oedd rhannu cenedlaetholdeb Cymreig yn ei erbyn ei hun. Yr unig ateb, barnai – mewn geiriau sy'n dwyn i gof sylwadau clo memorandwm cyhoeddusrwydd y flwyddyn gynt – oedd polisi unol, 'ni waeth pa un'. Erbyn iddo ysgrifennu'r geiriau hynny, yr oedd wedi newid cyfeiriad eto. Fel rhan o'r carthu cyffredinol ar ei fywyd yn 1967, cafodd wared ar yr elfen fwyaf anghydnaws â'i anian: ei waith yn y Drindod.

Buasai yno yn ystod rhai o'r blynyddoedd mwyaf arwyddocaol yn ei hanes. Gwelsai addysg yng Nghymru'n dod dan adain y Swyddfa Gymreig yn 1964, ac Adroddiad Gittins dair blynedd yn ddiweddarach yn argymell dysgu Cymraeg mewn ysgolion cynradd. Ar safle'r coleg ei hun gwelsai gynllun adeiladu anferth ac ehangu nifer y myfyrwyr newydd a dderbyniwyd o 152 yn 1963, i 271 erbyn 1968 ynghyd â lleihad cyfatebol yng nghanran y siaradwyr Cymraeg, o 32% i 21% yn yr un cyfnod. Buasai yno i weld cyflwyno graddau BAdd, ymddeoliad y prifathro a phenodi ei chofrestrydd cyntaf. Buasai yng nghanol myfyrwyr a gyffyrddwyd gan ystwyrian Cymdeithas yr Iaith.[18] Y peth mwyaf trawiadol am gysylltiad Islwyn Ffowc Elis â'r Coleg yw cyn lleied o sôn sydd amdano. Er gwaethaf ei gydwybodolrwydd, nis cyffyrddodd.

Roedd ei obeithion am y gwaith y denwyd ef iddo yn llawer uwch. Swydd oedd hi, yn un peth, a grëwyd yn neilltuol iddo: Cyfarwyddwr Cynllun Cyfieithu a Chynhyrchu gyda'r Cyngor Llyfrau Cymraeg. Roedd y cyflog o £1,400 y flwyddyn ynghyd â grant awdur am bob cyfieithiad neu waith gwreiddiol, tua dwy ran o dair o'r hyn a enillai yn y Drindod, ond fe'i derbyniodd yn llawen, gan ysgrifennu at Alun Creunant Davies ar 21 Hydref 1967 i gadarnhau ei fod am drafod y mater gyda phrifathro'r Drindod, er mwyn pennu dyddiad cychwyn.

Ceir ym mhapurau Islwyn Ffowc Elis gopi o ddatganiad i'r wasg gan y Cyngor, 'ddim i'w ryddhau cyn dydd Iau, Ionawr 4 1968', yn datgelu amcan agored y cynllun, sef comisiynu cyfieithiadau o weithiau gwreiddiol i'r Gymraeg i'w darparu i lyfrgelloedd, gan awgrymu amcan amgen yn rhannol dros benodi Islwyn Ffowc Elis yn ei frawddeg glo: 'Disgwyliwn y bydd y swydd newydd hon yn rhoi cyfle iddo ailgydio yn ei bin sgrifennu ac y gwelwn nid yn unig gyfieithiadau ond nofel y flwyddyn unwaith eto.' Yng ngolwg ei gyflogwyr, ac yng ngolwg deiliad y swydd ei hun, nid oedd dim, bellach, a'i hataliai rhag hynny.

FFYNONELLAU

1 LLGC, papurau Plaid Cymru, N206.
2 *Naddion*, t. 98.
3 LlGC, papurau Plaid Cymru, op. cit.
4 'Cyfathrebu Torfol' *Efrydiau Athronyddol* 29, 1966, t. 38.
5 Ibid.
6 LlGC, papurau Harri Webb G1/25.
7 LlGC, papurau Plaid Cymru, op cit.
8 LlGC, papurau D. Tecwyn Lloyd, 1/3.
9 LlGC, papurau'r Academi, CSG1/10/20.
10 LlGC, papurau Harri Webb, G1/28.
11 LlGC, ibid, G1/26.
12 LlGC, papurau Plaid Cymru, op. cit.
13 *Taliesin* 14 Gorffennaf 1967), t. 2.
14 Yn Islwyn Jones a Gwilym Rees (gol.), *Storïau'r Dydd* (Llandysul, 1968), tt. 21-8.
15 LlGC, papurau Plaid Cymru, op. cit.
16 LlGC, papurau D. Tecwyn Lloyd, op. cit.
17 Ibid.
18 Russell Grigg, *History of Trinity Collge Carmarthen* (Cardiff, 1998), tt. 193, 241.

9

'y creadur sy'n creu'
1968-70

Er gwaethaf y gwaharddiad, mynnodd y cyfryngau ryddhau stori'r penodiad cyn pryd – gan achosi ffrwydrad yn erbyn 'helgwn y teledu' yn 'Tamaid i Brofi' ar 29 Rhagfyr: 'Chlywais i mo'r cyhoeddiad fy hun, a dydw i ddim wedi darganfod eto pa un o'r ddwy sianel a'i cyhoeddodd e. Ond fe fynna i gael gwybod.' Er ei ddicter, ac unwaith yn rhagor, meddai newid swydd ar rym adfywiol i Islwyn Ffowc Elis. Trefnwyd iddo gychwyn ar ei waith gyda'r Cyngor Llyfrau ar 1 Ebrill 1968, ond ymhell cyn hynny byrlymai gan syniadau a mentrau, gan 'ymhyfrydu', chwedl llythyr at Alun Edwards ar 9 Chwefror, yn y syniad o gael cyflog am ysgrifennu 'nofelau gwreiddiol'. Yr oedd wedi dechrau cyfaddasu ei gyfres radio *Y Blaned Dirion* (1959) yn nofel flwyddyn ynghynt, ond buasai'n rhaid iddo adael y gwaith ar ei hanner. Roedd yn ffyddiog bellach y cymerai 'ryw dair wythnos i fis i'w gorffen'. Cynigiodd ddwy gyfres radio arall yn gyfaddasiadau: *Y Caethwas* (1961) a'r ddrama deledu *Rhai yn Fugeiliaid* (1962). 'Mae yma hefyd dair neu bedair o nofelau gweddol ysgafn a ddechreuais o dro i dro, y gallwn i ailgydio ynddyn nhw.'

Ni fynnai fod ar ei ben ei hun yn y fenter chwaith. Soniodd am 'gymell' Idwal Jones i droi holl gyfresi poblogaidd *Gari Tryfan* yn nofelau, '[a] phe gellid ei gwneud yn bosibl i T. Llew Jones a J. R. Evans droi'n awduron amser llawn cyn bo hir, fe gaem lawer ganddyn nhw, mae'n siŵr.' Gellid pwyso ar Jacob Davies yn yr un modd i droi sgriptiau radio *Teulu'r Mans* a *Teulu Tŷ Coch* yn storïau, ac ar Griffith Parry i wneud yr un peth gyda'r gyfres *Byd a Betws*. Yn niwedd ei lythyr, soniodd yn ogleisiol hefyd am gael 'trydedd nofel am Leifior allan o'r peth – er bod y beirniaid yn fy rhybuddio rhag hynny!'

Erbyn canol Mawrth, ac yn ddi-dâl, roedd eisoes yng nghanol y berw. Ar 8 Mawrth bu'n beirniadu mewn cwis llyfrau yn Rhydaman: gwaith 'newydd sbon' a 'sobor o gymhleth', fel y cyfaddefodd wrth Alun Creunant ar y pymthegfed. Erbyn y dyddiad hwnnw, yn ôl tystiolaeth yr un llythyr, roedd eisoes wedi cymryd rhan mewn seiat holi ar ran y Cyngor yng Ngŵyl Lyfrau Caerdydd, wedi dechrau cyfieithu nofel o'r Ffrangeg – sef *La Vénus aux yeux d'or* o waith Maurice Dekobra – ac wedi bod yn trafod nofelau Daneg, Iseldireg a Ffrangeg gyda chyfieithwyr tebygol, gan fynegi pryder fod Cymraeg rhai ohonynt yn bur sigledig. Rhagwelai dreulio mwy o amser na'r disgwyl, felly, yn golygu a chywiro. Roedd gan hynny wedi llunio amserlen yn nodi 'cyfnodau go bendant o sgrifennu/cyfieithu a golygu/gweinyddu bob yn ail', am ryw bythefnos ar y tro. Rhwng cyfieithu ac addasu gwaith wrth law – 'pethau gweddol rwydd . . . fydd y rhain am eleni' – credai y gallai gwblhau pedair nofel erbyn diwedd 1968. Terfynodd drwy addo adroddiad ysgrifenedig bob pythefnos.

Cyn i waith y Cyngor ei draflyncu, ysgrifennodd at Elwyn Roberts ar 21 Mawrth, yn awgrymu symud Cynhadledd y Blaid i ddiwedd Medi, o'i slot traddodiadol yn ystod yr wythnos yn union ar ôl yr Eisteddfod Genedlaethol, fel y gallai'r teledu roi mwy o sylw iddi. Am raglen y gynhadledd, cynigiodd y dylid trafod maniffesto'r etholiad cyffredinol nesaf, 'ac yn wir ein polisi ar gyfer Cymru Rydd a chyfansoddiad y Llywodraeth Gymreig, gan fod hunanlywodraeth yn y saithdegau mor debygol, mae'r cyhoedd yn awr yn disgwyl am ein cynllun.'[1]

Parhaodd brwdfrydedd Islwyn Ffowc Elis dros ei swydd newydd drwy wanwyn 1968. Ar 3 Mai, ysgrifennodd at William Kellock, trefnydd cyhoeddusrwydd Plaid Genedlaethol yr Alban, fel un wedi ymryddhau o gaethiwed:

> I had not done any writing for about six years, and it was getting me down. Teaching at a teachers' training college was far too hectic, and I was depressed by the thought that I was helping to train hundreds of young Welsh men and women for export to England and that our Welsh training colleges were

being expanded just to take in English students by the hundred
who could not be accommodated in their own country . . . I shall
also be able to write a bit myself now.

Mae'r adroddiadau a'r ohebiaeth ategol dros y misoedd i ddilyn
yn dangos dyn yn araf suddo dan waith llawer mwy amrywiol – a
beichus – na'r disgwyl. Ar ben y nofel Ffrangeg, ymgymerodd â
chyfieithu *La Bambolona* Alba de Céspedes o'r Eidaleg a chafodd ei
hun yn cyfieithu llythyrau busnes dirifedi oddi wrth gyhoeddwyr
tramor ac yn llunio atebion (mewn Ffrangeg, Almaeneg, Eidaleg ac
ambell glytwaith mewn Fflemeg a Sbaeneg yn ôl y galw), yn cynnal
gohebiaeth gydag awduron a chyfieithwyr, gan hyfforddi rhai llai
profiadol na'i gilydd yng nghyfrinion paratoi llawysgrifau, yn holi
am gynnydd, yn ysgrifennu broliannau ac yn chwilio'n barhaus am
weithiau a chyfieithwyr i gyflawni'r cynllun. Gan nad oedd y cynllun
i atgynhyrchu cyfieithiadau o weithiau a oedd eisoes ar gael yn
Saesneg, ac am fod yn rhaid cadw at gyfrolau o dan tua 65,000 o
eiriau er mwyn peidio â llethu cyfieithwyr a wnâi'r gwaith i bob
pwrpas yn eu hamser hamdden, roedd y dewis yn gyfyngedig.

Er na dderbyniai bellach yr un geiniog gan y Blaid, ni pheidiodd y
gweithgarwch drosti. Ceir ymhlith ei bapurau gofnodion manwl o
isetholiadau ledled Prydain, yn nodi canrannau'r pleidiau, a rhestr o'r
'swingiau angenrheidiol' i'r Blaid ennill gwahanol seddi: cyfle iddo
arfer ei ddawn fathemategol. Mynnai wasanaethu ar lefel fwy
personol hefyd. Ar 2 Mehefin, ysgrifennodd at Phil Williams, yr
ymgeisydd yn isetholiad Caerffili ar 18 Gorffennaf, yn cynnig cyngor
oherwydd 'non-avaliability' Gwynfor i gynorthwyo gyda'r ymgyrch.
'Non-availability is not correct; what I really mean is that he is so
incredibly itinerant all over Wales and elsewhere that one just cannot
keep up with his movements.' Awgrymodd fod y SNP yn mynd yn
gyfrifol dros gyhoeddi llenyddiaeth yr ymgyrch, nad oedd angen
cyhoeddi popeth 'meticulously bilingually' oherwydd natur yr
etholaeth – a bod angen slogan i wahaniaethu Phil Williams oddi wrth
ymgeisydd y Torïaid (a chyn-gydweithiwr i Islwyn Ffowc Elis yn y
Drindod), Robert Williams. Awgrymodd 'the Williams who can WIN,

for CAERPHILLY'. Ei genadwri i Robyn Léwis, darpar ymgeisydd Arfon, ar 2 Mai, oedd ei rybuddio rhag ysgrifennu'n 'wamal-ysgafn' yn Barn, rhag iddo danseilio ei ddelwedd. 'O'r ddau, gwell methu wrth ogwyddo tuag at ddifrifwch na thuag at wamalu.' Ni fynnai i'r ymgeisydd ailadrodd yr un camgymeriad ag a wnaethai ef:

> . . . doedd y ffaith 'mod i'n llenydda ddim o help i mi o gwbl fel ymgeisydd seneddol. Efallai, pe bawn i wedi cyhoeddi llyfrau ar addysg neu wleidyddiaeth neu rywbeth 'sylweddol' arall, y byddai'r etholwyr yn cymryd mwy o sylw. Ond roedd yna deimlad, rydw i'n credu, bod belles-lettres a nofelau a dramâu teledu dipyn yn rhy ysgafn i wleidydd o ddifri.

Erbyn 29 Mehefin, mewn llythyr at Alun Creunant wrth gwt adroddiad am y pythefnos hwnnw, roedd arwyddion ei fod eisoes yn anesmwytho. Roedd yr 'amserlen' (dyfynodau Islwyn Ffowc Elis) 'wedi mynd i'r gwellt' a theimlai bellach y byddai'n rhaid iddo ganolbwyntio ar y gwaith tramor 'i gyfiawnhau'r holl gyhoeddusrwydd ynglŷn â phenodi CYFIEITHYDD'. Roedd Y Blaned Dirion yn barod ganddo, a theimlai nad oedd yn iawn iddo dderbyn grant awdur am y gwaith, gan iddo ei ysgrifennu 'yn amser y Cyngor'. Yn iawn am hyn, mynnai daro bargen: 'Y posibilrwydd arall yw i'r Cyngor fy "rhyddhau" am fis neu chwech wythnos, ac imi gael grant awdur yn lle cyflog. Fe fyddai hynny'n foddhaol. Rydw i'n bendant bod rhaid iddi fod y naill beth neu'r llall.'

Roedd patrwm cyfarwydd yn ymsefydlu, a welwyd yn ei ymwneud â'r Blaid ac â chydolygyddiaeth Taliesin cyn hynny. Amlygiad oedd o'r hen ymdynnu rhwng synnwyr dyletswydd ac ysfa am fod yn llenor. Ei ateb i'r cyfyng-gyngor oedd gofyn am gael gwneud llai nag y telid iddo am ei wneud drwy fynnu gwneud y llai hwnnw am ddim. Ymhen amser byddai'r uchelgais ymwadol hon yn tanseilio'i swydd gyda'r Cyngor ac yn ddamniol i'w ail gynnig ar hunanliwitio. Deuai i ddeall mai gelyn cymedroldeb yw cydwybod, a bod cyfaddawd yn lladd creu.

Roedd a wnelo'r anesmwythyd i raddau â natur y swydd ei hun, ac â'r ffaith anhyfryd fod ei reolaeth drosti yn nwylo eraill. Yn rhifyn

Haf 1968, hysbysodd ddarllenwyr *Llais Llyfrau*, cylchgrawn y Cyngor, ei fod wedi dysgu 'peidio â gwneud addewidion mawrion nad ydw i'n debyg o'u cyflawni':

> Felly, pe gofynnai rhywun imi faint o lyfrau yr ydw i'n bwriadu eu sgrifennu a'u cyfieithu – neu beri eu sgrifennu a'u cyfieithu – yn fy swydd newydd hon, mae'n siŵr y câi ateb digon annelwig. Ateb, hwyrach, yn dechrau â'r ymadrodd digon cyfarwydd bellach, 'Wel, mae'n dibynnu . . .'[2]

Prif ysgogydd yr aflonyddu, er hynny, oedd y nofel hanes anorffenedig. Ar 19 Hydref gwnaeth gais amodol am ysgoloriaeth i Meic Stephens, cyfarwyddwr Cyngor y Celfyddydau, yn cwyno ei fod 'wedi dechrau ac ail ddechrau a thrydydd dechrau ar y nofel'. Nid oedd yn rhywbeth y gallai ei hysgrifennu fesul plwc fel y gwnaethai yn achos addasiad *Y Blaned Dirion*: 'Fel y gellwch ddeall, mae nofel hanesyddol hir, banoramig yn gofyn am ganolbwyntio llawer dwysach a gwaith caletach na nofel gyfoes.' Unwaith eto, roedd yn barod i gyfaddawdu: 'Yn ddelfrydol,' hysbysodd Meic Stephens, 'fe fyddai angen blwyddyn i wneud y gwaith . . . ond credaf y gallaf ei wneud mewn chwe mis.' Wythnos yn ddiweddarach, ar 24 Hydref, cysylltodd ag Alun Creunant, gan amgáu copi o'i lythyr at Meic Stephens, ac yn barod i fargeinio eto. Ei fwriad oedd ceisio cymhorthdal gan Gyngor y Celfyddydau am chwe mis rhwng 31 Mawrth a 30 Medi 1969. Pe câi'r grant, hysbysodd Alun Creunant, gellid penodi dirprwy drefnydd iddo yn Aberystwyth. 'Does dim rheswm yn y gwaith yr ydych yn gorfod ei wneud,' cydymdeimlodd â'r trefnydd. Pe bai modd i'r Cyngor Llyfrau estyn y grant am chwe mis eto, sef hyd ddiwedd Mawrth 1970, iddo ddwyn y maen i'r wal gyda'r nofel, byddai'n barod iawn i dderbyn hynny, gan greu swydd blwyddyn gron i'w olynydd, a fyddai'n haws ei llenwi. Roedd hyd yn oed yn barod i aberthu'r swydd yn gyfan gwbl, awgrymodd. Ailgydiai yn yr awenau yn Ebrill 1970, pe gallai'r Cyngor sicrhau 20% rhagor o arian gan yr awdurdodau lleol; fel arall, 'fe fyddwn i'n ddigon hapus yn parhau i weithio'n rhan-amser am ryw swm y gallwn gytuno arno, fel y gellid parhau i dalu cyflog rheolaidd i'r dirprwy drefnydd.' Byddai Islwyn Ffowc Elis yn gofalu am ei drefniadau pensiwn ac yswiriant ei hun, a phrin y gwelai'r Cyngor newid sylfaenol o gwbl: 'Rydw i'n hyderus y gallwn weithredu'r cynllun cyfieithu a chynhyrchu'n foddhaol yn rhan-amser. Oherwydd mae'n dechrau dod i drefn nawr.'

Roedd llwyddiant y cynllun yn creu gwaith. Mae ffeil ohebiaeth y Cyngor am 7 Hydref, er enghraifft, yn cynnwys chwe llythyr dan enw Islwyn Ffowc Elis: at ddylunydd yn trafod lliw clawr, at ddarpar gyfieithydd Pwyleg, at ddarllenwyr proflenni esgeulus (gyda sylwadau ychwanegol ar y testun yn llawysgrifen gymen Islwyn ei hun), at gyfieithydd Almaeneg a chyfieithydd Ffrangeg. Daeth diwedd 1968 â dyletswydd annisgwyl ychwanegol: golygyddiaeth *Llais Llyfrau*, yn olynydd i Enid Morgan. Neilltuodd ran agoriadol ei olygyddol cyntaf yn rhifyn Gaeaf 1968 i amddiffyn 'Cymraeg Byw': safiad go anghyffredin i lenor o'i genhedlaeth ef, ac yn sicr un a gythruddai rai mor annhebyg i'w gilydd a T. Llew Jones a Thomas Parry, a soniai am ffurfiau cyfaddawd 'rydw i, fe ddaeth e, rydyn ni'n dod, wn i ddim' ayb fel 'erthylod di-dras'. Sylwyd eisoes fel y syniai Islwyn Ffowc Elis amdano fel cyfrwng storïol ystwythach yn ei ragair i *Marwydos*. Mae'r enw a fathodd arno – Cymraeg Llafar Unol – yn awgrymu fel y'i pleidiodd hefyd fel iaith lafar genedlaethol, fel cyfrwng gwleidyddol a bontiai 'hen raniad hyll Gogledd-a-De', Cymry Cymraeg a dysgwyr. Bydd ambell ddarllenydd wedi sylwi eisoes fel y daeth Islwyn Ffowc Elis i'w arfer yn ei lythyrau personol erbyn tua 1966, bron fel petai'r iaith ddiduedd a di-fro hon yn foddion iddo'i adnewyddu ei hun. Yng ngeiriau (Cymraeg Byw uniongred) y golygyddol:

> Charwn i fy hun ddim dychwelyd i ogof yr 'eisteddasai' a'r 'gwybuasent', y 'meddant hwy' a'r 'byddwyf' a'r 'ni cheisiasoch' – ond er mwyn awgrymu hynafiaeth. Fe sefydlwyd ffurfiau 'Cymraeg Byw' yn rhagorol iawn at ddysgu Cymraeg fel ail iaith. Y cam nesa fydd ystyried pa gyfaddasu neu ba oddefiadau fyddai'n ddymunol er mwyn ei wneud yn decach offeryn llenyddol.[3]

Rhan o'i ymlyniad wrth Gymraeg Byw hefyd oedd yr argyhoeddiad cynyddol mai cysyniad anghymreig oedd un cywirdeb terfynol ar fater iaith. Yng ngeiriau llythyr at Elin Garlick, un o dîm o gyfieithwyr cynllun y Cyngor, ar 8 Hydref 1970:

Mae cywirdeb creiddiol, hanfodol y Gymraeg yn un ym mha ffurf bynnag y siaredir neu y sgrifennir hi – Cymraeg 'Syr John' [Morris-Jones], Cymraeg 'Griffith John' (Byw) neu dafodiaith. Mae i'n hiaith ni, fel i bob iaith arall, ei hidiom – neu'i theithi neu'i phatrymwaith neu beth bynnag y galwch chi'r peth. Roedd y *peth* bywiol hwnnw yn iaith lafar lân fy nain, yn *Gweledigaethau'r Bardd Cwsg*, yn *Hen Dŷ Fferm*, yng nghywyddau Dafydd ap Gwilym ac yn nramâu Wil Sam, dan yr holl amrywiadau morffolegol o Gaernarfon i Gaerfyrddin ac o'r 14eg ganrif hyd heddiw . . .

Am fod gan y Saeson *Queen's English* a ddistyllwyd gan Fowler ac a borthir inni beunos gan y BBC, dydw i ddim yn dweud y dylai fod gennym UN Cymraeg . . . Olympaidd – er y byddai hynny'n fantais. Ond nid ni ydyn nhw; amrywiadau y tu mewn i'r Gymraeg sy gynnon ni. Mae'r naill syniad yn briodol Diwtonaidd, y llall yn briodol Geltaidd!

Mae gweddill y nodiadau cyntaf hyn yn drawiadol o heulog. Yr oedd gwaith i'w wneud i ateb y galw am lyfrau Cymraeg, yn enwedig i rai yn eu harddegau, ond roedd galw pendant amdanynt. Am y rheswm hwnnw, wfftiodd sylw Gareth Meils (fel y gwnaethai yn achos sylw tebyg gan D. J. Williams, fe gofir, chwe blynedd ynghynt ar drothwy isetholiad Maldwyn) y dylai llenorion o Gymry roi heibio lenydda er mwyn ymladd brwydr bwysicach ennill rhyddid i Gymru. Amheuai, yn wir, 'a fyddai'r deffro Cymreig wedi digwydd o gwbl oni bai am ddiwydrwydd llenyddol 1946-66'.[4] Terfynodd ei lith fel llenor ymwybodol, proffesiynol ac fel un a deimlai eisoes fod colofnau golygyddol y cylchgrawn yn eiddo iddo:

Nid yw *Llais Llyfrau* am dynnu unrhyw Gymro neu Gymraes ifanc o frwydr cydwybod. Yn wir, mae pob Cymro gwerth ei halen ynddi – nid o angenrheidrwydd yn yr un ffordd. Ond fe fynnwn i'n llenorion ifainc wybod y byddai'r un mor wrthun iddyn nhw roi'r gorau i lenydda ag a fyddai i amaethwyr roi'r gorau i godi bwyd neu i athrawon roi'r gorau i ddysgu Cymraeg er mwyn y Chwyldro.[5]

Roedd agwedd felly'n ddigon dealladwy. Erbyn iddo roi pin ar bapur y gaeaf hwnnw gwyddai fod Cyngor y Celfyddydau wedi cymeradwyo grant o £750 am chwe mis o 1 Ebrill 1969 ac y byddai Islwyn, am gyfnod o leiaf, yn llenor amser llawn unwaith eto. O safbwynt ariannol a chreadigol, argoelai pethau'n dda. Ym mis Tachwedd, rhoddodd y gorau i'w golofn i'r *Carmarthen Times*, gwta blwyddyn ar ôl ei chychwyn, er mwyn addasu *Cysgod y Cryman* ac *Yn Ôl i Leifior* yn 13 pennod i'r teledu gyda Huw Lloyd Edwards. Byddai cymhorthdal yn bont i gyrraedd y *status quo ante* yn 1963. Yn y cyfamser, ymgynigiodd gwaith arall o du'r Blaid sy'n peri cofio canol y pumdegau a menter *Wythnos yng Nghymru Fydd*. Ar 17 Rhagfyr 1968, ysgrifennodd Gwynfor lythyr maith ato, yn rhyfeddu at rym delwedd a myth Che Guevara (yr oedd copi o'r llun enwog ohono yn addurno wal ei ferch Meinir ar y pryd) ac yn cynnig y gallai Islwyn wneud rhywbeth tebyg dros y Blaid. Cynhwysodd fraslun go gynhwysfawr, a'r atalnodi a'r llawysgrifen yn tystio i'w frwdfrydedd:

Mae angen datblygu myth y Blaid os yw am afael ynom; ond er mwyn gwneud hyn mae angen rhoi'r paent yn dew ar y cynfas – gorliwio er mwyn effaith, e.e. pwysleisio maint a chyfoeth a nerth ac annhosturi y gwrthwynebiad, yn bleidiau, llywodraeth ganolog a lleol a'r holl sefydliad: a'r frwydr Dafydd v Goliath a ymladdwyd gan fudiad bach – pwysleisio cyn lleied, cyn wanned, cyn dloted ydoedd. Mewn etholiadau seneddol o'r un cyntaf ymlaen (dywedir bod Val [Lewis Valentine], yn etholaeth Caernarfon yn 1929 wedi gorfod gwerthu ei lyfrgell i dalu'r ernes a'r costau) ychydig iawn o arian a oedd i'w gael: hyd yn oed yn 1966, £60 a wariwyd yn y Rhondda etc.

Pwysleisio'r dioddef a'r fenter – J. E. Daniel (3 Dosbarth Cyntaf), S. L., Pennar [Davies], Tudur [Jones] etc yn rhoi popeth; byw mewn tlodi pan fedrent gael swyddi bras: dyma fu hanes D. J. a Noelle Davies (4 Dosbarth Cyntaf) hwythau: menter y Tân yn Llŷn, eisteddiadau Trawsfynydd etc. Y rhai a fu yng ngharchar am wrthwynebu rhyfel a chonsgripsiwn; a meddylier am 'y Blaid Bach' yn mentro sefyll yn erbyn y rhyfel! Y frwydr dros yr iaith – a charchar i rai. Y frwydr dros y tir, a Thryweryn.

Pwysleisio dynamig [*sic*] y mudiad: y gred angerddol yn yr

achos – dros Gymru, dros gyfiawnder cymdeithasol, yn erbyn imperialaeth, militariaeth a'r hyn a gaethiwai bobl a chenhedloedd: CND: h.y. y mudiad chwyldroadol di-drais.

Y dal ati trwy'r tew a'r tenau: meddylier am D. J., J. E., Elwyn: y brwydro ar gynghorau, llysoedd, pwyllgorau, cynadleddau: y teithio diddiwedd a'r gweithio gan bawb heb dreuliau: yr haelioni (e.e. awdur 'Wythnos yng Nghymru Fydd'): yr aberthu gyrfa gan lawer: y llawenydd yn y gymdeithas.

Meddylier am y bobl liwgar, y rhai cywir a ddaeth o'r ILP megis D. J. a Waldo, Dan Thomas ac R. E. Holland, Abi Williams a Percy Ogwen Jones: y to cynnar o chwarel, fferm a phwll glo a phrifysgol: yr ysgolheigion a'r diddysg: sêr ein traddodiad – fel 'y Tri Bob' a merched disglair fel Kate, Gwenan [Jones] a Cassie [Davies]: gweinidogion amlwg eu dawn a'u personoliaeth fel Fred Jones, Ben Bowen [Thomas] a Val etc etc.

Gwybodusion mor gwbl wahanol ag Arthur Price, Ambrose Bebb a D. J. Davies. Gellid gwneud o fyddin fel hyn stori mor rhamantus, myth mor afaelgar â Garibaldi a'i Fil.

Beth am dreio gogyfer â *Barn* Gŵyl Ddewi?

Ni ddaeth dim o'r cynllun: o leiaf, nid ymddangosodd ysgrif gan Islwyn Ffowc Elis yn *Barn*, ac nid oes cofnod yn ei bapurau i awgrymu ei fod wedi drafftio dim chwaith. Roedd pethau eraill ar ei feddwl. Ras wyllt oedd misoedd agoriadol 1969 i Islwyn i gwblhau popeth mor drefnus ag y gallai cyn cychwyn ar ei gyfnod sabothol. Roedd llonydd i ysgrifennu yn dod â llafur yn ei sgil. Ceir yn ffeil y Cyngor Llyfrau lythyrau dirifedi at gyfieithwyr, gweisg, awduron y gweithiau gwreiddiol, yn egluro na fyddai ar gael hyd ddiwedd Medi. Yma a thraw yn yr ohebiaeth ffurfiol, ceir awgrym fod gofid yn gymysg â chyffro. Hyn, er enghraifft, mewn llythyr at Emrys Parry ar 16 Ionawr, lle cyfaddefodd ei fod yn 'crynu yn f'esgidiau' wrth feddwl am y nofel:

> Roedd hi'n ddigon difyr i feddwl amdani fel rhywbeth i'w wneud rywbryd yn y dyfodol, ond rŵan y mae'r amser wedi dod i fynd ati, a'r ymchwil heb chwarter ei wneud, a thipyn o ffys cyhoeddus wedi'i wneud ynglŷn â hi. Rydw i'n ei gweld mewn goleuni pur wahanol. Ond dyna fo: yr unig ffordd o wneud rhywbeth ydi'i wneud o.

Ar ôl cwblhau golygyddol Gwanwyn 1969, cyflwynodd *Llais Llyfrau* i ofal Lenna Pritchard-Jones, trosglwyddodd gyfieithiad Dekobra – *Fenws â'r Llygaid Aur* – i Carwen Vaughan a'r ohebiaeth i Alun Creunant (ac eithrio'r llythyrau mewn ieithoedd tramor). Trefnodd swm o £75 gyda'r Cyngor i barhau â'r gwaith na ellid ei osod yn nwylo eraill.

Wythnos cyn cychwyn ar ei gyfnod sabothol, dioddefai gan annwyd; wythnos ar ôl cychwyn, roedd Eirlys a'i rhieni dan y ffliw. Arbedwyd Islwyn a Siân, ac felly ar y tad y disgynnodd y baich o nyrsio'r oedolion a gofalu am addysg y ferch. Ac yna distawrwydd, wrth i'r awdur fwrw iddi i wneud gwaith ei fywyd. Calondid iddo oedd darllen ar 22 Mai fod *Y Blaned Dirion* ar frig siart ddarllen *Y Cymro*, a thridiau yn ddiweddarach daeth llythyr oddi wrth Gwynfor yn diolch am lythyr (a gollwyd) 'llawn o newyddion diddorol a da':

> Y newydd gorau oll ynddo oedd eich bod yn byw bellach i ryw raddau yn yr unfed ganrif ar ddeg. Mor dda yw gennyf am hyn. Fel y dywedwch , nid oes ddim [*sic*] pwysicach na rhoi ein pobl ym meddiant eu hanes.

Amhosibl yw mesur faint o gynnydd gweladwy a wnaed yn ystod y misoedd rhydd (neu gymharol rydd) hyn. Pur ychydig o dir newydd sbon, mae'n debyg, a barnu wrth fwriad Islwyn Ffowc Elis i ailymgynefino â'i ffynonellau ar ôl hir esgeuluso, a'r problemau sylfaenol parthed hanesyddiaeth a ddaliai i'w lethu, fel y ceir gweld, flynyddoedd yn ddiweddarach. Y gwir hefyd yw fod helyntion brenhinol y presennol lawn mor ddiddorol iddo erbyn canol 1969 â dychmygion am y gorffennol pell, wrth i ddyddiad yr Arwisgo nesáu. Ar 5 Mehefin, ysgrifennodd lythyr maith at Dafydd Iwan – darpar ymgeisydd y Blaid yng Ngorllewin Sir y Fflint, awdur y gân ddychan 'Carlo' a ffigur amlwg yn y gwrthwynebiad cyhoeddus i urddo Charles yn Dywysog Cymru ar 1 Gorffennaf. Byddai'r wythnosau i ddod, credai Islwyn, yn 'gystadleuaeth glos' gyhoeddus rhwng Charles a Dafydd Iwan am y mwyaf poblogaidd. I Islwyn, er hynny, roedd y frwydr foesol wedi'i hennill eisoes:

> Mae'n anodd i chi sylweddoli maint y newid yng Nghymru a maint eich buddugoliaeth mewn amser mor fyr. Mae'n anodd

deall, efallai, pam y mae rhai fel fi mor galonnog. Ond er nad ydw i ddim yn hoffi meddwl 'mod i'n mynd yn hen, rydw i'n aelod o'r Blaid ers 27 mlynedd, ac yn cofio'r amser yn iawn pan oedd 'Welsh Nash' yn cael ei ddiawlio, yn enwedig yn ystod yr ail ryfel byd. Ac er i mi ac eraill ddal ati'n gyndyn ar hyd yr amser i gyfeirio llythyrau a sgrifennu sieciau a llenwi ffurflenni a gofyn am rif teleffon yn Gymraeg (pethau nad oes ond ychydig *iawn* o Gymry Cymraeg yn eu gwneud *eto*, gwae ni), roedd agwedd annymunol mân swyddogion ac aelodau o'r cyhoedd ar hyd y cyfnod hir diobaith hwnnw bron yn drech na ni weithiau.

I mi a'm tebyg, felly, ar ôl yn agos i chwarter canrif yn yr anialwch, mae'n *anhygoel* fod y Llywodraeth wedi *gorfod* anfon un o'r teulu brenhinol i Brifysgol Cymru i geisio lleddfu cenedlaetholdeb Cymreig, a bod hwnnw'n dysgu Cymraeg *o ddifri* ac yn cyfeirio mewn araith gyhoeddus at eiriau cân bop Gymraeg amdano fo'i hunan. Efallai na chytunwch chi ddim, ond mae hyn ynddo'i hun yn chwyldro. Ar ôl *saith ganrif* o 'dywysogion Cymru' bondigrybwyll nad oedd dim rhaid iddyn nhw wybod dim oll am Gymru na'i hiaith na'i llenyddiaeth na'i hanes, dyma un sy'n gorfod amddiffyn a chyfiawnhau'i deitl am ei fywyd. Fe'n hanwybyddwyd ni'n braf ar hyd y canrifoedd; ni ellir ein hanwybyddu ni mwyach, diolch i chi a Gwynfor a'r 'rhai a fu mewn cell'. [6]

Mentrodd broffwydoliaeth:

... [fy] marn i, am ei gwerth, ydy'i fod o, fel ei hen ewyrth (Edward VIII) a'i dad, wedi cael llond bol ar y sefydliad Seisnig ystrydebol ac yn falch o gael ysgwyd tipyn arno. Does wybod, wir ichi, beth a wnaiff o cyn y diwedd.

Am y tro, diolchodd i Dafydd Iwan am ei ddewrder:

Rydw i'n perthyn i'r to olaf o daeogion, ac er 'mod i'n fy ffieiddio fy hun am hynny alla i mo'r help. Rydw i wedi'i ymladd ar hyd fy oes ac wedi llwyddo i ysgwyd llawer ohono i ffwrdd, ond mae'r peth melltigedig *yna* o hyd: etifeddiaeth saith ganrif.

Aeth 'hunllef' yr Arwisgo heibio, chwedl Gwynfor mewn llythyr at Islwyn Ffowc Elis ar 5 Gorffennaf, heb i'r helyntion wneud cymaint o niwed i ddelwedd y Blaid ag yr ofnid. Pryderai llywydd y Blaid, er hynny, i'r nofel gael ei hesgeuluso: 'Gobeithio yn fawr iawn eich bod bellach wedi gallu ymaflyd o'r newydd yn y llyfr,' ysgrifennodd yn yr un llythyr. 'Mae hyn gymaint yn bwysicach na'r digwyddiadau dyddiol sy'n ein cynhyrfu.' Cynigiodd ei gartref yng nghysgod Cader Idris i Islwyn 'am wythnos neu ddwy' i ddwyn y maen i'r wal: '. . . caech dawelwch perffaith mewn amgylchedd sy'n ysbrydoli . . . Meddyliwch am hyn o ddifrif.'

Ni dderbyniodd Islwyn y cynnig, a dirwynodd cyfnod y cymhorthdal i ben. Dywedai Islwyn mewn llythyrau at gyfeillion a chydnabod erbyn diwedd y flwyddyn ei fod yn cael trafferth i ymgodymu eto â'r ugeinfed ganrif; ond y tebyg yw ei fod wedi gobeithio ymgolli i raddau llawer mwy nag a wnaethai. Lai na phythefnos ar ôl cefnu, dros dro, ar y nofel hanes roedd unwaith eto yng nghanol gwaith i'r Blaid, yn llunio taflenni polisi ar gyflogaeth ac addewidion y llywodraeth, ac yn sgriptio darllediad gwleidyddol cyntaf y Blaid, pedair munud a 40 eiliad, a deledwyd ar 5 Tachwedd. Agorodd y sgript gyda thân gwyllt, yn newid i arfau rhyfel ac yna i wynebau plant yn newynu ym Miaffra.

'I have no comment to make on my own book,' meddai mewn llythyr at Judith Maro yn ffeiliau'r Cyngor Llyfrau, ar 11 Medi 1970. 'The reviewers will probably have plenty – if it ever appears.' Mynnodd Islwyn Ffowc Elis ymgadw rhag sôn am y chwe mis hynny – a'r blas estynedig ar lenydda – hyd yn oed wrth y bobl y gallai ymddiried ynddynt, fel Tecwyn Lloyd. O ddarllen ei sylwadau ar bynciau cysylltiedig, er hynny, gellir olrhain effaith driphlyg. Yn gyntaf, fe'i gwnaeth yn effro i'w safle. Ailgydiodd yn *Llais Llyfrau* gyda rhifyn Gaeaf 1969, gyda neges ddigalon, ddadrithiedig. Mewn Cymru sy'n bodoli fel atodiad i 'wladwriaeth faterol, ffilistaidd' Prydain, 'spif ydi awdur: rhyw fath o hipi mwy parchus y mae'n rhaid ei oddef oherwydd fod angen am ffrwyth ei ddychymyg a'i chwys, ond na ddylid ar unrhyw gyfri ei gynnal ar bwrs y wlad':

Mewn geiriau eraill, mae cymdeithas yn dweud wrth yr awdur:
'Fe'ch cynhaliwn chi fel athro, fel darlithydd, fel trefnydd, fel
gweinyddwr, hyd yn oed fel gweinidog (ond ichi fod yn barod i
weld eich plant yn llwgu) ond nid, byth, fel awdur. Eich
dyletswydd chi yw sgrifennu'r math o lyfrau sy arnon ni'u
heisiau, wrth y dwsin – a'n braint ni yw dweud pa fath o lyfrau
– ond rhaid ichi wneud hynny yn eich oriau hamdden, pan yw'r
gweddill ohonon ni'n chware, neu ar wyliau, neu'n cysgu.
      Mae'r cyhoeddwyr yn gyhoeddwyr amser llawn, yr
argraffwyr yn argraffwyr amser llawn, y rhwymwyr yn
rhwymwyr amser llawn, y siopwyr llyfrau yn siopwyr llyfrau
amser llawn. Yr awdur yn unig, y creadur sy'n creu'r stwff, sy'n
gorfod byw ar wneud rhywbeth arall.[7]

      Effaith gysylltiedig oedd gwneud iddo ailystyried ei gyraeddiadau
ehangach fel awdur creadigol. Rhan o atyniad gwreiddiol swydd
cyfarwyddwr oedd cael gweithio'n broffesiynol ar gyhoeddusrwydd
yn sgil ei weithgarwch lled wirfoddol i'r Blaid. O brofi'r peth yn
uniongyrchol, collasai ei swyn. Ar 18 Rhagfyr 1969, ysgrifennodd at
Tedi Millward, darpar ymgeisydd y Blaid yng Ngheredigion, gan
awgrymu bod modd rhagori ar broffesiynoldeb:

      Mi fûm yn gadarn iawn dros gael cynllunio pethau'n
      broffesiynol, fel y gwyddoch. Ond mae fy mhrofiad gyda'r
      Cyngor Llyfrau – a rhai o'r pethau prin a gyhoeddwyd gan y
      Blaid tua 1967 a 1968 – yn fy ngwneud i'n fwy amheus o rai o'r
      gwŷr proffesiynol 'ma hefyd. Job yn unig ydy hi iddyn nhw, ac
      os yw'r *fee* yn fychan fe'i gwnâi hi mewn awr neu ddwy; job
      eitha proffesiynol – o fath ond heb ddim argyhoeddiad nac
      ymdeimlad â phwysigrwydd hyn ac arall; y llythrennu'n
      fychan, dim llun (am fod hwnnw'n cymryd gormod o amser), a
      dim impact.
      Amatur hollol ydw i, wrth gwrs, ond mae'r peth yn ddigon o
      hobi gen i ac rydw i wedi dal sylw digon hir bellach ar
      hysbysebion a thaflenni i wybod bod rhaid hitio'r werin (ei
      llygaid hi, o leia!) â neges fras, fwlgar fel paced *Weetabix* neu
      focs *Vim*.

Roedd Millward wedi ysgrifennu ato ar 12 Rhagfyr, yn gofyn iddo fwrw golwg dros daflenni a luniwyd ganddo a Dafydd Elis Thomas 'fel y gellwch roi tipyn o sbonc i'r arddull'. Ymateb Islwyn Ffowc Elis oedd bod hynny'n gofyn yr amhosibl. Ac wrth ddadlau, bron fel pe na allai ymatal, creodd dasg newydd iddo'i hun:

Fel y gwyddoch chi a Dafydd Elis – dau ŵr llên – yn well na neb, mae arddull yn hanfod, yn organig, yn holl fynegiant y peth, ac nid yw yn rhywbeth y gellir sionci tipyn arno drwy newid gair yma ac acw. Yn wir, mae'n dechrau gyda'r 'cyffro cychwynnol', chwedl T.H.P.-W. gynt; yn hyn o beth, o leia, does dim gwahaniaeth hanfodol rhwng taflen bropaganda a nofel . . .

Fe fyddwn i fy hun yn ei chael hi'n haws cael y deunydd crai: i rywun ddweud, 'Dyma'r ffeithiau; dyma'r ffigurau; dyma'r pwyntiau i'w pwysleisio; dyma'r fformat; sgrifennwch y peth.' Mae hyn yn swnio'n anghyson wedi imi sôn am brinder amser ac ati. Ond yn wir, ni chymerai fawr mwy o amser i lunio taflen nag i ddoctora gwaith rhywun arall a aeth i drafferth fawr i lunio'r peth ei hun. Y ddadl gryfaf yn erbyn hyn yw nid fy mhrinder amser fy hun ond mai peth drwg fyddai i'n llenyddiaeth ganfasio i gyd gael ei sgrifennu gan un dyn. Mae eisiau i *lot* o bobl ddysgu sgrifennu propaganda syml bachog . . .

Wn i ddim a fyddai dalen neu ddwy o awgrymiadau ar hyn o ryw werth? Pe byddai, fe fyddwn i'n barod i lunio rhywbeth dros y Nadolig yma. Y grefft o sgrifennu 'copi hysbysebu' ydy e, dyna i gyd; magu'r arfer a darllen hysbysebion a nithio'r effeithiol oddi wrth yr aneffeithiol a mabwysiadu rhai o'r gambits gorau at gyflwyno'r pwnc sy gerbron. Ynghyd â rhai fformiwlâu newyddiadurol.

Yr oedd y drydedd effaith yn anochel: deffrowyd ynddo'r hen ysbryd rhwyfus. Roedd Islwyn Ffowc Elis â'i fryd ar ddianc eto rhag rhywbeth mor gysurus o ryddieithol â'r swydd weinyddol a greasid iddo. Ar 31 Ionawr 1970, gydag olynydd mewn golwg, lluniodd femorandwm ar y gwaith a wnaethai i'r cynllun oddi ar ddechrau 1968. Cyhoeddwyd 11 o lyfrau, gan gynnwys *Y Blaned Dirion*; roedd 14 arall 'i law', neu dan ystyriaeth ac 20 'ar waith', sef yn nwylo cyfieithwyr. Roedd wedi golygu tri chopi o *Llais Llyfrau*. Y gamp fyddai cael rhywun arall i barhau â'r gwaith. Bedwar diwrnod yn ddiweddarach ysgrifennodd at Lenna Pritchard-Jones, yn gofyn tybed a wyddai hi 'am rywun ifanc, deinamig, dewinol a chwbl ddibynnol' a fyddai'n fodlon ymgymryd â'r swydd yn ei le.

Ni ddaeth neb cymwys i'r golwg. Bron iawn fel petai am herio ffawd, fel y gwnaethai yn ei ddyddiau olaf yn Llanfair Caereinion, rhoddodd ei dŷ ym Mhenymorfa ar werth a chyhoeddodd ei fwriad i symud – i Wrecsam y tro hwn. Er na olygai hyn ei fod yn rhoi'r gorau i'r swydd, roedd neges amlwg yn y penderfyniad na fynnai aros o fewn cyrraedd gweddol hwylus i bencadlys y Cyngor yn Aberystwyth, llai fyth ei bod yn fwriad ganddo symud yno.

Prin y gallasai fod wedi dewis adeg waeth o safbwynt y Blaid: Gwynfor yn sâl ac etholiad cyffredinol ar y gorwel. Er nad oes amau didwylledd llythyr Islwyn at Gwynfor ar 22 Ebrill, roedd apêl ymhlyg ynddo hefyd i lywydd y Blaid gydymdeimlo â chyfyng gyngor un a ddaethai i ben ei dennyn. Mae adeiladwaith y llythyr yn gelfydd. Ni ddylai Gwynfor boeni, meddai, am ymddangos yn wan: 'Y mae'r fath beth â chydymdeimlad a phleidlais gydymdeimlad . . . Yn wir, mae *diffyg* cydymdeimlad â gwleidydd tragwyddol iach.' Ni ddylai boeni chwaith am gyflwr y Blaid; yr oedd 'yn lleol yn wefreiddiol o gryf a threfnus' gydag aelodau newydd a digonedd o frwdfrydedd. Uwchlaw popeth, ni ddylai boeni am golli Islwyn o'r etholaeth:

> . . . fe ddaw un lles bychan o'm symud i'n gorfforol o Gaerfyrddin. Bydd eraill yn tynnu eu hewinedd o'r blew i wneud y gwaith y buwyd yn dibynnu arnaf fi i'w wneud. Gallaf innau barhau i baratoi llenyddiaeth i'r Blaid yn ganolog fel y bûm.

Roedd chwech o daflenni pwrpasol wedi'u paratoi a'u hargraffu. Gallai Gwynfor ddibynnu hefyd ar bedair pleidlais drwy'r post. Ni fyddai'n colli 'canfasiwr medrus' am fod Islwyn mor 'anghymdeithasol'. Mae Islwyn Ffowc Elis bron ag argyhoeddi'r darllenydd erbyn diwedd y llith mai mantais anhraethol i'r Blaid fuasai ei symud yn gynt: 'A gaf i ail adrodd hyn: na wnaiff fy mhresenoldeb i yn yr etholaeth neu f'absenoldeb ohoni nemor ddim gwahaniaeth yn etholiadol.'

Daeth ateb Gwynfor ar 30 Ebrill, o Ysbyty Middlesex, o fewn awr iddo gael triniaeth:

Edrychaf ymlaen yn eiddgar iawn at weld pa beth a gyhoeddwch (ymhen blwyddyn neu fwy?) yng nghyfnod nesaf eich bywyd rhyfeddol o ffrwythlon a dylanwadol – cyfnod Wrecsam. Hyn sy'n siŵr, o lenorion eich cenhedlaeth, chi a wnaeth eich ôl drymaf ar fywyd Cymru.

FFYNONELLAU

1 LlGC, papurau Plaid Cymru N206.
2 *Naddion*, t. 166.
3 Ibid, t. 171.
4 Ibid, t. 173.
5 Ibid, t. 174.
6 LlGC, papurau ymchwil Dylan Phillips S/14.
7 *Naddion*, t. 181.

10

'. . . yn gallach (gobeithio) ac yn aeddfetach'
1970-5

Symudodd Islwyn a'r teulu i 6 Acton Gate, Wrecsam, ddydd Llun 1 Mehefin 1970, yn fuan ar ôl mynychu cyfarfod mabwysiadu Gwynfor Evans yn ddarpar ymgeisydd yng Nghaerfyrddin. Gweithred olaf Islwyn Ffowc Elis ym Mhenymorfa ar y nos Sul oedd sgriptio ail ddarllediad teledu'r Blaid. Er gwaethaf y cynllunio manwl cyn mudo (argraffwyd 500 o gardiau pwrpasol i hysbysu cyfeillion a chydnabod yn dangos y cyfeiriad newydd) 'Wrecsam' yn unig oedd ar ben y llythyr blêr at Gwynfor ar 3 Mehefin. Roedd y cludwyr, esboniodd Islwyn Ffowc Elis, wedi pacio'r papur ysgrifennu ac nid oedd ffôn yn y tŷ. Yn y cyfamser, roedd llywodraeth Harold Wilson wedi cyhoeddi dyddiad yr etholiad cyffredinol – 18 Mehefin – a buasai wrthi'n 'lecsiyna' y diwrnod cynt gyda rhai o athrawon Ysgol Morgan Llwyd yn y dref. Byddai'r bleidlais yn annheg, cwynodd, am nad oedd y Blaid yn cael y cyhoeddusrwydd a haeddai yn y cyfryngau: 'A fyddai posteri "Wilson is Anti-Welsh" yn enllibus? Y ffordd orau i gael sylw, rwy'n siŵr, fyddai ymosodiad personol beiddgar fel yna.'

Roedd yr hwyliogrwydd yn gymysg ag ymdeimlad o golled. Roedd cyn-drefnydd y Blaid, J. E. Jones, wedi marw'n annisgwyl wrth ganfasio ar 30 Mai. Byddai'n flwyddyn o golledion. Enwodd Islwyn Ffowc Elis ddeunaw o Gymry amlwg a 'gwympodd', yng ngolygyddol *Llais Llyfrau* Haf y flwyddyn honno, ac yn eu plith D. J. Williams a'r Athro J. R. Jones. 'I'ch helpu i amgyffred maint y golled, meddyliwch am Loegr yn colli dros dri chant o'i henwogion mewn chwe mis. Dyna'r cyfartaledd.'[1] Ar drothwy ymgyrch etholiad, roedd teimladrwydd Islwyn Ffowc Elis yn ei lythyr at Gwynfor yn amlycach fyth:

Mae rhywun yn cael ei demtio i gamddyfynnu'r Ysgrythur a dweud. 'Os yw Duw i'n herbyn, pwy a all fod drosom? Beth a wnaethai Gruffydd ab yr Ynad Coch, eleni, ym mlwyddyn cwymp cynifer o dywysogion? . . . Ond nid dyma'r amser i wylo dagrau llenyddol. Rhaid brwydro 'mlaen, doed a ddelo.

Brwydr barhaus, yn sicr, oedd y pum mlynedd i ddod, ac nid annheg fyddai dweud i Islwyn Ffowc Elis fod yn rhannol gyfrifol o leiaf am greu'r amgylchiadau a wnâi flynyddoedd Wrecsam yn rhai mor anodd iddo. Bu'r mudo ei hun yn saga. Ysgrifennodd at Bruce Griffiths ar bapur y Cyngor Llyfrau dros fis ar ôl newid cyfeiriad, ar 3 Gorffennaf, i gyfaddef ei fod 'yn troi fel corcyn mewn dŵr yn ceisio ymgodymu â chyfreithwyr, cludwyr, benthycwyr arian, trydanwyr, seiri ac enghreifftiau eraill o'r ddynol ryw, gan gasglu digon o ddefnyddiau ar gyfer deg o nofelau na cha i byth amser i'w sgrifennu.' Nid oedd ganddo stydi, roedd ei lyfrau bron i gyd yn y garej, 'a'r car allan dan y sêr'. Nid oedd pethau fawr gwell erbyn y Nadolig: y cynllun i greu stydi drwy godi estyniad wedi mynd yn ysglyfaeth i fân reoliadau caniatâd cynllunio, defnyddiau anaddas a llawr concrit cyndyn i sychu.[2]

Rhaid gofyn pam y trafferthodd. Os oedd wedi gweithredu'n fyrbwyll wrth symud o Gaerfyrddin, nid oedd wedi gweithredu'n fympwyol. Roedd ganddo ei resymau penodol – er mor annelwig y gallent ymddangos i eraill. 'I'r cwestiwn anochel "Pam Wrecsam, o bobman?" a ofynnwyd imi gannoedd o weithiau erbyn hyn,' eglurodd wrth un gohebydd, 'does gen i ond ateb mai yn y dref hon y ganwyd fi (nid mewn ysbyty chwaith) a bod yma ysgol uwchradd ddwyieithog a llawer arwydd arall o ddwyieithrwydd annisgwyl.'[3] Mewn gohebiaeth arall, at Gwyn Jones, Caerdydd, ar 13 Mehefin, cynigiodd reswm gwahanol eto:

I have returned to within a stone's throw of the house where I was born. Much as I loved Carmarthen and its people, I felt unable to think creatively there for some unexplicable [*sic*] reason and I thought that if I returned to my native earth, with the gorse and broom and heather of the Berwyn mountains only a twenty minutes' drive away, I might begin to write properly and profusely again.[4]

Os credai erbyn 1970 fod cyswllt cyfrin rhwng cynefin a chreadigedd, âi hyn yn groes i'w symbyliad llenyddol gwaelodol cyn hynny fod gwreiddiau creugarwch yn yr anghyfarwydd, y diarth. Roedd cymhelliad cysylltiedig ac ymddangosiadol groes: dianc dan gochl dychwelyd. Roedd Wrecsam yn ddigon agos i'w henfro iddo allu cymryd arno ei fod yn dod adref, ond yn ddigon pell – a digon Seisnig – iddo fedru byw yng Nghymru i raddau fel alltud. I ddiwedd 1970 a hanner cyntaf 1971 y perthyn ysgrif hunangofiannol allweddol Islwyn Ffowc Elis, lle'r ysgrifennodd:

> In a way, being on speaking terms with so many of one's readers is deeply satisfying. But in another, it can be severely limiting. Knowing so many of one's public personally and having to face them – perhaps by the hundred on the National Eisteddfod field in August – one becomes acutely aware of their likes and dislikes, their tastes and prejudices. And if one wants to be widely read – as I'm afraid I do – one will tend more and more to write what is sure to entertain, provoke, shock or edify them. This need not be a bad thing, and, on the whole, is not. But sometimes one longs to be independent, to spend a blissful year of exile in Stow-on-the-Wold or Grindewald or Tierra del Fuego – or an Oxbridge literary don's rooms.[5]

Diau iddo ddewis Wrecsam am yr addysg Gymraeg a gynigiai i Siân ac er mwyn bod o fewn cyrraedd hwylus i Ddyffryn Ceiriog; ond fe'i dewisodd hefyd i ddiwallu angen a eilw yn yr un ysgrif 'this yearning for exile'. Ei ysgogiad – yn ddiarwybod i raddau helaeth – oedd yr hiraeth deublyg hwn: awydd i ddod yn ôl ac i ddiflannu o'r golwg. Ar 26 Mawrth 1971, ysgrifennodd at Tecwyn Lloyd am y gynneddf enciliol, anghymdeithasol hon yn ei natur, ei ddiffyg amynedd â 'bod mewn hwrê flinderus am ddyddiau ar gae Steddfod neu "Ŵyl" neu "Ffair". 'Rwy'n colli llawer ac yn sylweddoli hynny, ac yn wir yn fradwr i'r "Pethe" yn fy ffordd fy hun, ond daeth yr oedran bellach imi fy nerbyn fy hun fel yr wyf a cheisio dygymod â'r "myfi" hwn.'[6] Gwedd arall ar y diflannu hwn, gellir tybio, oedd awydd i fyw bywyd symlach. 'I think long and often of my paternal grandparents,' addefodd wrth Gwyn Jones ar 18 Medi 1970, 'who both lived to ninety and had slaved for long hours for very little money for most of their lives . . . no motor car, no telephone, not even a bank account. But an inner peace which I have never had; and they seemed to dictate the tempo of their lives . . . Today we would call them serfs, but in the deepest sense they were more free than their grandchildren will ever be.'[7]

Erys y cwestiwn, felly, pam yr arhosodd hyd ganol 1970 i gymryd y cam hwn. Yn ddamcaniaethol, gallai fod wedi gwneud yn 1968, wrth roi'r gorau i'w swydd yn y Drindod. Gellir priodoli'r oedi i dri pheth. Yn gyntaf, fel y nodwyd, dihangfa anuniongyrchol oedd mudo rhag galwadau swydd y Cyngor Llyfrau. Yn ail, fe'i gyrrwyd gan ymdeimlad o euogrwydd nad oedd wedi cwblhau'r nofel hanes; gwrthododd dâl am yr ysgrif hunangofiannol i *Artists in Wales* 'am fod Cyngor y Celfyddydau wedi rhoi ysgoloriaeth hael i mi o'r blaen.'[8] Y trydydd rheswm, rhaid casglu, oedd adwaith gohiriedig i Gaerfyrddin ei hun. Roedd rhyw falltod ar y lle ei hun, bron.

Wedi iddo symud i Wrecsam, gweithiai Islwyn Ffowc Elis i'r Cyngor Llyfrau gyda llawer mwy o gydwybod nag o arddeliad. Erbyn diwedd Gorffennaf roedd ganddo ugain o deipysgrifau a phroflenni yn gofyn am sylw. Treuliodd bythefnos gyntaf Awst yn ei wely gyda'r gowt, yn gohebu ar ei orwedd. Collodd yr Eisteddfod Genedlaethol ac Ysgol Haf y Blaid, gan ysgrifennu at Alun Creunant ar 22 Awst nad oedd yn edifar ganddo am fod 'mis Awst yn fis *mor* dda i fynd drwy waith – pawb bron ar ei wyliau, fawr ddim llythyrau'n dod o unman – fe fyddai'n drueni colli'r cyfle i fwrw 'mlaen'. Erbyn diwedd y flwyddyn roedd y gwaith yn dechrau dweud arno; dioddefodd ddolur ar y galon ac enyniad ar y glun. 'Mae'n ymddangos nad oes dim niwed hyd yma,' hysbysodd Elwyn Roberts yn dilyn ymweliad gan ei feddyg, ar 29 Rhagfyr, 'ond rhaid torri i lawr ar waith a phopeth – heblaw ysgrifennu creadigol, mae'n dda gen i ddweud. Gorau po fwyaf o hwnnw, meddai Emyr Wyn, pan ddaw digon o awen.'[9]

Ddeuddydd yn ddiweddarach, ar ddiwrnod olaf y flwyddyn, gyrrodd 'air cyfrinachol a braidd yn ffurfiol' at Alun Creunant, yn gofyn am gael ei ryddhau o'i swydd ar ddiwedd Mawrth. Gyda'r un post, anfonodd air hefyd at Alun Edwards. Bu'r ddau'n trafod swydd barhaol i Islwyn Ffowc Elis fel prif olygydd, ond golygai hynny fyw yn nes i'r swyddfa. Gwrthododd Islwyn Ffowc Elis y cynnig, ac ymhelaethodd ar y rhesymau:

> Nid wyf yn fy ngweld fy hun yn byw yn Aberystwyth rywfodd. Fel Cardi da, fe wyddoch werth cynefin a gwreiddiau, ac rwy'n sicr imi wneud y peth iawn er fy lles ysbrydol wrth ddychwelyd i'm cynefin innau. Yr wyf debycaf o ail gydio o ddifri mewn ysgrifennu creadigol . . .
>
> At hynny, rwy'n sicr mai i ysgrifennu y ganwyd fi. Roedd gan Thomas Parry frawddeg am D[aniel] O[wen] a fu'n goglais llawer arnaf heb olygu rhyw lawer imi am flynyddoedd. 'Yr oedd ysgrifennu'n un o amodau ei fywyd, fel bwyta a chysgu'. Bellach, heb ryfygu fy nghymharu fy hun â Daniel mewn unrhyw ffordd, rwy'n *deall* y frawddeg . . . Y gwir yw fod dyn sy'n mygu'i 'elfen' yn siŵr o ddiodde mewn rhyw ffordd . . .
>
> Ni sylweddolais fy mod innau, drwy wleidydda, addysgu a gweinyddu wedi esgeuluso ers deng mlynedd yr hunan-fynegiant naturiol sy'n anghenraid i mi . . .
>
> Doeddwn i ddim yn sicr o'm ffordd yn 1968 nac yn barod i fentro nôl i faes llenydda creadigol, a bu'r cyfle i weithio gyda'r Cyngor yn addysg i mi ac yn help imi f'adnabod fy hun. Rwy'n sicrach o'm pwrpas heddiw, ac yn gallach (gobeithio) ac yn aeddfetach.

Atebwyd Islwyn yn raslon gan Alun Creunant ar 4 Ionawr. Bu'n ymwybodol ers peth amser, meddai, fod 'yr ysfa sgrifennu yn gafael o'r newydd'; am hynny cydsyniai i ollwng y golygydd o'i swydd fymryn yn gynt na'r trefniant, yng nghanol Mawrth, fel y câi bythefnos o wyliau ar gyflog llawn, i 'hamddena ychydig o hynny tan ddiwedd y mis' cyn ailgychwyn ar fod yn llenor hunangyflogedig newydd:

> Gwnaethoch waith arbennig fel golygydd *Llais Llyfrau*, drwy ddatblygu'r cynllun llyfrgelloedd a thrwy osod seiliau digonol

ar gyfer y cynllun golygu newydd. Daw cyfle eto i roi hyn i gyd
ar record; bodlonwch yn awr ar wybod na allwn fesur gwerth
eich cyfraniad yn y cyfnod arbennig yma yn hanes y Cyngor
Llyfrau . . .

Dymunaf yn dda i chi fel teulu ar hyd 1971, ac yn arbennig
wrth i chi dorri cwys newydd – gwn y bydd llenyddiaeth
Cymru ar ei mantais.

Roedd gan Alun Creunant bob lle i fod yn ffyddiog. Buasai 1970 yn
flwyddyn bur gynhyrchiol. Gwelwyd cyhoeddi'r nofel ysgafn, *Y
Gromlech yn yr Haidd* yn seiliedig ar ddrama radio o'r un enw, yr
ysgrif hunangofiannol Saesneg i Meic Stephens ac ailddarlledu *Lleifior*
ar y BBC gydag is-deitlau Saesneg. Roedd y BBC wedi talu £3,000 i
gomisiynu cyfres opera sebon mewn pum rhan ar hugain – *Tre-sarn*
(arbrawf beilot ar gyfer *Pobol y Cwm*) – ganddo ef, Gwenlyn Parry a
Huw Lloyd Edwards, ac roedd sôn am ragor i ddod.

Coron 1970 yng ngolwg Islwyn Ffowc Elis, gellir tybio, oedd ei
berthynas annisgwyl â'r Athro Gwyn Jones, Pennaeth Adran Saesneg
Coleg Caerdydd. Cofir am Gwyn Jones yn bennaf heddiw, mae'n
debyg, am ei gyfieithiad o *The Mabinogion* (1948) gyda Thomas Jones,
ac mae hanes ymwneud Islwyn Ffowc Elis â'r cydweithiwr
annhebygol hwn – yn yr ohebiaeth rhwng y ddeuddyn yng
nghasgliad Jones yn y Llyfrgell Genedlaethol – yn datgelu *in parvo*
ddawn Islwyn i'w wneud ei hun yn anhepgor, y wedd ymwadol y
sylwyd arni'n barod, a'r duedd yn y llenor o Gymro – gyda
dieithriaid ac wrth ysgrifennu yn Saesneg, yn enwedig – i agor
agweddau ar ei bersonoliaeth a gadwai ynghudd rhag hyd yn oed ei
gyfeillion pennaf o Gymry Cymraeg.

Cysylltodd Jones ag Islwyn yn gyntaf ar 7 Ionawr 1970, gan egluro
fod Gwasg Prifysgol Rhydychen am gyhoeddi diweddariad o'i *Welsh
Short Stories* (1956), yn gofyn am 'the benefit of your advice in the
matter of Welsh short stories' ac am ganiatâd i ailgyhoeddi 'The Girl
in the Heather', sef cyfieithiad Islwyn o'i stori ei hun, 'Y Tyddyn', a
gyhoeddwyd yn wreiddiol yn *Lleufer* yn 1956 ac a oedd wedi
ymddangos yn *Welsh Short Stories* Faber dan olygyddiaeth G. Ewart
Evans yn 1959. Gofynnodd hefyd am awgrymiadau ynglŷn â storïau

a storïwyr eraill, ac a oedd gan Islwyn Ffowc Elis ddiddordeb mewn cyfieithu:

> Kate Roberts, yes; D. J. Williams (oh dear, the sad news about him!) [buasai D. J. farw dridiau cyn ysgrifennu'r llythyr] yes; and I have a story of Tegla's I like very much. I shall use a story by Islwyn Williams, a self-translator; and if I may one of yours. I need a further three.[10]

Atebodd Islwyn ar yr unfed ar bymtheg. Mater anodd fyddai dewis tair stori fer yn unig, ysgrifennodd, gan fod y fath gyfoeth yn bod:

> It would be fairly easy to choose, say, ten novels in the language for translation; that would be about the maximum number which, properly translated and, in a few cases, edited a little, would add something to European literature.[11]

Neges ymhlyg y llythyr oedd bod dewis Gwyn Jones braidd yn ddiogel. Awgrymodd Islwyn Bobi Jones, R. Gerallt Jones, Eigra Lewis Roberts, Harri Pritchard Jones, 'younger writers with their really phenomenal output' fel posibiliadau. Roedd 'Y Briodas' o waith John Gwilym Jones 'a must', a dadleuodd dros gynnwys dwy bob un gan D. J. a Kate Roberts. Ymgadwodd rhag gwneud dewis mwy penodol, 'as I find myself rather prejudiced against certain subjects':

> For example, there are in Welsh many stories about old women polishing oak furniture or just rotting away in the dust of their own parlours (I read yet another just only [sic] last night). Unhappily, some of them are very well-written [sic]. Three stories about old women dusting oak dressers might well be representative of the Welsh short story but might put many readers of Welsh literature for evermore.

Ysgrifennodd Islwyn eto ar 28 Ionawr, yn cynnwys cyfieithiad o 'Y Trên Olaf' o'i waith ei hun, ac yn hysbysu Gwyn Jones ei fod ar ganol cyfieithu 'Y Briodas': 'It is longer than I thought, and it is tough work. But I am determined to do it.' Cynhwysodd gyda'r llythyr, 'after discussions with friends and eliminations' ail restr o storïwyr

anhepgor: Pennar Davies, Bobi Jones, Rhiannon Davies-Jones, Eigra
Lewis Roberts a Harri Pritchard Jones.[12]

Ymatebodd Gwyn Jones yn ddiolchgar i'r haelioni digymell hwn
ar 8 Chwefror: '. . . as a result of your two letters I feel I am taking a
Pisgah sight of the Promised Land.'[13] Ar 1 Mawrth, ysgrifennodd at
Islwyn eto 'with a piece of news which I am sure you will welcome
and a proposal which I earnestly hope you will agree to.'[14] Yn lle'r
cynllun gwreiddiol, a welai wyth o storïau Cymraeg a 16 o rai
Saesneg yn y casgliad, yr awgrym oedd rhannu'r gyfrol yn gyfartal
gyda dwsin o storïau yn y ddwy iaith:

> The proposal is that nothing would give me greater pleasure
> than that you will agree to take over the Welsh-language side
> and become my co-editor, and share not only the toils but the
> title page.

Telid 50 gini a £6 o dreuliau. Yng nghyd-destun casgliadau
blaenorol, roedd y cynnig yn un chwyldroadol. Caed pedwar
cyfieithiad o blith 26 o storïau yn *Welsh Short Stories* Faber yn 1937;
pedair eto o un ar bymtheg yn *Welsh Short Stories* Penguin (1940);
pedair yn y 26 dan yr un teitl eto a gyhoeddwyd gan Wasg Prifysgol
Rhydychen yn y gyfres World's Classics yn 1956 – y cyfan dan
olygyddiaeth Gwyn Jones, a thair o blith 25 yn ail gasgliad Faber dan
olygyddiaeth George Ewart Evans. Roedd Gwyn Jones am fentro
ymhellach na hynny, hyd yn oed:

> Indeed, we can no doubt manage 25 stories and either we toss a
> coin for the odd one, or we shall both stand convinced of the
> justice of a case for the last author, whichever language he wrote
> in . . . That, my dear Islwyn, is it.[15]

Y dyddiad ar ateb Islwyn yw 3 Mawrth. Mae'n rhaid ei fod wedi
ateb bron gyda'r troad. Addefodd ei fod 'frankly overwhelmed' gan y
cynnig:

> The honour which you want to bestow on me is delectable, the
> responsibility frightening. I want to avoid making a neurotic

fuss about it; you would hate that kind of thing as much as I do. There is, however, a difference between helping you, as I was proud to do, with a little translating and a few suggestions and all that you are now so gratefully offering.[16]

Cadwodd ei benderfyniad hyd ddiwedd y llythyr. Soniodd am y cynllun fel 'a great leap forward' ac am fod yn 'overjoyed' ac yn ofnus yr un pryd gan gyfeirio at y gwaith arfaethedig fel 'the first big display in English of modern prose translated from Welsh and it had better be good'. Gwyddai na allai oedi ymhellach:

> And now, I cannot postpone my reply to your proposal any longer, can I? No. It is very difficult. I must decide now. I do not like saying No and then being talked into saying Yes. It would be even worse to say Yes and then talk myself into saying No.[17]

Daeth i gyfaddawd nodweddiadol Islwynaidd:

> The reply then is Yes, and a very grateful one. But on conditions. The first is that I will be your *assistant* editor, not a co-editor. If my name *has* to appear with yours on the title-page, it will appear under yours, with no nonsense about alphabetical order and the like . . . Your name is known in the English-speaking world; mine is not. I need say no more.

Ynfydrwydd fyddai iddo dderbyn atebolrwydd golygyddol cyfartal, meddai, gan gyfeirio Gwyn Jones yn ôl at lythyr gwreiddiol hwnnw ym mis Ionawr: 'I accept and support your choice of stories by Kate Roberts, D. J. Williams, Islwyn Williams and Tegla. So you see, my work is nearly half done.' Am y rheswm hwnnw, yr ail amod oedd na fyddai ond yn derbyn 20% o'r ffi:

> This is not because I am rich or proud; but because I am satisfied that this is about right in relation to the work done by each of us and the share of editorial responsibility borne by each. And I prefer being satisfied to being anything else.

Cydsyniodd Gwyn Jones: 'I am writing to OUP to tell them that you are my butty in this,' ysgrifennodd at Islwyn ar 7 Mawrth. Ddau ddiwrnod yn ddiweddarach, roedd Islwyn wrthi'n ddiwyd yn cyfieithu, yn cysylltu â theuluoedd awduron marw, yn cynnig cyfieithiad o 'Y Polyn' i'w ystyried ac yn ei ddisgrifio'i hun fel 'your excited assistant editor' ar waelod ei lythyr.

Pan gyhoeddwyd *Twenty-Five Welsh Short Stories* yn 1971, cafwyd deg stori Gymraeg, ac yn eu plith 'Song of a Pole', sef cyfieithiad Islwyn ei hun o 'Y Polyn' a 'The Wedding', ei gyfieithiad meistraidd o 'Y Briodas' John Gwilym Jones.

Yn ddamcaniaethol, daliai swydd Islwyn yn agored iddo wedi iddo adael Caerfyrddin. Y gair cyhoeddus oedd ei fod wedi cael ei ryddhau 'am gyfnod amhenodol' i lenydda. Er hynny, roedd y pryder yn amlwg yn llythyr Islwyn Ffowc Elis at Gwynfor ar 15 Mawrth. Dewisodd anwybyddu cynnig Alun Creunant i orffen ar ganol y mis, am fod cymaint o waith eto i'w wneud: pythefnos i 'glirio' pymtheg o lawysgrifau ac i lunio adroddiad ar 30 o rai eraill. Ysgrifennodd at un y teimlai ei fod, fel yntau, heb y ddawn i orffwys: 'Yr ydym wedi ymglymu ac wedi ymrwymo gymaint yn y peth hwn a'r peth arall fel nad oes dianc na bwrw arfau.' Rhagwelai ddyddiau 'caled' i ddod, ac am y tro cyntaf, mewn gohebiaeth â Gwynfor, o leiaf, lleisiodd siom ariannol am ei ymwneud â gwleidyddiaeth:

> Rwy'n ystyried, pe bawn i wedi rhoi'r amser a roddais i waith y Blaid ers 15 mlynedd i sgrifennu nofelau a dramâu radio a theledu, y byddwn ar fy ennill heddiw dair neu bedair mil o bunnoedd.

Atgoffir rhywun fel y byddai cydanturwyr Scott ar eu ffordd o Begwn y De, yn edifarhau am bob pryd o fwyd a wrthodwyd ganddynt gydol eu bywyd.

Ni allai dim ei amherswadio, er hynny, rhag ymaelodi â Phwyllgor Rhanbarth y Blaid yn Wrecsam yn haf 1971, na chwaith rhag 'priseidio fel bwda pres' yn llywydd ar Gymdeithas Owain Cyfeiliog a'r Cymmrodorion lleol, chwedl llythyr at Tecwyn Lloyd ar 26 Mawrth. Fe'i synnwyd, yn wir, gan fywyd Cymreig y dref a'r mudiadau llenyddol a diwylliannol niferus: 'oddeutu dau ddwsin' ohonynt, amcangyfrifodd mewn llythyr arall at Tecwyn Lloyd ar 7

Hydref, 'ac ni ellir trefnu noson i ddim heb wrthdaro yn erbyn noson
a drefnwyd gan un neu ddwy arall o'r cymdeithasau.'[18] Roedd gan
Wrecsam atyniadau eraill iddo hefyd: Ysgol Morgan Llwyd yn un, lle
rhyfeddai mewn llythyr at Gwynfor ar 30 Medi fod y fath
ddarpariaeth ar gael i Siân yn ei blwyddyn gyntaf:

> Mathemateg, ffiseg, cemeg, bywydeg, yn Gymraeg i gyd . . .
> Efallai y maddeuir imi fel iâr un cyw am deimlo mor falch wrth
> weld y ferch wedi datblygu cymaint yn ei dysgu a'i hagwedd at
> ddysgu wedi dod i Wrecsam (o bobman) a gwyn fyd na châi
> plant Cymru yr un cyfle.

Parhaodd â'i ymlyniad wrth Gymdeithas yr Iaith hefyd, gan
ysgrifennu at Gwynfor yn yr un llythyr ei fod wedi gorymdeithio
drwy'r Wyddgrug ar y 25ain ac annerch ar wasanaeth teledu a radio
annibynnol: 'Roedd yr orymdaith faith a threfnus drwy'r dre yn fy
atgoffa'n fyw iawn am orymdeithiau'r Blaid gynt.'

Cyhoeddwyd ei ail nofel ysgafn, *Eira Mawr*, hithau'n seileidig ar
ddrama radio *Yr Heth* yng nghanol 1971. Ei brif weithgarwch yr hydref
hwnnw, fodd bynnag, oedd cychwyn Crefftau Ceiriog 'i "wneud"
rhywbeth yn Nyffryn Ceiriog,' chwedl llythyr at Gwynfor ar 17 Medi: '.
. . yr amcan yw ceisio cadw cymaint ag a ellir o'r boblogaeth Gymraeg
leol yn yr ardal.' Menter gydweithredol oedd hon a gychwynnwyd
gyda thri chyfaill: Theo Davies, saer coed; ei gefnder, Idris Davies, yn
brif werthwr; gydag Oliver Evans, o gwmni John Davies, Wrecsam, yn
gyfrifydd. Ar Islwyn y disgynnodd y gwaith dylunio: lampau a
chanwyllbrennau a dodrefn i'r ardd. Pan ddirwynwyd y bartneriaeth i
ben yn 1975, rhannwyd yr elw – ychydig dros £400 y pen – rhwng y
pedwar. 'Doedd hynny ddim yn ddrwg o gwbl,' barnodd Islwyn Ffowc
Elis dros chwarter canrif yn ddiweddarach, 'am gyn lleied o waith!'[19]

Edrychai Islwyn yn ôl ar 1971 ymhen dwy flynedd fel '[y]
flwyddyn ddiwethaf imi ennill tipyn o arian drwy chwys fy wyneb.'[20]
Bu ei flwyddyn gyntaf yn byw ar ei fenter ei hun 'yn weddol fras',
adroddodd wrth Tecwyn Lloyd ar 11 Tachwedd 1972, diolch yn
bennaf i arian y BBC. Roedd 1972 ychydig yn arafach. Gweithiodd ar
ddiweddariad o stori Branwen i'r Cyngor Ysgolion, er mai '[p]eth

gwirion, wrth gwrs, oedd *meddwl* am aralleirio darn o gyfarwyddyd athrylithgar y *Pedair Cainc*, ymyrryd â'r hudoliaeth, ceisio llacio'r cynildeb meistraidd ac ati.' Roedd hefyd wedi ysgrifennu 'tipyn o recsyn o stori, a dweud y gwir' ar gyfer *Storïau '72*, ar gais Islwyn Jones a Gwilym Rees Hughes – sef 'Jones Swbwrbia' – 'ond o leia mae'n "sleisen o fywyd", ys dywed y pwnditiaid.' Gan y BBC y daeth yr arian hefyd am y bennod gyntaf i 'nofel' gadwyn ar y radio o'r enw 'Y Llythyr'.

A rhwng y cyfan, gwnâi hynny a allai i wireddu breuddwyd y nofel hanes. Aethai'r nofel hithau'n ysglyfaeth i hanes: ofnai fod cyhoeddi *Gwres o'r Gorllewin* Ifor Wyn Williams, *Y Stafell Ddirgel* a *Y Rhandir Mwyn* Marian Eames wedi pylu newydd-deb y fenter: 'Yn sicr, rydw i'n ymwybodol iawn wrth sgrifennu hon fod gennon ni amryw, a'r goreuon yn rhai da. Tipyn o niwsans yw hyn ar un ystyr gan fod y sialens i fod yn wahanol, heb sôn am geisio bod yn well, yn un fygythiol.' Yn y bôn, er hynny, yr un oedd y problemau gwaelodol â'r rhai a godwyd gan Tecwyn Lloyd ei hun yn niwedd y 1950au. Roedd yn amhosibl disgrifio byd, gan ddefnyddio'r enwau penodol am 'arfau, offer, llestri etc . . . heb sôn am yr hen dermau cyfraith a ddiflannodd gyda'r cyfreithiau eu hunain', heb aralleirio ac esbonio a gwneud y gwaith 'yn feichus o gwmpasol'. Ar ben hynny, roedd y rheidrwydd arno i ddyfeisio'n bla ar ei gydwybod fel llenor yn rhoi cynnig ar 'nofel faith a phanoramig' a'i câi ei hun yn 'hanesydd amatur ar ei waethaf' :

> Y cwbwl y mae'n rhaid i hanesydd ei ddweud, gan ddilyn Brut y Tywysogion: 'Fe laddwyd tua 100 o deulu Gruffudd (h.y. ei warchodlu personol) gan uchelwyr Ystrad Tywi.' Ffwl stop. Ond rhaid i nofelydd wynebu cwestiynau fel 'Sut y byddai'r Brenin yn dewis ei deulu yn y lle cynta?' 'Pwy oedden nhw ac o ble daethon nhw?' . . .
>
> Eisoes mae'r llyfr yn ymlusgo o drobwll i drobwll ac fe all fynd mor faith, cyn y diwedd, â *Rhyfel a Heddwch*! A digon tebyg, wedi'r cyfan, y bydd rhyw feirniad doeth yn dyfarnu bod y llyfr yn rhy debyg i ramant Cowbois ac Indians.

Roedd y nofel – a'r nofelydd gyda hi – wedi cyrraedd *impasse*. Prin y gallai'r un gwaith llenyddol lwyddo dan ddwylo awdur a ofnai'r croeso a'i disgwyliai, a nogiai gerbron y rhwystrau dychmygol ar ei ysgrifennu, ac a ddechreuai amau a oedd gofyn amdano hyd yn oed.

Eironi pethau, yn wyneb y mudandod hwn, yw na theimlai Islwyn Ffowc Elis erioed yn sicrach o'i alwedigaeth fel llenor nag ar drothwy blynyddoedd anodd canol y saithdegau, pan ofnai fod ei allu i lenydda wedi pallu. Ar 20 Mehefin 1972, mynnodd mewn llythyr at Gwynfor ei fod yn gwneud ei 'resymol ddyletswydd' i'r Blaid yn Wrecsam, gan fynychu boreau coffi a'r Pwyllgor Rhanbarth, yn llunio taflenni darluniadol at etholiadau'r Cyngor, ac yn eu dosbarthu hefyd. Rhaid, er hynny, oedd llenydda – i ennill bywoliaeth, yn un peth, ond hefyd:

> Mae un rheswm arall pam y mae sgrifennu'n ymddangos yn bwysicach fel peth y mae'n rhaid i *mi* ei wneud na dim arall. Rwy'n poeni lawn cymaint am gyflwr y Gymraeg ag am ei statws . . . Mae Cymraeg rhai o'm cyd-Gymry (wel llawer, yn wir) yng Nghymdeithas yr Iaith yn echrydus, er nad ydyn nhw'n sylweddoli hynny, heb sôn am iaith y plant yn yr ysgolion Cymraeg cynradd ac uwchradd, y rhai 'naturiol' a'r rhai yn y trefi. Rwy'n sicr mai'r hyn a gadwodd y Gymraeg mor gryf hyd heddiw (ar wahân i'r Ysgol Sul, cystadlu eisteddfodol etc) yw ein traddodiad llenyddol cyfoethog a di-dor . . . Os ceir nifer go helaeth o'r bobl fwyaf deallus i *ddarllen* iaith raenus yn gyson, mae hynny'n rhoi asgwrn cefn iddi.

Ysgrifenasai mewn cywair tebyg i'r *Ddraig Goch* ddegawd cyn hynny, wrth gwrs, ar drothwy isetholiad Maldwyn 1962. Ei amddiffyniad y pryd hwnnw rhag gwneud mwy i'r Blaid, fe gofir, oedd fod ei 'lwfrdra' yn gwneud iddo ddewis ysgrifennu yn hytrach na gwleidydda. Erbyn 1972, credai fod modd cyfiawnhau ysgrifennu, yntau, fel gweithred wleidyddol ddilys. Roedd cenhedlaeth o genedlaetholwyr llengar – rhestrodd D.J., Waldo a Gwenallt – wedi marw: 'Kate Roberts yn hen, Saunders yn ysbeidiol *iawn* ei gynnyrch, Parry-Williams wedi tewi oherwydd ei oedran'. Ei 'resymol ddyletswydd' oedd mynychu boreau coffi, efallai, ond ei alwad oedd creu:

Mae'n ddigon posib fod gan Ragluniaeth ddwy neu dair athrylith ar ein cyfer eto yn y blynyddoedd nesaf hyn. Os felly, yn y cyfwng difrifol hwn, fe fydd *rhaid* dweud wrthyn nhw am ymroi yn gyfan gwbl i'w cyfwng, a dweud wrth bawb a phopeth arall am roi llonydd iddyn nhw wneud hynny.

Wrth gwrs, mae'n ffasiwn i feirniaid ddweud 'nawr 'mod i 'dan gwmwl', 'wedi chwythu 'mhlwc', etc. Ac fe all hynny fod yn wir, oherwydd imi roi'r flaenoriaeth i frwydrau eraill ers 15 mlynedd, ac mae arfau llenor, fel pob arfau eraill, yn rhydu o beidio â'u harfer yn gyson. Ond mae'r dwthwn hwn yn llenyddol yn fy mhoeni'n ddifrifol iawn ac rwy'n teimlo 'mod i ar groesffordd. Pwy sy'n mynd i gynnal y gaer nes daw rhai gwell?

Diau fod gwahaniaethau o ran cymhellion ac amgylchiadau, ond ni ddylid bod yn or-barod i anwybyddu'r tebygrwydd trawiadol rhwng datganiad 1962 a'r gyffes hon ddegawd yn ddiweddarach. Daliai Islwyn i bendilio rhwng dwy ddyletswydd, rhwng dau ddehongliad ar ufuddhau.

Amrywiad ar yr un ufudd-dod a'r un ymglywed ag ef ei hun fel llenor a'i gyrrodd yn nechrau 1972 i wrthod prynu trwydded deledu. Hysbysodd y postfeistr o'i fwriad ar 21 Mawrth ac erbyn 3 Gorffennaf roedd yn un o dri gweinidog lleol o flaen llys ynadon Wrecsam. Yn ei anerchiad, tynnodd sylw at y gwasanaeth anwastad: saith awr o Gymraeg yr wythnos o gymharu â 200 awr yn Saesneg, gan alw'r cyfrwng 'yr ymosodiad terfynol ar yr iaith Gymraeg'.[21] Roedd yn safiad hunanaberthol o gostus:

> Awdur Cymraeg ydw i, yn ceisio gwneud bywoliaeth drwy sgrifennu yn fy iaith fy hun. Mae awdur Cymraeg yn gorfod dibynnu'n drwm ar waith radio a theledu . . . Ond rydw i wedi gosod egwyddor o flaen hunan-les yn yr achos yma, ac eleni fe golla' i rai cannoedd o bunnau a chyda theulu i'w gadw, mae'r rhagolygon yn dywyll. Felly, os byddwch chi'n fy nirwyo i heddiw, ychwanegu y byddwch at ddirwy o rai cannoedd o bunnau yr ydw i eisoes wedi'i thynnu arnaf fy hun.

Y gaeaf hwnnw, ysgrifennodd druth yn erbyn yr arfer o fenthyca llyfrau o lyfrgelloedd, gan amddifadu awduron o'u comisiwn: 'Dydw i ddim yn benthyca bwyd, papur, sebon a dillad. Wele, nwydd yw llyfr hefyd . . . '[22] Yr ysgogiad, wrth gwrs, oedd ofn gwirioneddol tlodi. Gwaith di-fudd – amhosibl, mae'n debyg – yw ceisio datod y cwlwm erbyn hyn; ond roedd wal wedi codi rhwng Islwyn Ffowc Elis a'r BBC erbyn ail hanner 1972 a dechrau 1973.[23] Yr arwydd cyntaf, ysgrifennodd at Merêd ar 16 Gorffennaf 1973, oedd 'distawrwydd sinistr' o du'r Gorfforaeth ar bwnc sgriptiau *Tre-sarn*. Yn Ionawr 1973, daeth gair i ddweud nad oeddynt yn ddigon da. Amheuai Islwyn gynllwyn: 'Roedd y Corp wedi darlledu a theledu digonedd o bethau salach gen i dros chwarter canrif a dyma'r peth cynta iddyn nhw'i wrthod,' hysbysodd Merêd. I lenor a gredai ei fod wedi colli'r ddawn o rwyddineb, bu penderfyniad y BBC yn 'sgegfa' ymhlyg i'w hunanhyder hefyd. Torrodd swigen yn y bustl ganddo yn Ebrill, a bu'n rhaid wrth lawdriniaeth. Cyfrifai fod ei enillion o waith teledu yn ystod y pedwar mis hynny yn £77. Y canlyniad oedd ildio ar bwnc y drwydded fel 'yr unig ffordd allan o'r twll':

> . . . rho dy hun yn fy lle i am funud. 'Free-lance' gwirion, wedi arfer derbyn rhyw £400-£800 y flwyddyn oddi wrth y Bi-bi a Harlech, ac yn disgwyl i fywyd ddal i fynd ymlaen rywbeth yn debyg. Yn gwneud datganiad gwirion o flaen llys, reit siŵr, ac wedyn yn mynd yn sâl, ond yn derbyn y canlyniadau . . . yn clywed distawrwydd byddarol am flwyddyn a hanner o'r BBC a HTV . . . Newid llwyr ar ôl chwarter canrif – a brawychus. Sut y bydda [*sic*] unrhyw un yn teimlo?

Yr oedd bron fel petai cyfaddef ei wendid tybiedig wedi ei wella'n wyrthiol o'i effeithiau. Chwe diwrnod yn ddiweddarach, ar 23 Gorffennaf, gyrrodd lythyr heulog at Merêd fel pe na bai dim yn bod. Roedd yn gweithio nerth deng ewin ar ddrama, *Harris*, i Gwmni Theatr Cymru, yn adrodd hanes 'athrylith gymhleth a stormus'[24] Howel Harris. Arwydd digamsyniol o'i flas ar fyw oedd ei fod bellach yn barod 'i daclo'r nofel hanes faith 'ma o ddifri.' Roedd y Cyngor Ysgolion a'r Cyngor Llyfrau'n cynnig mwy o waith iddo nag y medrai ei wneud, ac yr oedd Cyngor y Celfyddydau, sicrhaodd ei hen gyfaill coleg, 'yn barod bob amser i edrych ar fy ôl i':

Y gwir amdani yw y gall awdur go ddiwyd, am y tro cynta yng Nghymru 'ma, fyw'n annibynnol ar y BBC a Harlech, a byw'n rhesymol gysurus, er na fydd o byth yn talu syrtacs, wrth gwrs.

Rhan o weithgarwch y mis hwnnw – ac nid oedd Islwyn Ffowc Elis ei hun yn ddall i ddigrifwch chwerw'r peth – oedd cychwyn colofn radio a theledu i'r *Cymro*, yn olynydd i 'Orthicon'. Mynnodd, meddai yn ei baragraff cyntaf, ysgrifennu dan ei enw ei hun 'ar egwyddor' a chyfaddefodd yn yr un gwynt ei fod yn llawn rhagfarnau:

> Dydw i ddim yn hoff o'r teledu o gwbl – o'i wylio nac o weithio ynddo – er bod gen i ddigon o sgriptiau teledu yn y tŷ 'ma i wneud coelcerth go nobl. At ei gilydd, rydw i'n siŵr mai melltith yw'r teledu – ac nid i barhad a chyflwr yr iaith yn unig. (12 Gorffennaf, 1973)

Y canlyniad oedd colofn go anghonfensiynol. Yn ei drydydd cyfraniad hysbysodd ei ddarllenwyr na wyddai beth yn union fyddai'r arlwy Gymraeg o wythnos i wythnos gan fod ganddo reitiach pethau i'w darllen na'r *Radio Times* a'r *TV Times* ac nad oedd bob amser yn bosibl 'i greadur o lenor ruthro'n ôl a blaen ddwywaith neu dair ambell noson rhwng y stydi a'r parlwr (lle mae'r bocs) heb amharu'n ddifrifol ar waith arall.' (26 Gorffennaf). Amharwyd ar ei golofn gan wyliau yn Eifionydd am bythefnos yn nechrau Awst a streiciau trydan yng nghanol Medi. Ar y deuddegfed ysgrifennodd at Merêd fod y golofn 'yn dechrau mynd yn bla ar ôl bod yn braf a difyr am ryw dair wythnos!' Erbyn diwedd y mis, daethai'r golofn yn siambr sorri, lle câi gwyno am '30 mlynedd o geisio gwasanaethu'r Gymru flinderus, gegrus [*sic*], gyfoglyd, daeog, bigog hon'. Ymddangosai ysgrif 1961 a'i sôn am ddawn y Cymro i blygu heb dorri, yn amhosibl o bell:

> Does gen i mo wytnwch Cristnogol anhygoel Gwynfor Evans i ddal blynyddoedd maith o siom a gwawd a baw heb na chwerwi nac ildio. Does gen i mwyach mo egni na dewrder y criw bychan o Gymry ifanc sy'n bwrw'r sefydliad Llundeinig yn ei gryfder . . .

Does gen i mo'r meddylfryd na'r tymheredd lastig i ffitio mewn sefydliad a dringo'n gelfydd dros gefnau eraill i swydd bump, chwech a saith mil y flwyddyn. (27 Medi)

A'r hyn a sbardunodd y fath ryferthwy? Derbyn 'y llythyr cynhesaf a'r siec frasaf' o Ganada am gyhoeddi cyfieithiad o 'Y Tyddyn' mewn blodeugerdd, a chlywed beirniadaeth yn yr un wythnos nad oedd yn ymdrin â digon o raglenni. Yr oedd rhywbeth brawychus yn yr egni:

Edrychwch ar y papurau Sul Saesneg o 'Safon'. I ddechrau, mae yno ddwy golofn gan ddau feirniad: colofn deledu a cholofn radio. Mae dewis y ddau o raglenni mor enfawr – tair sianel deledu a Radio 1, 2, 3 a 4 – does neb yn disgwyl iddyn nhw drafod mwy na phedair neu bump o raglenni 'pwysig' bob wythnos. A dyna'n hollol y maen nhw'n ei wneud – rhaglenni gyda'r nos bron yn ddieithriad – a derbyn cyflog graenus am hynny.
    Ond mae rhaglenni Cymraeg mor brin a gwasgaredig mewn cymhariaeth, fe ddisgwylir i'w beirniad nhw grybwyll y cwbwl. Os byddwch chi gartre am ddiwrnod, triwch chi gofio gwrando neu wylio rhaglenni am 7.25 am, 8.10, 9.25, 11.0, 12.25, 2.30, 4.20, 6.0, 8.0 a 10.30 . . .

Gwnaeth Islwyn Ffowc Elis yr union beth hwnnw: 'Ai catalog fynnwch chi? O'r gorau. Dosbarther y rhaglenni yn ôl chwaeth y beirniad yn A, B ac C, ffwrdd â ni . . .' Ac yn dilyn ceir marc i bob rhaglen ynghyd â rheswm cwbl fympwyol: gwallt y cyflwynydd, gwisg yr actor, llais, set, goleuo. Colofn Fawltyaidd, beryglus o ddigrif, gan un a deimlai fod y cyfrwng yr ysgrifennai arno yn annheilwng o'i sylw ac yn fagl ar waith pwysicach.
    Daliai i gyfrannu'n wythnosol drwy fisoedd cynnar 1974, yn cyhoeddi rhyfel ar y teledu am ladd darllen ymhlith plant (8 Ionawr), yn proffesu fod y *TV Times* – y derbyniai gopi rhad ac am ddim ohono oddi wrth HTV – 'mor ddyrys i mi ag amserlen trên' (15 Ionawr) a'i fod yntau'n 'snob deallol' a gâi'r mwyafrif o raglenni islaw sylw ac a wrandawai ar set radio 15 oed 'ond bod y rhan VHF ohoni wedi mynd ar streic ers tro' (29 Ionawr). Gwyliai deledu gyda 'rhyw hen

linellau dieflig yn dawnsio'n groes-ymgroes ar y sgrîn' (26 Mawrth).
Gallai hyd yn oed y radio grafu ar brydiau, yn enwedig y newyddion.
Llysenwodd *The World at One*, 'The World is Glum', a soniai am y
profiad digalon o ddeffro yng nghlyw 'Bad Morning, Wales':

> Ystyr 'newyddion' ar radio a theledu er pan alla i gofio yw
> damweiniau, tanau a thrychinebau lleol, fawr a mân, gydag
> ambell eitem lai digalon neu fwy dadleuol pan fo damweiniau'n
> brin. Yn wahanol i rai sydd, credwch neu beidio, yn mwynhau
> chwedlau anffodion pobl eraill fe fydda i – o gydymdeimlad yn
> ogystal â digalondid – yn claddu 'mhen dan y dillad neu'n
> cythru am y tebot. (5 Chwefror)

Cyd-ddigwyddodd misoedd Islwyn Ffowc Elis wrth y swydd â
phen-blwydd Saunders Lewis yn 80 oed yn Hydref 1973, â chyhoeddi
Adroddiad Kilbrandon ar ddarlledu (y rhoddodd sylw manwl iddo
ar 6 Tachwedd), â phriodas y Dywysoges Ann bythefnos yn
ddiweddarach, ac ag etholiad cyffredinol cyntaf 1974, ar 28 Chwefror.
'Am dair wythnos rŵan, rwy'n siŵr y bydd y cyfryngau'n blant da,'
proffwydodd ar y deuddegfed, 'yn pwmpio propaganda prydeindod
i'n cyfansoddiadau ni nerth meic a chamera' Ni allai ymatal, er
hynny, ddeuddydd cyn y bleidlais, rhag datgelu'r llysenwau a
ddefnyddid ar aelwyd Acton Gate am arweinwyr y prif bleidiau:
'Tatws Poeth' am Edward Heath, 'Pry Cetyn' (Harold Wilson), 'Sosej
Dywyll' (Jeremy Thorpe) a'r 'Tyfwr Tomatos' am Gwynfor.
   Ymlusgodd y gwaith ymlaen drwy wanwyn 1974. 'Mae'r golofn yn
mynd yn fwrn ar f'enaid i,' addefodd wrth Merêd ar 3 Mai. 'Ond mae
pumpunt yr wythnos yn talu am y bêc bîns!' Erbyn diwedd y mis, er
gwaethaf yr aberth ariannol, teimlai na allai ddal rhagor.
Cyhoeddodd ei ffarwel ar 28 Mai, 'am fod gen i orchwyl neu ddau sy
wedi'u hir esgeuluso y bydd rhaid imi geisio rhoi fy holl amser iddyn
nhw am rai misoedd.' Y prif reswm, er hynny, oedd ei anallu
cyfansoddiadol, bron, i oddef y gwaith:

> Mae'n ddiau 'i bod yn bosib i rywun sy mewn swydd naw-tan-
> bump ymlacio ar ôl dod adre ac ar wyliau o flaen ei set deledu

neu yng nghlyw ei radio a llunio colofn o argraffiadau wythnos heb ymdrafferthu ormod. Yn lle hynny, roedd rhaid i mi godi oddi wrth fy nesg ar ganol gwaith droeon mewn diwrnod i wylio neu wrando, sgriblo pentwr o nodiadau yn y ffordd lafurus y bydda i'n gwneud popeth, a dethol pytiau o'r nodiadau hynny wedyn i ffitio'r gofod hwn. (28 Mai)

Buasai'r profiad, meddai, 'yn ddisgyblaeth ac yn addysg'. Yr hyn a wnâi bob gwaith arall yn amherthnasol a llafurus, fel y gellid disgwyl, oedd y fenter anorffenedig. Drysai waith wrth law a chynlluniau am waith arfaethedig. 'Rhwng dau gyfaill,' ysgrifennodd at John Rowlands ar 15 Ebrill, 'fe fyddai'n llawer gwell gen i erbyn hyn sgrifennu nofel gyfoes bersonol . . . am fod y nofel hanes wedi mynd yn dipyn o fwrn arnaf ac yn tyfu'n rhy araf o lawer. Ysywaeth, rhaid ei chael oddi ar y ffordd cyn mynd at rywbeth arall.' Sonia Bryan Martin Davies, cymydog iddo ar y pryd, am ganol y saithdegau fel 'cyfnod pryderus' yn hanes Islwyn: 'Fe'm gwahoddwyd i ymweld ag ef nifer o weithiau, a rhoddodd yr argraff i mi ei fod yn ŵr pruddglwyfus iawn. Credai ei fod yn dioddef o ryw fath o 'bloc' creadigol, a'i fod wedi gorweithio yn ystod ei flynyddoedd cynhyrchfawr . . . Dydw i ddim yn meddwl ei fod yn hapus yn Wrecsam o gwbl.'[25] Yr haf hwnnw, ymddengys iddo ystyried – er na ellir bod yn sicr pa mor o ddifrif – droi'n ôl at y weinidogaeth. Ym mis Medi, ysgrifennodd at Iorwerth Jones, golygydd y *Drysorfa* lle'r oedd wedi cyhoeddi 'Lludw'r Weinidogaeth' yn 1952:

> Er i'r Hen Gorff golli gweinidogion ar raddfa frawychus, nid yw eto, yn swyddogion nac yn aelodau, wedi colli digon o'i smygrwydd a'i ystrydebolrwydd i dderbyn rhywun fel fi. A chan y byddaf innau eleni'n hanner cant, 'rydw i eisoes yn rhy hen i wynebu'r sgandal a'r balihŵ a'r pardduo anochel a'i dilynai pe bawn i'n fy nghynnig fy hun i enwad arall – a bwrw bod y sefyllfa'n iachach yn un o'r rheini.[26]

Erbyn haf 1975 yr oedd y sefyllfa'n wirioneddol ddwys: arian yn brin a'r rhagolygon am waith yn ddu. Yr oedd swydd ran-amser dros dro Eirlys yn ysgol gynradd Holt ar fin dod i ben, ac Islwyn ei hun yn awyddus i gael swydd iddo'i hun. Ceir yn ei bapurau gopi o lythyr at John Howard Davies, Cyfarwyddwr Addysg Clwyd ar y pryd, dyddiedig 5 Mehefin, yn sôn am 'amser rhy galed i awdur Cymraeg frwydro ymlaen ar ei ben ei hunan' ac yn cynnig ei wasanaeth i'r awdurdod ar unrhyw delerau a ddôi ag arian i mewn: 'Mae angen llawer mwy o werslyfrau yn Gymraeg *yn fuan iawn* i'n hysgolion Cymraeg newydd – mewn hanes, daearyddiaeth, cerddoriaeth, celfyddyd, bywydeg a phynciau eraill . . .' Ni ddaeth dim o'r cynllun hwn, nac o sawl un tebyg iddo. Fis yn ddiweddarach, ar 19 Gorffennaf 1975, mewn llythyr at Tecwyn Lloyd, cwynodd fod diwylliant y Gymru Gymraeg yn milwrio yn erbyn y syniad o lenorion proffesiynol. Yr oedd, meddai, wedi gyrru anfoneb am £65 i Wasg Christopher Davies am ysgrif ar nofelau Saunders Lewis, wedi ei seilio ar gyfradd o bum punt y fil. Yr oedd, meddai, wedi peri braw: 'Dydi awduron Cymraeg erioed wedi arfer ymddwyn fel adeiladwyr, trydanwyr, plymwyr, etc. ac anfon biliau.' Yn y diwedd, bu'n rhaid derbyn llai. 'Ond mae'r dolur yn dal i bigo; os bydd yn rhaid i ni sgrifennu am ddim neu'r nesaf peth i ddim, beth yw dyletswydd cyhoeddwyr, cysodwyr, argraffwyr, rhwymwyr, clercod y gweisg etc. at yr iaith?'[27]

Wrth iddo ysgrifennu'r geiriau hyn, er nad oes sôn o gwbl yn y llythyr, gwyddai Islwyn fod ei yrfa fel awdur amser llawn, ar ben. Daeth ymwared, o fath, o gyfeiriad annisgwyl.

FFYNONELLAU

[1] *Naddion*, t. 186.
[2] Ceir hanes yr estyniad a aeth yn ystafell fwyta am ei fod 'yn rhy fychan ac yn rhy ffenestrog' i fod yn stydi gan Islwyn Ffowc Elis yn *Y Cymro*, 9 Awst 1972, t. 10.
[3] Islwyn Ffowc Elis at Prys Morgan, 1 Awst 1970. LlGC, papurau Prys Morgan 5/61.
[4] LlGC, papurau Gwyn Jones 45/131/1.
[5] Yn Meic Stephens (gol), *Artists in Wales* (Llandysul, 1971), t. 156.
[6] LlGC, papurau D. Tecwyn Lloyd, 4/1.
[7] LlGC, papurau Gwyn Jones 45/158/1.
[8] Islwyn Ffowc Elis at Meic Stephens, 4 Rhagfyr 1970. LlGC, papurau Meic Stephens, 1/10.
[9] LlGC, papurau Plaid Cymru, B1075.
[10] LlGC, papurau Gwyn Jones 45/38/1.
[11] Ibid, 45/43/1.
[12] Ibid, 45/49/1.
[13] Ibid, 45/51/1.
[14] Ibid, 45/59/1.
[15] Ibid, 45/59/2.
[16] Ibid, 45/61/1.
[17] Ibid, 45/61/2.
[18] LlGC, papurau D. Tecwyn Lloyd ibid.
[19] Gohebiaeth bersonol, 8 Ionawr 2003.
[20] 'Gwerthu Heulwen', *Barn* 134, Rhagfyr 1973, t. 59.
[21] *Barn* 118, Awst 1972, t. 272.
[22] *Y Cymro*, 30 Tachwedd 1972, t. 8.
[23] 'Honni i'r BBC wrthod gwaith iddo am ei fod heb drwydded', *Y Cymro* 12 Gorffennaf 1972, t. 1.
[24] *Harris* (Llandysul, 1973), t. 7. Perfformiwyd y ddrama ledled Cymru ym mis Tachwedd 1973, mewn cynhyrchiad o waith Wilbert Lloyd Roberts, gyda Huw Ceredig yn y brif ran.
[25] Bryan Martin Davies, gohebiaeth bersonol, 15 Awst 2002.
[26] LlGC, papurau Iorwerth Jones, 3/97.
[27] LlGC, papurau D. Tecwyn Lloyd ibid.

11

'Fe symudais ormod!'

1975-90

Eirlys a'i gwelodd yn niwedd Mai 1975: hysbyseb am swydd darlithydd yn Adran y Gymraeg, Coleg Prifysgol Dewi Sant (y pryd hwnnw), Llanbedr Pont Steffan. Tynnodd sylw ei gŵr ati. 'Ni chafodd anhawster i'm darbwyllo i gynnig amdani,' cofiodd Islwyn Ffowc Elis. Roedd yn *rhaid* ymgeisio am *rywbeth*! Ond doedd gen i ddim llawer o ffydd y cawn hi.'[1]

Gofynnai'r manylion am 'radd dda' yn y Gymraeg – a gradd gydanrhydedd gyffredin oedd gan Islwyn Ffowc Elis. Dadleuodd yn ei lythyr cais fod oes o ymwneud ag ysgrifennu yn Gymraeg yn gyfwerth â gradd dda, a disgwyliodd. Fe'i cyfwelwyd ar 9 Gorffennaf, gydag Eirlys a Siân yn aros y tu allan. Clywodd ei fod wedi cael y swydd y diwrnod hwnnw, a chadarnhawyd hynny mewn llythyr gan Gyngor y Coleg ar y degfed ar hugain.

Cyhoeddwyd penodi Islwyn Ffowc Elis i'r ddarlithyddiaeth yn *Y Faner* ar 8 Awst 1975. Cyfrannai, meddai'r erthygl flaen, at ddysgu llenyddiaeth Gymraeg gyfoes, at gyrsiau newydd mewn Astudiaethau Cymraeg, ysgrifennu creadigol a chyrsiau ar ffilm a theledu ar y cyd â'r Adran Saesneg: '. . . yn sicr ddigon,' proffwydodd y gohebydd dienw, 'fe fydd yn gaffaeliad nid bychan i addysg Gymraeg yn y Coleg, yn ogystal ag i fywyd Cymraeg y Coleg yn gyffredinol.'

Yr oedd i'r ymwared ei bris: rhoddodd derfyn effeithiol ar ei weithgarwch llenyddol. I'r bywgraffydd, mae'r blynyddoedd yn ymdoddi i'w gilydd, heb gynnyrch llenyddol pendant i'w rhannu ac i wahaniaethu rhyngddynt.

Y gorchwyl cyntaf oedd gwerthu'r tŷ yn Wrecsam. Oherwydd marchnad segur, y cyfan y gellid yn rhesymol ofyn amdano oedd £16,5000. Daliai heb ei werthu am ddeng mis, 'heb neb yn cynnig amdano, a dim ond ychydig iawn yn dod i'w weld.'[2] Nid oedd dewis, felly ond rhentu yng Ngheredigion, gan ddod o hyd i rywle addas ar gyfer tair cenhedlaeth (buasai tad Eirlys farw flwyddyn ynghynt ond daliai ei mam yn fyw) erbyn dechrau'r tymor ar 6 Hydref.

Cychwynnodd y teulu am y de yn niwedd mis Awst. Ysgrifennodd Islwyn at Robin Williams ar 25 Awst (27 Awst sydd ar y marc post: arwydd o brysurdeb dyn a ofalai'n ddeddfol am bostio llythyrau ar ddiwrnod eu hysgrifennu) yng nghanol 'pentyrrau lawer o focsys a chistiau a bwndelau o gyfrolau a chylchgronau a nialychau lawer . . . fel gorila bychan wedi ymhyllio'. Yr oedd, meddai, wedi methu prynu tŷ, a bron â phrynu 'tŷ doli' am grocbris yn Nhregaron. Ar y funud olaf, 'yn rhagluniaethol – os yn rhagluniaethol hefyd', llwyddodd i gael tŷ ar rent, hen dafarn, 'Y Wenallt', lle 'cyfoethog o ddrafftiau'.

Yr unig beth addas am y Wenallt oedd ei faint. Ym mhob ystyr arall prin y gellid cael lle gwaeth: anghyfleus o bell o'r gwaith ac ar y ffordd fawr, heb lawnt na dim rhyngddo a'r traffig: 'Yn aml,' cofiodd Islwyn Ffowc Elis, 'roedd y sŵn yn fyddarol, a gwelsom y byddai'n anodd cysgu'r nos. Felly y bu. Bûm yn cysgu am gyfnod â phlygiau o wlân cotwm yn fy nghlustiau, ond llai trafferthus oedd gwydraid go dda o whisgi!'[3] Golygai rhentu tŷ hefyd fod yn rhaid i Siân gwblhau ei chyrsiau Lefel O yn yr ysgol uwchradd leol, gyda phob posibilrwydd y byddai'n rhaid symud tŷ ac ysgol eto. Er hyn i gyd, profiad diddorol oedd cael dod i adnabod rhan arall o Gymru a chael byw bywyd pentrefol, cwbl Gymraeg.

Erbyn dechrau ei flwyddyn lawn gyntaf yn Llanbedr, roedd y Coleg wedi colli ei swyn. Ysgrifennai, tybiai, at un a ddeallai, pan gwynodd wrth John Rowlands ar 27 Ionawr 1976 ei fod 'rhwng y darllen a'r paratoi a'r marcio diddiwedd yn ogystal â'r darlithoedd a'r seminarau a'r tiwtorials eu hunain . . . yn graddol suddo i ryw hurtrwydd nad ydw i ddim wedi profi'i fath, yn hollol, o'r blaen.' Yr oedd y rhesymau ymarferol am yr anniddigrwydd yn weddol hawdd eu hadnabod. Daliai Minffordd heb ei werthu ar ôl chwe mis ac roedd y Wenallt hithau dan fygythiad o gael ei hadfeddiannu i dalu dyledion. Wrth symud yn ôl i swydd academaidd, teimlai Islwyn fod ei fywyd wedi rhoi tro crwn. Megis yn achos ei symud blaenorol o'r gogledd i'r de yn 1963, o Fangor i Gaerfyrddin, roedd derbyn swydd yn addefiad na allai ymgynnal fel llenor. Yr oedd hanes yn ei ailadrodd ei hun, gyda hyn o wahaniaeth pwysig: er cymaint ei wrthnawsedd greddfol tuag at waith y Drindod, gallai ymgysuro yn y freuddwyd o gefnu arno. Erbyn 1975, yr oedd ddeuddeng mlwydd yn hŷn a'r posibilrwydd hwnnw wedi cilio. Yr oedd hunan-adnabyddiaeth lem yn ei addefiad wrth ei gyn-gydweithiwr, John Rowlands, yn llythyr 6 Ionawr:

> Mae'r gwaith ynddo'i hun yn ddi-fai, petai modd ei gwtogi i draean yr hyn ydi o, er mwyn imi gael ambell ddiwrnod segur a chyfle rywbryd i sgrifennu rhywbeth. Rydw i wedi mynd yn dipyn o jôc erbyn hyn, wedi symud gymaint o le i le ac o swydd i swydd, ac rydw i'n benderfynol o geisio'i 'sticio' hi yma nes 'mod i'n drigain beth bynnag.
>
> Rydw i'n ffodus i gael swydd o gwbl y dyddiau hyn, yn enwedig mewn prifysgol, gyda 'nghymwysterau i, ac rydw i'n ymdrechu'n galed i fod yn ddiolchgar.

Yr oedd pethau rywfaint yn haws erbyn mis Hydref, a gwerthu Minffordd, am £14,500: dwy fil yn llai na'r pris gwreiddiol. Ar ôl 'ymchwil hir a chaled', cafodd Eirlys hyd i gartref. Byngalo modern oedd Pengwern, 'cysurus a chyfleus i'r gwaith', fel y sicrhaodd John Rowlands ar y pumed ar hugain, 'ond yn rhy gyfyng i dair cenhedlaeth, a heb stydi ynddo (dim ond darn o'n hystafell wely)'. Dygai'r amgylchiadau ddyddiau cynnar Wrecsam i gof: yr oedd hanner llyfrau Islwyn yn ei ystafell yn y Coleg, eu hanner arall yn y garej, gan ddisodli'r car. Dim ond deucant neu drichant a gawsai loches yn y tŷ ei hun. Gwaeth na hynny oedd yr ymdeimlad na allai lenydda. O fod wedi dymuno 'ei sticio', fe'i câi ei hun bellach, meddai, yn 'styc': 'Nid wyf wedi sgrifennu dim oll ers amser, nac yn gweld gobaith am wneud dim am hir, ac rwy'n mynd yn fwy rhwystredig a phiwis o wythnos i wythnos.' Mewn llythyr at Huw Ethall, ar 8 Tachwedd, rhoddodd y bai ar wleidydda am ladd yr ysbryd, gan ddweud iddo 'roi blynyddoedd gorau fy mywyd (1962-1970) bron yn llwyr i'r Blaid':

Er i'r Blaid fwyta cynifer o'm blynyddoedd a thagu'r ysfa i lenydda i raddau helaeth, mae fy nheyrngarwch iddi – yn agored yn ogystal ag yn gudd – cyn gryfed ag erioed, ond fy mod yn fy nhyb i, ac eraill, wedi haeddu seibiant oddi wrth wleidydda bellach er mwyn gwneud rhywbeth arall y gallaf, gobeithio, ei wneud yn well.

Poendod, er hynny, oedd cyfaddef hynny wrth Gwynfor. Ar 30 Hydref 1977, gyrrodd lythyr hir yn ceisio rhoi cyfrif am ei '[dd]iffyg gweithgarwch ymddangosiadol' yn ystod y blynyddoedd yn dilyn symud o Wrecsam, gan ddatgelu rhywfaint wrth basio hefyd am ei resymau dros fynd yno yn 1970:

Fe wyddoch chi'n well na neb na anwyd mohonof i'n wleidydd ymarferol. Mae gen i ddiddordeb academaidd mewn gwleidyddiaeth. Ond mae'n bosib na fyddai gen i ddim diddordeb mewn gwleidyddiaeth o gwbl oni bai fy magu'n Gymro ymwybodol a'm pryder am fy ngwlad . . .

Yn nechrau'r saithdegau yma mi deimlais i bangfeydd cydwybod go arw. Roeddwn wedi bod yn ceisio gwleidydda'n o brysur ers mwy na deng mlynedd . . . ac wedi cael boddhad mawr, rhaid cyfadde, o gael rhan fechan yn eich buddugoliaeth chi yn 1966, a cheisio helpu am ryw bedair blynedd wedi hynny. Ond roedd amryw o'm cyfeillion yn dannod i mi fy mod wedi ymwrthod â'm cenhadaeth – os dyna'r gair – fel tipyn o lenor, a'm bod wedi gwneud mwy dros yr iaith a'r achos drwy fy nhipyn llyfrau na thrwy geisio gwneud gwaith y gallai eraill ei wneud yn well. Ac y dylwn i ddychwelyd i'm llwybr fy hun. Mi fûm i'n ceisio gwneud hynny yn ystod y blynyddoedd diwethaf, ond mae wedi bod yn anodd iawn ailgydio ar ôl blynyddoedd o segurdod creadigol. Ond dyna'r prif reswm pam na fûm yn rhyw weithredol iawn er 1970.

Ond mi garwn ichi wybod fy mod yn dal i geisio lefeinio'r toes o'm cwmpas fel y daw cyfle . . . Mae angen bywiogi cangen y Blaid yn y coleg yma, ac rwy'n ceisio gwneud hynny; mae digon o Bleidwyr ifanc yma a digon o gydymdeimlad, ond dim llawer o drefn ar hyn o bryd.

Mae Llanbed yn lle dymunol i fyw ynddo – i mi, beth bynnag, gan fy mod yn cael llonydd da gan y bobl . . .

Ond rhaid cyfadde nad wyf wrth fy modd yn y coleg ei hun, er nad wy'n bwriadu newid fy ngwaith eto nes ymddeol. Fe symudais ormod! Mae'r pump ohonom ar staff yr Adran Gymraeg yn Bleidwyr, ond ar wahân i ni, rhyw dri Chymro Cymraeg sydd ymysg y staff i gyd, ac eithrio'r prifathro. Mae ambell un o'r Saeson yn ddigon dymunol a chall, ond mae amryw yn gibddall o wrth-Gymreig . . . O ran awyrgylch, rwy'n siŵr fod y coleg yma'n debyg i San Steffan!

Ei gyd-ddarlithwyr yn Llanbedr oedd Dafydd Marks, Meirion Pennar a David Thorne. Ei bennaeth oedd Simon Evans, awdurdod ar Gymraeg Canol a gŵr o anian, corffolaeth a diddordebau cwbl groes i Islwyn Ffowc Elis. Ei gwestiwn cyntaf i'r darlithydd newydd oedd gofyn a oedd 'yn barod i weitho'. Sicrhaodd Islwyn ef ei fod. Nid oedd bod yng nghwmni ysgolhaig mor gynhyrchiol, er hynny, yn hawdd. 'Ar hyd y tair blynedd ar ddeg y bûm yn gweithio dano,' ysgrifennodd Islwyn mewn ysgrif goffa iddo, 'ni pheidiais â rhyfeddu at ei ddiwydrwydd, nid yn gymaint fel darlithydd a phennaeth adran ond fel awdur. Roedd llyfrau ac erthyglau fel petaen nhw'n llifo ohono, un ar ôl y llall, yn ddiymdrech.'[4] Anodd hefyd oedd cydweithio ag un '[na] fedrai weld pwysigrwydd mewn nofelau a barddoniaeth gyfoes a rhyw bethau felly.' Ceir ym mhapurau Islwyn, a nodiadau darlith ar ei gefn, lythyr oddi wrth Simon Evans, dyddiedig 10 Medi 1976, yn diolch i Islwyn am ei gais i gael tymor haf 1977 yn rhydd, i ysgrifennu, ond yn gwrthod caniatâd.

Y gwaith creadigol cyntaf i'w gyhoeddi dan enw Islwyn Ffowc Elis yn Llanbedr oedd stori 'Y Gŵr yn Erbyn y Byd', a ymddangosodd yn *Taliesin* yn Rhagfyr 1978. Cynnyrch Wrecsam ydoedd, er hynny, a fwriadwyd yn wreiddiol i gyfrol *Storïau '75*, ac a yrrwyd at Tecwyn Lloyd i leddfu cydwybod awdur na theimlai ei fod wedi gwneud digon i'r cylchgrawn y bu unwaith yn gyd-olygydd arno:

O'i chyhoeddi, y peryg yw y bydd golygyddion *Barn* a'r *Traethodydd a'r Genhinen* a'r *Faner* yn tybio 'mod i wedi ailddechrau corddi ac yn anfon ordors am 'fenyn ffres. Ond does yma ddim, na menyn pot chwaith; y stori hon yw'r peth diwethaf [dilëwyd y gair 'olaf'] o'i bath a ysgrifennais.[5]

Erbyn 1978 tyfasai ei anallu i ysgrifennu yn gymaint testun chwilfrydedd i Islwyn Ffowc Elis ag y bu ei rwyddineb creadigol cyn hynny. Edrychai ar y peth gyda morbidrwydd claf yn ceisio deall salwch dienw a diesboniad sy'n cyffio'r aelodau. Hyn, er enghraifft, at John Rowlands ar 20 Mehefin y flwyddyn honno:

Rwy'n cael anhawster mawr i sgrifennu dim erbyn hyn – fel petai fy meddwl i wedi rhydu. Mae pob cystrawen yn edrych yn anfoddhaol, a phob gair i'w deimlo'n llipa. Ac mae'r ysfa sgrifennu wedi hen ddiffodd p'run bynnag. Ar wahân i ambell bwt o lythyr fel hyn at gyfaill, mi fydda i'n osgoi sgrifennu dim os galla i beidio . . .

Peth difäol yw peidio â sgrifennu; mae'r awydd yn gwanhau'n gyson gyda'r blynyddoedd a gofalon bywyd yn sugno egni, ac mae'n rhy hawdd rhoi'r gorau iddi o ddiffyg ymarfer. Mae ymarfer wythnosol – a dyddiol, os yn bosibl – yn hanfodol, a darllen pethau da.

Ofnai, er hynny, fod yr awydd i ddarllen wedi diffygio hefyd. Sonia yn yr un llythyr am lyfrau heb eu darllen 'erioed' ar y silffoedd:

. . . ysgrifau Ruskin ac Emerson, *Rhufain* Gibbon, *Clerical Life* George Eliot, *Johnson* Boswell, *Pickwick* Dickens, *Vanity Fair*, etc, Ac eraill nad wyf wedi edrych arnyn nhw ers chwarter canrif, o leiaf, gan gynnwys Chesterton, Tsiechoff, Tolstoi, Madame Bovary, Keats, Shelley, Wordsworth, Milton, Shakespare yn gyfan, ac yn y blaen ac yn y blaen.

Yr oedd rhywbeth wedi ymyrryd â'r berthynas gyfrin rhwng darllen ac ysgrifennu. Pan soniai amdano'i hun fel llenor, soniai bellach am rywun a adwaenai ond y collasai adnabod arno:

Rwy'n cofio cael fy nghyffroi gan Mary Webb, o bawb, pan oeddwn i'n ugain oed, a chael fy styrbio'n egr gan *Grapes of*

Wrath ymhen rhyw 4 neu 5 mlynedd wedyn. Ac er 'mod i'n anymwybodol o hynny ar y pryd, rwy'n siŵr erbyn hyn mai epil digon tila y ddau awdur yna oedd fy nofel gynta. Tebyg iawn fu effaith darllen *Rhyfel a Heddwch* a *Madame Bovary* wedyn. Ond wrth gwrs, roedd y dychymyg yn ifanc ar y pryd ac yn hawdd ei gyffroi, ac roedd rhywun yn mynd drwy brofiadau newydd, cyffrous ac yn ymateb yn fwy synhwyrus i lenyddiaeth a phob celfyddyd arall.

Ar un ystyr, mae'r cyfan yn dew gan eironi. Mae'r llythyr hwn – a degau o rai tebyg iddo o'r blynyddoedd hynny – yn tystio na fu pall ar allu (nac awydd) Islwyn Ffowc Elis i ysgrifennu'n gain a gorffenedig. Ond nid colli ceinder a barai bryder; âi'r ymdeimlad o golled yn ddyfnach na hynny.

Daw Islwyn yn nes nag yn unman arall at ddatgelu natur y diffyg, yn arwyddocaol, mewn cyfweliad â llenor arall, ac un y buasai'n allweddol i'w lwyddiant, sef Eigra Lewis Roberts. Fe'i darlunia ei hun ynddo fel 'creadur misi iawn' sy'n mynnu llyfr copi cwarto gyda rhesi llydan, inc glas, papur llithrig, y ddesg yn glir a dim tarfu, cyn dechrau ysgrifennu. Rhaid i'r tywydd fod yn ffafriol: 'Mae eira a glaw yn fferru fy meddwl i, glaw yn ei socian o, a gwynt yn ei chwythu i bob man.'[6] Hyd yn oed wedi llwyddo i gyrraedd cydbwysedd tywydd, llonydd a lle, erys llenydda yn beth hanfodol broblematig a pharadocsaidd. Ailedrydd Islwyn Ffowc Elis ei gŵyn fod disgwyl i lenor wneud popeth ond ysgrifennu; sonia ei bod yn amhosibl ysgrifennu heb ymbaratoi ond bod gorgynllunio yr un mor angheuol i greadigrwydd ('nodiadau poenus o fanwl' a 'laddodd' y nofel hanes), ac er mor braf yw ymgolli mewn stori, ychwanega y gall y ddihangfa droi'n gaethiwed. Penllanw'r cyfweliad, er hynny, yw ildio diymadferth, ewyllysgar Islwyn i holi'r cyfwelydd, fel amddiffynnydd euog wedi'i gornelu gan fargyfreithiwr taer, ac yn falch o orfod cyfaddef:

ELR: Fe gyhoeddwyd *Marwydos* yn 1974 – casgliad o straeon byrion amrywiol a diddorol wedi'u hysgrifennu dros nifer o flynyddoedd. Ga i aros efo'r stori olaf – 'Hunandosturi'

– a meiddio awgrymu mai Islwyn Ffowc Elis ei hun ydi Ieuan y stori? Ydw i'n iawn?

IFfE: Ydych.

ELR: Mae Esyllt, gwraig Ieuan yn y stori, yn dweud wrtho, 'Flynyddoedd yn ôl, ar ôl gorffen llyfr, roeddat ti fel 'taet ti'n cerdded ar awyr. Mi fyddat yn mynd yn syth at y piano ac yn canu dros y tŷ.' Faint o wirionedd sydd 'na yng ngeiriau Esyllt y stori?

IFfE: Mae Esyllt yn dweud y gwir.

ELR: Dyna Ieuan ddoe. A dyma Ieuan heddiw – 'Dyna orffen, Yr atalnod olaf, un mawr, crwn, cadarn. Y peth gorau yn y llyfr. Gollyngodd Ieuan ochenaid drom, estyn am ei getyn, codi oddi wrth ei ddesg a suddo'n swp o ludded i'r gadair freichiau wrth y tân nwy.' Ai dyna Islwyn heddiw?

IFfE: Ie.[7]

Mae'n gyfweliad rhyfeddol am fod rhywun yn ymglywed ynddo â grym darganfyddiad. Erbyn ei ddiwedd, bron nad yw Islwyn Ffowc Elis yn edrych ar ei waith ei hun fel cynnyrch cyfnod a ddarfu: 'Beth a gefais i o lenydda? Gollyngdod, dihangfa weithiau, gwefr a gwae, y pleser pur o hel fy mysedd hyd adnoddau rhyfeddol yr iaith Gymraeg – a llawer mwy.' Pan ofynnwyd iddo a deimlai'n dlotach o fod wedi colli'r gynneddf, atebodd mewn tri gair: 'Yn anhraethol dlotach'.[8]

A dyma godi cwr y llen ar y paradocs mwyaf un yn ymwybyddiaeth lenyddol Islwyn Ffowc Elis erbyn diwedd y saithdegau. Tyfasai'r tlodi hwn yn gyflwr patholegol, lle'r oedd pryderon am ansawdd y deunydd yn difwyno pleser y weithred o greu. Gwelir amrywiad ar hyn yn y cyflwr ymhlith actorion a elwir yn bryder perfformio. Dyna a fynegodd pan fentrodd i ysgrifennu i'r *Faner* ar gais ei golygydd newydd, Jennie Eirian Davies, yn nechrau 1979. Ysgrifennai ar ei waethaf, meddai:

Gwir, mae rhai llenorion yn ddiog. Mae rhai ohonom hefyd wedi colli pob hunanhyder llenyddol a fu gennym erioed, rhai wedi sgrifennu gormod ddyddiau a fu ac wedi 'sychu', wedi chwythu eu plwc ac wedi blino. A ddylai hen hacs ddal i hacio, er nad oes ganddyn nhw mwyach ddim i'w ddweud?[9]

Mae'n rhaid bod dogn go fawr o ffydd yn gymysg â phroffwydoliaeth yng ngeiriau John Rowlands ar droad y degawd, pan restrodd brif weithiau Islwyn Ffowc Elis er gwybodaeth i ddarllenwyr di-Gymraeg, gan ychwanegu tri dot a'r geiriau '. . . and there is more to come'.[10] Nid oedd y rhagolygon yn dda, o safbwynt creu na beirniadu. Yn 1972, yr oedd Islwyn Ffowc Elis wedi dychmygu Daniel Owen yn 'darllen drwy'i finociwlars nefol y cruglwyth astudiaethau a gyhoeddwyd arno' ac yn 'gollwng ambell gigl drwy'i farf yn y Trigfannau'.[11] Pan gynigiwyd iddo lunio'i astudiaeth ei hun yn niwedd y saithdegau, nogiodd, gan gwyno wrth John Rowlands ar 6 Chwefror 1980 'bod cymaint wedi'i sgrifennu ar y Daniel eisoes yn ystod y 80 mlynedd diwetha, a bod cynifer o feirniaid gwybodus a miniog yn barod i lamu ar ymdriniaeth annigonol, anfoddhaol neu wallus.' Magodd ddigon o hyder i lunio ac i draddodi darlith ar *Straeon y Pentan* Owen yn 1981,[12] ond fe'i cafodd, chwedl llythyr arall at John Rowlands ar 24 Tachwedd y flwyddyn honno, 'yn orchwyl llafurus a dibleser'. Daliai'r gyfrol lawn ar Owen, meddai yn yr un llythyr, 'yn faen melin am f'ysgwyddau'. Wynebai 16 awr o ddarlithoedd yr wythnos, 'a fi, druan anhrefnus, sy'n gofalu am "dderbyniadau" i'r Adran; ffurflenni UCCA a phethau difyr felly'. Yr oedd am ymddeol. Teimlai reidrwydd i aros i lywio'r cwrs Anrhydedd Sengl mewn Astudiaethau Cymraeg, 'ond haleliwia, mi fydda i'n drigain ymhen tair blynedd, a mynd a wna'i bryd hynny'n reit siŵr, digwydded a ddigwyddo i'r Adran.'

Roedd troad y degawd yn gyfnod prudd ar raddfa ehangach na'r bersonol hefyd. Yn gyntaf, cafwyd ergyd y bleidlais yn erbyn datganoli yn refferendwm Gŵyl Dewi 1979, siom a barodd i Islwyn awgrymu – gyda'r cyfuniad nodweddiadol, a bwriadus, hwnnw o'r chwerw a'r chwareus – y dylai pob Cymro a Chymraes goffáu'r achlysur yn 1980 drwy wisgo sachliain a lludw: 'Cwrdd gweddi undebol ym mhob llan a thref i ymbil dros Gymru. A gorymdaith angladdol drwy'r strydoedd wedyn gyda baneri duon. Ein cosbi'n hunain am ein methiant. Atgoffa'n pobl am eu brad. Dyna'r unig ffordd synhwyrol, bellach, i dreulio Gŵyl Ddewi.[13] Dri mis yn ddiweddarach, ysgrifennodd i fynegi 'pryder ac arswyd, yn ogystal â'r edmygedd mawr arferol' at Gwynfor Evans, wrth i hwnnw gyhoeddi ei fwriad i ymprydio hyd farw dros sianel deledu Gymraeg. Rhestrodd enwau'r ymgyrchwyr a gosbwyd ac a garcharwyd fel rhan o'r ymgyrch, a'u siom bob un wrth ddifaterwch eu cyd-Gymry. Addawodd ymuno, 'er fy mod yn credu mai teledu (mewn unrhyw iaith) yw melltith bennaf ein hoes ni'. Ymgysurai mewn melltith fwy i ddod, gan ddarogan 'Trydydd Rhyfel Byd . . . cyn mis Medi . . . Byddai hwnnw'n setlo problem Sianel Deledu Gymraeg am byth.'

'. . . ni fu gen i'r iau erioed i fod yn ddrychiolaeth mewn gwledd nac yn ffantom mewn ffair.'[14] Megis yn ei swydd yn y Drindod, yr oedd wedi meithrin y ddawn i ymdoddi i'r cefndir. I'w fyfyrwyr, creadur tawel, digyffro, hawdd ei barchu ac anodd bod yn bendant yn ei gylch oedd Islwyn Ffowc Elis. Mae D. Islwyn Edwards, a fu ymhlith y garfan gyntaf i Islwyn ei ddysgu, yn cofio amdano fel marciwr cydwybodol, gyda 'llawysgrifen fân a thaclus', ac fel darlithydd gorgaredig:

> Ni chofiaf Islwyn Ffowc Elis yn darllen allan o sgript yr oedd wedi ei pharatoi ymlaen llaw. Yn hytrach dibynnai ar ei gof gan gynnig sylwadau cyffredinol ar weithiau awduron. Ni chofiaf iddo ychwaith ddarparu unrhyw 'hand-outs' fel y gwnâi darlithwyr eraill. Eto, gofynnai i'r myfyrwyr ddarllen dramâu a nofelau ac yna gofyn i bawb yn ei dro/thro gyflwyno papur yn seiliedig ar y gweithiau hynny mewn seminarau a drefnid gan yr Adran. Cofiaf gyflwyno papur ar *Brad* (Saunders Lewis) ac *Enoc Huws* (Daniel Owen) a gwnaeth eraill o'r myfyrwyr gyflwyno papurau ar weithiau tebyg. Pob un ohonom yn derbyn gair o ddiolch wedi gorffen y cyflwyniadau, a phob un hefyd yn derbyn gair o ganmoliaeth frwd am ymdrechion digon tila ar adegau. Ond nid oedd Islwyn Ffowc Elis am ladd ysbryd yr un ohonom.[15]

Am gynnwys y darlithoedd hynny, ni cheir yn ei bapurau ond y dernyn hwn – ar ddyletswydd a braint yr awdur i dreiddio y tu draw i arwyneb cymeriad. Diddorol darllen cymeriad mor oddefgar ag Islwyn Ffowc Elis yn sôn am yr hyn y 'dylid' ei gael gan lenor:

Ni ddylid disgrifio'r arwres fel hyn:
'Gwallt coch oedd ganddi, a llygaid gleision. Nid oedd hi ond pum troedfedd a thair modfedd o daldra, ac yr oedd ychydig o frychni haul ar ei thalcen a'i thrwyn. Ond yr oedd ei gwefusau'n lluniaidd a'i dannedd yn wyn ac yn wastad . . .'
Ffotograff o'r tu allan fyddai hwnyna.
O'r tu mewn y dylem weld yr arwres, drwy'i llygaid hi ei hun. Hyd yn oed ar ddechrau stori, wrth gyflwyno'r eneth, fe ddylid ei darlunio'n gynnil a mynegi teimlad neu symud yr un pryd – yn debyg i hyn:
'Wrth sefyll yno'n disgwyl am y llong, gwthiodd Sioned ei llaw drwy'i chudynnau cringoch. Ond yn union wedyn, roedd y gwynt wedi eu chwalu eto dros ei hwyneb. Doedd hi ddim yn dal, ond wrth sefyll yn y fan hon teimlai'n fychan iawn. Roedd hi'n siŵr na fyddai neb yn sylwi arni . . .'

Aeth yr wythdegau rhagddynt. Gwnaed Islwyn yn uwch-ddarlithydd yn 1980 ac yna yn ddarllenydd yn 1984. Daliai ei faich dysgu cyn drymed ag erioed: cwrs gorfodol dwy flynedd, dwy ddarlith yr wythnos, ar 'Lenyddiaeth Gymraeg o 1800 hyd heddiw' a chyrsiau dewis ar feirniadaeth lenyddol, y ddrama, emynyddiaeth, y nofel ac ysgrifennu creadigol. Yn 1981 cychwynnodd gwrs dewis dwy-flynedd newydd ar lenyddiaeth a'r cyfryngau, drwy seminarau wythnosol a sesiynau ymarferol yn stiwdio glyweled y coleg, lle gofynnid i fyfyrwyr gynhyrchu rhaglen fideo, rhaglen radio, a sefyll arholiad llafar.

Y tu allan i'r stiwdio a'r ystafell ddosbarth, ni laciodd y rhaff drwy gydol ei gyfnod yn Llambed. Bu am dair blynedd yn swyddog derbyniadau'r adran, gyda chyfrifoldeb am ymdrin â cheisiadau ac wedi hynny'n aelod o bwyllgor cyhoeddusrwydd a chyhoeddiadau'r gyfadran. O fewn y brifysgol yn ehangach, aeth yn aelod o Banel Iaith a Llenyddiaeth y Bwrdd Gwybodau Celtaidd. Hyn ar ben parhau'n aelod o banel llenyddiaeth y Beibl Cymraeg Newydd, yr Academi, Panel Cyfieithiadau'r Cyngor Llyfrau, y Cymmrodorion, Llys yr Eisteddfod, Cymdeithas Lyfryddol Cymru, Cymdeithas Theatr Cymru ac Undeb Awduron Cymru.

Yn Hydref 1988 – ar ôl cwtogi ei oriau – ymgymerodd â hen gyfrifoldeb, pan dderbyniodd wahoddiad i fod yn olygydd *Llais Llyfrau/Book News from Wales* am yr eildro, yn olynydd i D. Geraint Lewis. Yn 64 oed, fe'i cafodd ei hun yn gyfrifol am ddwy golofn olygyddol, yn y ddwy iaith. Mae'r Islwyn a welir yng ngholofnau *Llais Llyfrau* yn atgoffa'r darllenydd am olygydd ifanc, dyfeisgar *Y Ddraig Goch* bymtheng mlynedd ar hugain ynghynt. Gwelir yr un rhyddfrydigrwydd, yr un gofal am greu agenda. Yn ei golofn Gymraeg gyntaf, dychwelodd at destun cyfarwydd bygythiad y teledu i lenyddiaeth:

Os oes nofelydd gwir dalentog yn sgrifennu llyfrau llwyddiannus, onid yw'n dipyn o demtasiwn i gwmni teledu ddenu'r awdur hwnnw oddi wrth ei lyfrau i sgrifennu 'i ni'? Ac onid yw'n rhy hawdd i nofelydd gael ei demtio gan gyhoeddusrwydd mwy llachar a chynulleidfa fwy niferus y sgrîn fach, ac wedi cael blas ar ei phorthi hi, i adael y gwaith mwy llafurfawr o sgrifennu nofelau a throi'n awdur teledu? . . .
Mae'r teledu'n arwyneboli popeth. Y camera, i raddau helaeth iawn, sy'n penderfynu'r cynnwys. Rhaid aberthu pob peth y mae perygl iddo fod yn anniddorol.[16]

Galwodd yn y golofn Saesneg gyfatebol am 'a determined publicisation, if not popularisation, of Welsh writing in English', croesawodd y *New Welsh Review* a phwysodd ar awduron Saesneg yng Nghymru 'to lobby the media fortresses at Llandaf and Culverhouse Cross' am raglenni penodol.

Y gaeaf hwnnw croesawodd gyfnodolyn arall, *Golwg*, yn sgil 'heipio helaeth', gan ymhyfrydu fod *Y Faner* 'wedi bywiogi drwyddi' a bod *Y Cymro* 'wedi sionci'n ddirfawr', yn groes i'r gwae a ddaroganwyd.

Gwelwyd ar dudalennau *Llais Llyfrau* hefyd wedd newydd ar Islwyn Ffowc Elis, yn cynnal cyfweliadau gydag Eigra Lewis Roberts (Hydref 1988), Owain Pennar, Siop Eifionydd, Porthmadog (Gaeaf 1988), Gwerfyl Pierce Jones, Cyfarwyddwr y Cyngor Llyfrau (Gwanwyn 1989) a Menna Elfyn (Haf 1989). Daeth ei ymwneud â'r

cylchgrawn i ben yr un pryd â'i ymddeoliad o'i swydd yn Llanbedr
Pont Steffan, yn haf 1990. Ysgrifennodd Tecwyn Lloyd ato ar 20
Gorffennaf y flwyddyn honno i'w longyfarch wrth iddo 'wynebu'r
hyn a gamenwir yn ymddeoliad o lafur', ac i'w rybuddio:

Ar sail profiad . . . gallaf ddweud mai'r peth pwysicaf yw dysgu
dweud 'na' wrth leng o gymdeithasau fydd yn ceisio dy
gorlannu di i'w dibenion eu hunain yn ystod misoedd y gaeaf!

FFYNONELLAU

[1] Gohebiaeth bersonol, 4 Mawrth 2003.
[2] Ibid.
[3] Ibid.
[4] 'Buchedd Simon', *Barn* 423, Ebrill 1998, t. 40.
[5] LlGC, papurau D. Tecwyn Lloyd, 4/1.
[6] 'Llenor wrth ei waith: 3. Islwyn Ffowc Elis mewn sgwrs ag Eigra Lewis Roberts', *Y Genhinen* 28/1 (1978), t. 22.
[7] Ibid. t. 23.
[8] Ibid. t. 24.
[9] 'Baneri Ddoe' *Y Faner* 16 Chwefror 1979, t. 11.
[10] Glyn Jones a John Rowlands (eds) *Profiles* (Llandysul, 1980), t. 138.
[11] *Y Cymro*, 6 Medi 1972.
[12] 'Straeon y Pentan', *Darlith Goffa Daniel Owen 6* (Yr Wyddgrug, 1981).
[13] 'Neges Gŵyl Dewi' *Y Faner*, 29 Chwefror 1980, t. 7.
[14] Ibid.
[15] Gohebiaeth bersonol, 2 Rhagfyr 2002.
[16] *Llais Llyfrau*, Hydref 1988, t. 3.

12

Diweddglo

Mae Islwyn Ffowc Elis yn dal i fyw yn y byngalo yn Llanbedr Pont Steffan y symudodd ef ac Eirlys iddo yn 1976. Gwerthwyd Aberwiel yn 1987, gan dorri'r cysylltiad olaf rhwng y teulu a Glynceiriog. 'Bu "perthyn" i ddarn o ddaear yn bwysig i mi erioed,' ysgrifennodd at John Rowlands ym Medi'r flwyddyn honno:

> Rydw i'n teimlo – ar hyn o bryd beth bynnag – nad ydw i ddim yn perthyn i unman, nad oes dim 'adre' i fynd iddo mwyach. Ond mi ddylwn fod wedi hen ddysgu, a finnau dros y trigain, 'nad oes inni yma ddinas barhaus'. Ar hynny o wirionedd, o leiaf, fe all y Crediniwr a'r Anffyddiwr gytuno!

Ers iddo ymddeol mae wedi profi'r pedwar peth hwnnw sy'n waddol i bob Cymro cyhoeddus wrth iddo gyrraedd oedran teg. Yn gyntaf, daeth yr anrhydeddau: ei dderbyn i'r Orsedd yn 1992 a D Litt er Anrhydedd gan Brifysgol Cymru flwyddyn yn ddiweddarach. Yn 1998 cyhoeddwyd cyfieithiad Meic Stephens o nofel gyntaf Islwyn dan y teitl *Shadow of the Sickle*, i'w ganlyn gan *Return to Lleifior* y flwyddyn wedyn, a Gwobr Llyfr y Ganrif i *Cysgod y Cryman* yn dilyn pleidlais gyhoeddus yn 2000. Wrth wobrwyo'i hawdur yn Eisteddfod Genedlaethol y flwyddyn honno, haerodd Derec Llwyd Morgan amdano mai 'ef ac ef yn unig, sy'n wreiddiol gyfrifol am yr hyder a'r herfeiddiwch sy'n nodweddu gwaith cynifer o'n hawduron rhyddiaith a ddaeth i'r amlwg er tua 1960.' Temtir rhywun i holi sut yrfa a gawsai Islwyn Ffowc Elis ei hun o gael yr hunanhyder a gyfrannodd i eraill.

Yn ail, fe'i rhyddhawyd o hualau parchusrwydd swydd a safle a'i droi'n *grand old man*, gyda'r penrhyddid a ganiateir i henwyr cyn oeri'u gwaed. Ei hafan achlysurol o ail hanner y nawdegau ymlaen yw'r *Faner Newydd*, lle rhestrwyd ei enw yn rhifyn gwanwyn 1998

ymhlith y rhai sydd wedi gwrthod prynu trwyddeded deledu fel
rhan o Ymgyrch y Gymraeg ar y Cyfryngau. Yn rhifyn Gaeaf 1996,
cyhoeddwyd ei anerchiad yn rali Cymdeithas yr Iaith o flaen
stiwdio'r BBC yng Nghaerfyrddin, yn cwyno am annigonolrwydd
gwasanaeth Radio Cymru oherwydd 'clic bach sy'n credu eu bod yn
gwybod yn well na'u cynulleidfa beth mae hi'n ei hoffi – neu'n
hytrach beth a ddylai ei hoffi.'[1] Defnyddiodd yr un cyfrwng y
gwanwyn dilynol i bryderu am ddiflannu treigladau o'r iaith, gan
obeithio 'nad yw'r fath alaeth yn ddim ond hunllef dyn sy'n mynd yn
hen'.[2]

Trydedd dynged y Cymro cyhoeddus wedi ymddeol yw cofio ar
goedd y cyfeillion a gollwyd, gan ail-fyw o hyd braich y gwahanol
gyfnodau yn ei fywyd. Gwelodd y nawdegau farw Dyfnallt Morgan
o'i ddyddiau gyda'r BBC, R. Alun Edwards o'r Cyngor Llyfrau, yr
Athro Simon Evans, Coleg Llanbedr – a'r cyfaill a ddymunodd
ymddeoliad hir a hapus iddo, Tecwyn Lloyd ei hun.

Ac yn bedwerydd, pwyswyd arno gan ohebwyr cylchgronau i
gloriannu ei yrfa ei hun. Gwnaeth hynny gyda'i gydwybodolrwydd
nodweddiadol, gan addef wrth Menna Baines am ei nofelau cynnar:
'Doeddwn i ddim yn gorfod disgwyl am yr awen, roedd hi yna'n
disgwyl amdana' i, mewn ffordd.'[3] Yn yr un flwyddyn, soniodd wrth
R. Gerallt Jones am ei olwg gwaelodol ar fywyd: 'Mae ambell un yn
optimist: pesimist ydw i. Mae'r dyfodol yn ddu bob amser, ac wedyn
yn y diwedd mae'n well nag yr oeddwn i'n ei ofni!'[4] Yr un
ddeuoliaeth oedd testun ei sylwadau clo mewn cyfweliad arall eto,
yn 1992, wrth ateb cwestiwn Dyfed Rowlands am ei obeithion:

> Bob tro y byddaf yn teimlo'n obeithiol iawn am ddyfodol y
> Gymraeg, byddaf yn gweld neu'n clywed rhywbeth a fydd yn
> dymchwel y gobaith. I'r gwrthwyneb, os byddaf yn teimlo'n
> ddigalon, yn siŵr ei bod yn rhy hwyr a bod y frwydr eisoes
> wedi'i cholli, byddaf yn clywed am ryw fuddugoliaeth
> syfrdanol i'r iaith yn rhywle annisgwyl, a fydd yn gerydd arnaf
> am golli fy ffydd . . .
>   Bydd y pwysau yn erbyn y genedl hon a'i hiaith yn dal i
> gynyddu, ond bydd y penderfyniad a'r dyfeisgarwch i'w cadw

yn dal i gryfhau. Rydw i'n gorfod credu, os bydd bywyd ar y blaned hon ymhen mil o flynyddoedd eto, y bydd y Gymraeg yn dal i gael ei siarad yma. A'i darllen hefyd. Ac mae hynny'n golygu y bydd llenyddiaeth yn dal i gael ei chreu ynddi am amser go hir i ddod.[5]

Y peth priodol, efallai, fyddai cloi'r ymdriniaeth ar y nodyn hwnnw, yn union fel y dewisodd Dyfed Rowlands derfynu ei gyfweliad. Fodd bynnag, rhaid ychwanegu nad oes yma ddim sy'n drawiadol o newydd. Nid ffrwyth myfyrdod henaint sydd yma. Yn wir, mae'n anodd darllen y geiriau hyn heb ddwyn i gof sylwadau Islwyn Ffowc Elis yn ŵr cymharol ifanc am 'wytnwch meddal' y genedl Gymreig yn *Fy Nghymru I* yn 1960, ei golofnau golygyddol i'r *Ddraig Goch* yn nechrau'r pumdegau a'r geiriau diflanedig hyn o'i golofn i'r *Cymro* yn 1972:

Heddychwr ydw i, ond petai gen i'r arian a'r adnoddau a'r ddawn, mi garwn i o 'nghalon wneud un *western* lle byddai'r Apache neu'r Cherokee yn sychu'r llawr â'r US Cavalry ac yn ogoneddus fuddugoliaethus ar y diwedd.[6]

FFYNONELLAU

1 'Radio'r Sombi', *Y Faner Newydd* 2, Gaeaf 1996, t. 11.
2 'Tranc y Treigladau' *Y Faner Newydd* 3, Gwanwyn 1997, t. 36.
3 Menna Baines, 'Yn Ôl i Leifior Eto', *Golwg* 3/25 (1991), t. 24.
4 'Yn Ôl i Leifior: Islwyn Ffowc Elis yn sgwrsio â R. Gerallt Jones', *Taliesin* 75 (1991), t. 22.
5 'Holi Islwyn Ffowc Elis gan Dyfed Rowlands', *Y Traethodydd* CXLVII, Gorffennaf 1992, t. 168.
6 *Y Cymro*, 27 Medi 1972, t. 4.

Mynegai